JN008215

Excel 365 2019 2016 2013 対応

即効！仕事に役立つ関数ワザ！

土岐順子

日経BP

はじめに

本書では、Microsoft 365およびExcel 2019、2016、2013のワークシート関数の基礎から主要な関数の使用法、他の機能や関数と組み合わせる高度な使用法まで、画面や図を示しながらわかりやすく解説しています。また、第8章では、関数を利用してビジネス文書を作成する実践的な活用法を紹介します。

本書の表記

■リボン、ウィンドウ、アイコン、メニュー、コマンド、ツールバー、ダイアログボックスの名称やボタン上の表示、各種ボックス内の選択項目の表示を、原則として［ ］で囲んで表記しています。

■本書でのボタン名の表記は、画面上にボタン名が表示される場合はそのボタン名を、表示されない場合はポップヒントに表示される名前を使用しています。

■手順説明の中で、「［○○］タブの［××］ボタンをクリックする」とある場合は、［○○］をクリックしてタブを表示し、［××］ボタンをクリックしてコマンドを実行します。

使用したソフトウェアと表記

本書の編集にあたり、次のソフトウェアを使用しました。

Windows 10 ……………………………………Windows
Microsoft 365……………………………………Microsoft 365、Excel
Microsoft Excel 2019 ……………………………Excel 2019、Excel
Microsoft Excel 2016 ……………………………Excel 2016、Excel
Microsoft Excel 2013 ……………………………Excel 2013、Excel

本書に掲載した画面は、デスクトップ領域を1366×768ピクセルに設定しています。ご使用のコンピューターやソフトウェアのパッケージの種類、セットアップの方法、ディスプレイの解像度などの状態によっては、画面の表示が本書と異なる場合があります。また、Officeのリボンのボタンは、ディスプレイの解像度やウィンドウのサイズなどによっては、形状が本書と異なる場合があります。あらかじめご了承ください。

本書の使い方

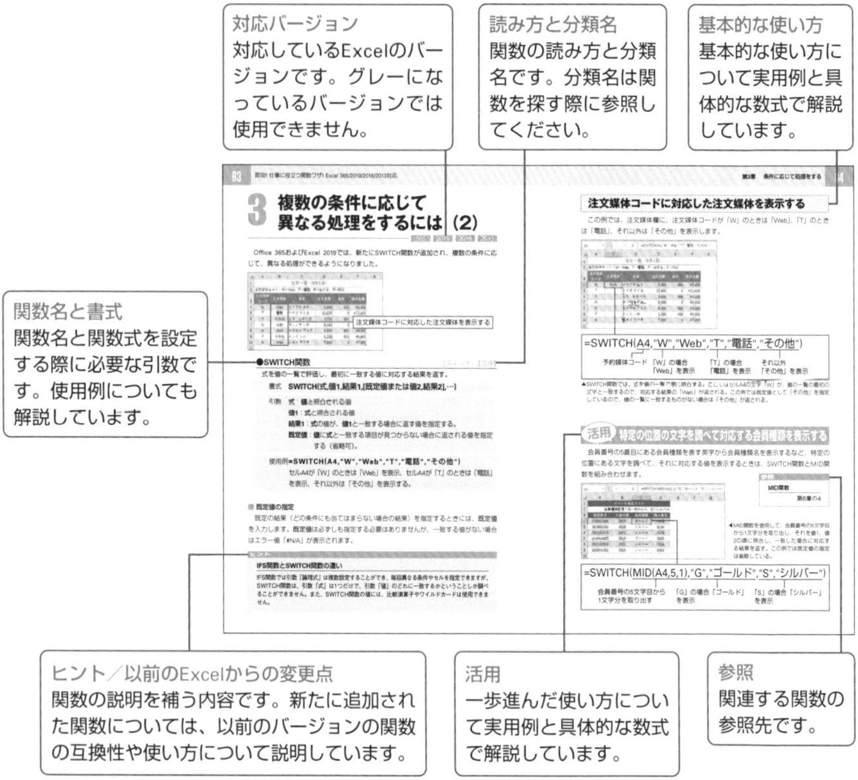

サンプルファイルのダウンロード

本書で使用しているファイルは、サンプルファイルとしてダウンロードしていただけます。本書のWebページ（下記のURL）にアクセスし、「データダウンロード」欄にある「サンプルファイルのダウンロード」のリンクをクリックしてください。開いたページにダウンロードに関する説明があります。それに従ってダウンロードしてください。

https://project.nikkeibp.co.jp/bnt/atcl/21/S80070/

※ファイルのダウンロードには日経IDおよび日経BPブックス＆テキストOnlineダウンロードサービスへの登録が必要になります（いずれも登録は無料）。

ダウンロードしたファイルはZIP 形式になっています。収録しているファイルについては、ZIPファイルを展開して取り出せる「はじめにお読みください.txt」をご覧ください。

※本書のWebページのURLは予告なく変更されることがあります。その場合は開いたページの検索欄から、書名もしくはISBNを入力して本書のWebページに移動してください。

第1章

関数の基礎知識と基本操作

関数は、よく使う計算や複雑な処理を簡単に実行するためにあらかじめ用意された数式です。ここでは関数の概念と基本操作を説明します。さらに、正しい式が入力されなかったときに表示されるエラーについてもその対処方法を紹介します。

1 関数とは

Excelは「表計算ソフト」という名の通り、数式を入力して計算をするアプリケーションソフトです。足し算や掛け算などの四則演算をするほか、関数を使うと、難しい計算を効率よく行ったり、検索や文字列の変換など数値計算以外の処理も簡単にできます。

関数とは

計算や処理を簡単に実行するために、あらかじめ定義された数式を関数といいます。Excelにはさまざまな関数が登録されていて、合計や平均などの計算から、条件に応じた計算、データの検索、日付の取り出し、文字列の変換などの処理ができます。

■ セルB2～B5の平均を求める

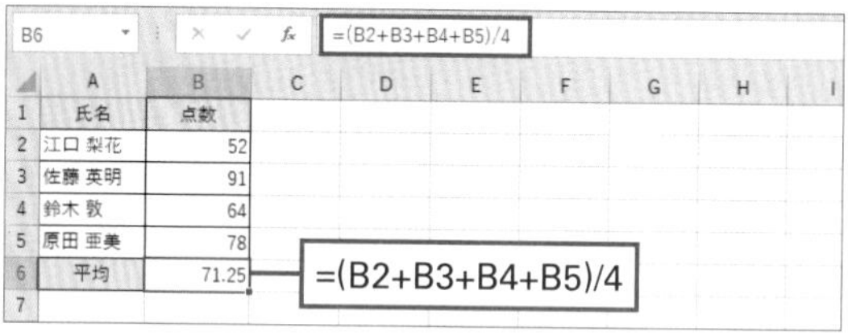

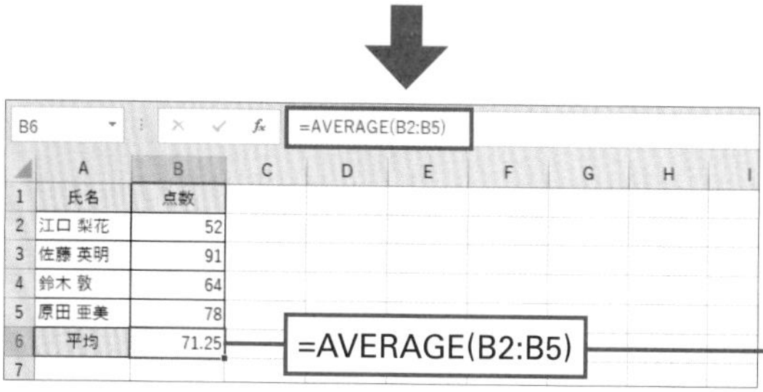

AVERAGE関数を使用

参照
AVERAGE関数
第2章の3

▲平均を求めるには、すべての値を合計して個数で割る数式を作成する。AVERAGE関数を使えば、対象のセル範囲を指定するだけで平均値を求められる。セル範囲が大きくても簡単に求められるので便利だ。

■ 今日の日付を表示する

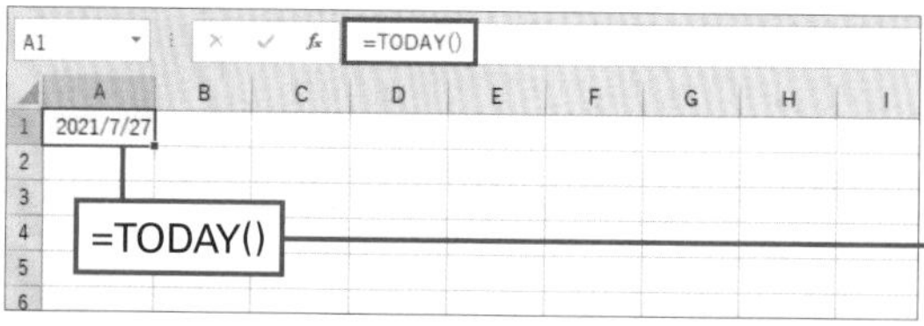

TODAY関数を使用

参照
TODAY関数
第5章の7

▲TODAY関数を使えば今日の日付が表示される。この日付はファイルを開いたときに自動的に更新される。

関数の種類

Excelの関数は、目的によって次のように分類分けされています。

財務関数	利息の金額や支払日、投資の金利や期間、資産の減価償却費など金銭に関する計算をする。
論理関数	条件に従って、値がTRUE（真）かFALSE（偽）かを判断する。
文字列操作関数	ふりがなの取り出しや全角⇔半角、大文字⇔小文字などの変換、文字の置換、スペースの削除などをする。
日付/時刻関数	現在の日付や時刻の表示、日付からの年、月、日の取り出し、開始日から終了日の稼働日数の計算などをする
検索/行列関数	条件に合致するデータを検索したり、セル参照から行番号や列番号を取り出す。
データベース関数	データベースの範囲内の条件に合致するデータの合計、個数、最大値、最小値、平均値などを求める。
数学/三角関数	合計、四捨五入や絶対値、最大公約数、行列式、円周率、平方根、三角関数など数学で使うような計算をする。
統計関数	データ範囲の平均値、順位、標準偏差、正規分布、確率などを求める。
エンジニアリング関数	2進数⇔10進数などの変換、複素数の計算などをする。
キューブ関数	ピボットテーブルの数式をセルの数式に変換するなど「キューブ」というデータベースを操作する。
情報関数	セルの書式や位置、内容などの情報の取得やエラーの種類などを判別する。
互換性関数	Excel 2010以降で、新しい関数に置き換えられた関数。互換性を保つためExcel 2010以降でも利用することができるが、将来使えなくなる可能性がある。
Web関数	インターネットやイントラネットからデータを抽出する。

ヒント

関数ライブラリでの分類

［数式］タブの［関数ライブラリ］グループに関数を分類したボタンがあり、クリックすると登録されている関数の一覧が表示されます。統計、エンジニアリング、キューブ、情報、互換性、Web関数は［その他の関数］ボタンをクリックして表示される一覧にあります。

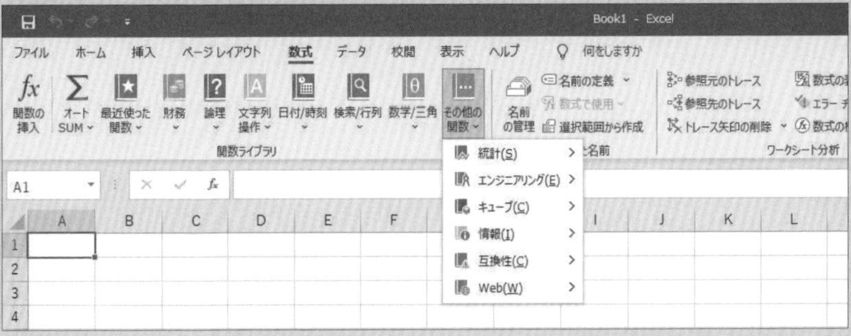

2 関数の書式について

関数は、関数名と引数（ひきすう）と呼ばれる特定の値を入力することにより、定められた順序に従って計算が行われます。引数は関数によって異なります。

関数の書式

関数は、最初に「=」（等号）を入力し、続いて関数名、「( )」（かっこ）で囲んだ引数を入力します。Enterキーを押すとセルに「戻り値」と呼ばれる計算結果が表示されます。入力した関数は、数式バーで確認できます。

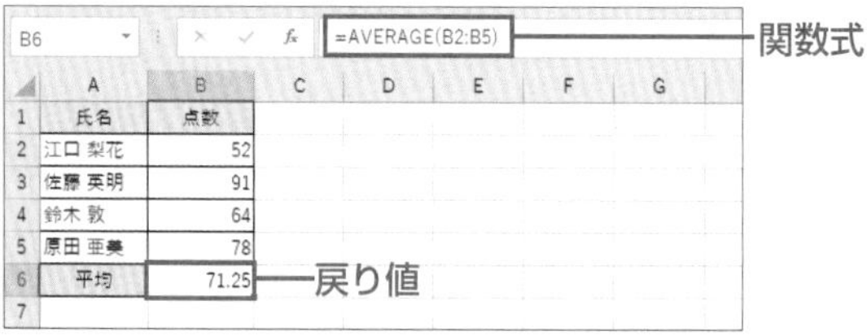

参照
AVERAGE関数
第2章の3

=AVERAGE(B2:B5) ➡ 71.25

等号　関数名　かっこ　引数　かっこ　戻り値

■ 等号

最初に「=」（等号、イコール）を半角で入力します。この記号を入力することにより、数式ではなく、計算結果がセルに表示されます。

■ 関数名

目的の計算を行う関数名を半角英数字で入力します。大文字でも小文字でもかまいません。

■ かっこ

引数を半角の「( )」（かっこ）で囲みます。始まりの「(」と終わりの「)」が対応していないとエラーになります。TODAY関数のような引数が不要な関数でも「( )」は必ず入力します。

■引数（ひきすう）

関数の計算の基になる値です。関数によって種類や順序が決まっています。

引数の指定

引数には、数値だけでなく、文字列やセル参照などを指定する場合もあります。また、数式や関数を使用することも可能で、これを「ネスト」といいます。

参照
関数をネストするには
第7章の1

■引数の種類

数値	数値を直接入力する。 例）=AVERAGE(52,91,64,78)
文字列	文字列を半角の「"」（ダブルクォーテーション）で囲んで入力する。 例）＝IF(A3>=70,"合格","不合格")
セル参照	1つのセルやセル範囲、名前を付けたセル範囲を指定する。 例）＝AVERAGE(B2:B5)
論理値	TRUEやFALSE 例）=VLOOKUP(A3,E3:H20,3,FALSE)
エラー値	#DIV/0!、#NAME?、#N/A、#VALUE!、REF!、#NUM!、#NULL! 例）=ERROR.TYPE(#NULL!)
配列	数値や文字列を列の区切りを示す「,」（コンマ）や行の区切りを示す「;」（セミコロン）で区切り、「{ }」（中かっこ）で囲む。 例）=ROWS({1,2,3;4,5,6})
数式や他の関数	引数に数式や他の関数を入力する。その計算が先に行われ、結果が元の関数の引数として使用される。 例）=ROUND(AVERAGE(B2:B5),1)

■引数の入力

引数が複数ある場合は、「A1,A2,A3」のように「,」（コンマ）で区切ります。

引数としてセル範囲を指定するときは、「A1:A5」のように始まりと終わりのセル参照の間に「:」（コロン）を入力します。

3 関数を入力するには

関数を入力する方法は、式を直接手入力する方法と［合計］ボタン（［オートSUM］ボタン）を使う方法、ダイアログを使う方法の3種類があります。本書では、次の数式オートコンプリートを使って手入力する方法を基本に紹介しています。

関数を手入力する

Excelでは、「=」（等号）に続いて関数名を先頭から入力すると、入力に応じて該当する関数名の一覧が表示されます。これを「数式オートコンプリート」といいます。一覧から目的の関数名をダブルクリックするだけで簡単に入力できます。

❶ 関数を入力するセルをクリックする。

❷「=」を入力し、関数名の最初の数文字を入力する。

❸ ❷ で入力した文字で始まる関数の一覧が表示されるので、目的の関数名をダブルクリックする。

❹ 関数名に続いて「(」が表示される。

❺ セルの下に表示されるヒントを参照して、引数を設定する。

❻ 最後に「)」を入力し、Enterキーを押す。

❼ セルに計算結果が表示される。

参照
SUM関数
第2章の1

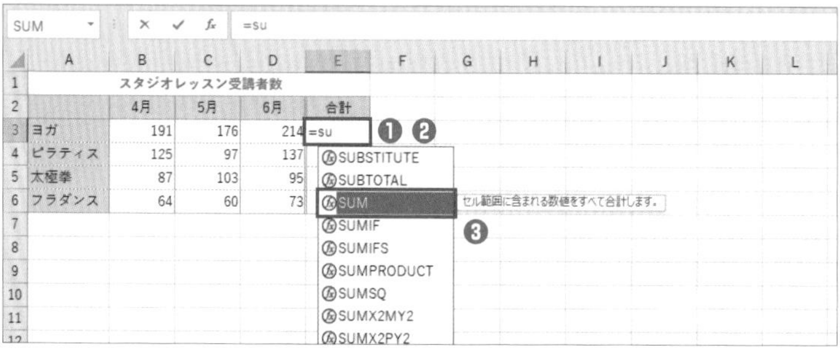

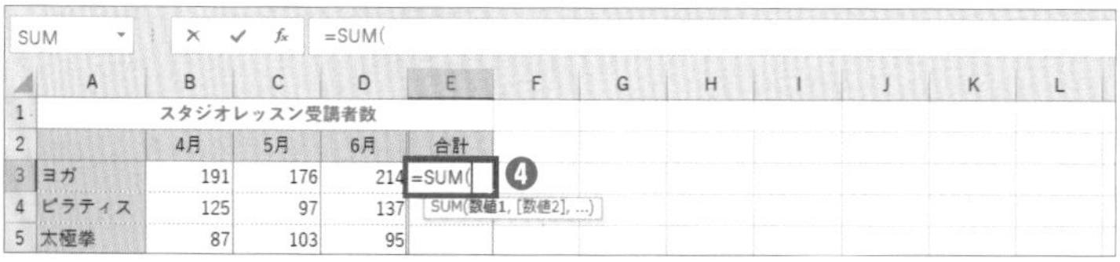

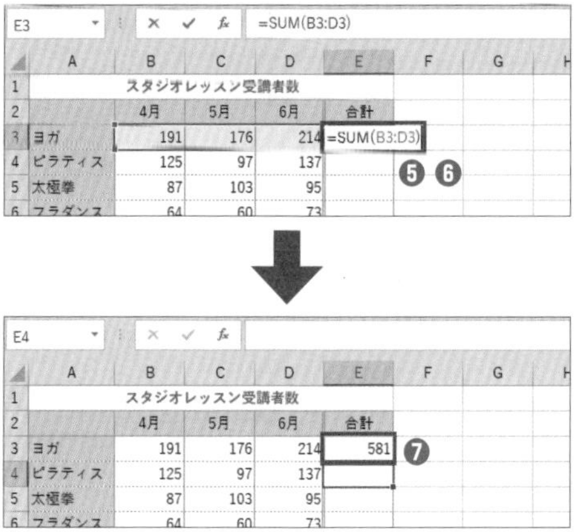

ヒント

引数にセル参照を指定するには

引数に「B3」などのセル参照を指定するときは、セルをクリックします。複数のセルを指定するときは、1番目のセルをクリックした後、Ctrlキーを押しながら次のセルをクリックすると、「,」（コンマ）で区切られて複数のセル参照が入力されます。セル範囲を指定するときは、セルをドラッグします。ドラッグ開始のセル参照と終了のセル参照の間に「:」（コロン）が表示されます。

[合計]ボタン([オートSUM]ボタン)から関数を選択する

合計、平均、数値の個数、最大値、最小値を求める関数は、リボンの［合計］ボタン（［オートSUM］ボタン）を使って簡単に入力できます。

❶ 関数を入力するセルをクリックする。

❷［ホーム］タブの Σ［合計］ボタンまたは［数式］タブの Σ［オートSUM］ボタンの▼をクリックする。

❸［合計］［平均］［数値の個数］［最大値］［最小値］から目的の計算を選択する。

❹ セルに関数が入力され、計算対象のセル範囲が自動認識され点線が表示される。

❺ 必要に応じてセル範囲を修正し、再び Σ［合計］ボタンまたは Σ［オートSUM］ボタンをクリックするか、Enterキーを押す。

❻ セルに計算結果が表示される。

ヒント

［合計］ボタンと［オートSUM］ボタン

［ホーム］タブの Σ［合計］と［数式］タブの Σ［オートSUM］は同じものです。ボタンの左側をクリックすると、合計を計算するSUM関数が入力されます。

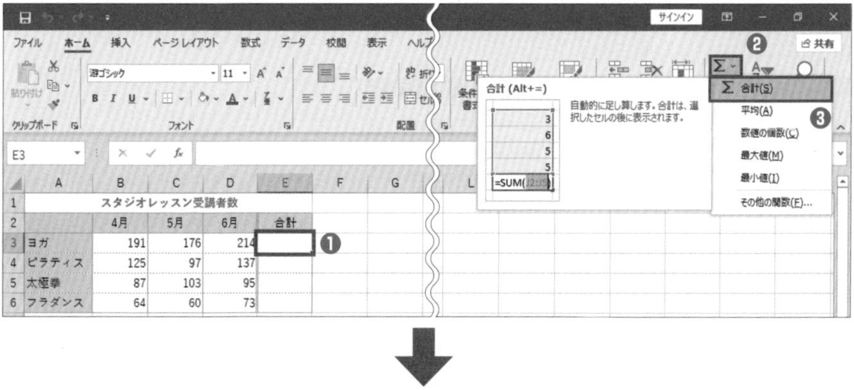

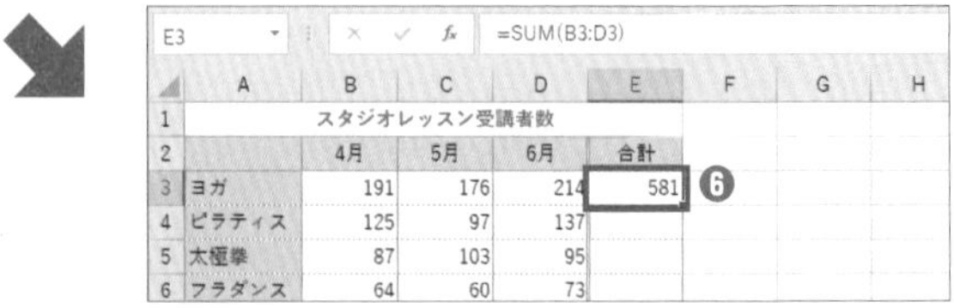

ヒント

自動認識されたセル範囲を修正するには

［合計］ボタン（［オートSUM］ボタン）を使って関数を入力したセルの上または左にデータが入力されている場合は、そのセル範囲が計算対象として自動認識されます。修正するには、正しいセル範囲をドラッグするか、セル範囲の点線枠の隅をポイントしてマウスポインターの形が ↘ や ↗ に変わったらドラッグします。

ダイアログで入力する

［数式］タブの［関数ライブラリ］グループに関数を分類したボタンがあり、これをクリックすることで、一覧から関数が選択できます。関数を選択すると、［関数の引数］ダイアログが表示され、関数や引数の説明を読みながら設定することができます。

❶ 関数を入力するセルをクリックする。
❷［数式］タブの［関数ライブラリ］グループから目的の関数の分類ボタンをクリックする。
❸ 一覧から目的の関数を選択する。
❹［関数の引数］ダイアログが表示されるので、引数を設定する。
❺［OK］をクリックする。
❻ セルに計算結果が表示される。

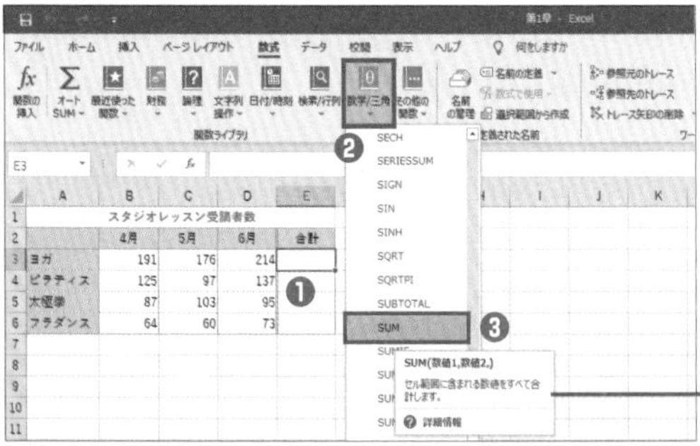

関数の書式と説明

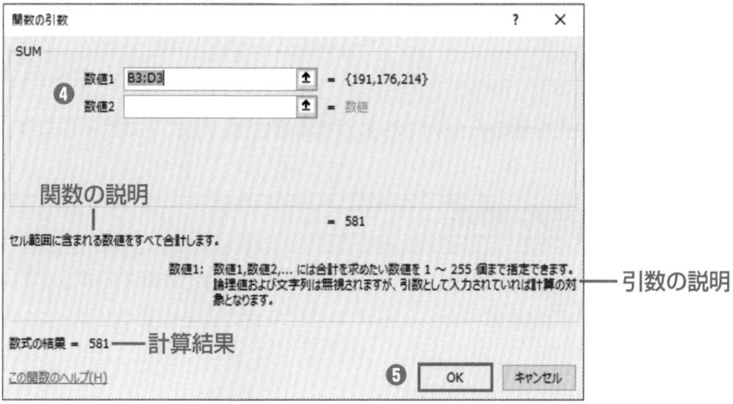

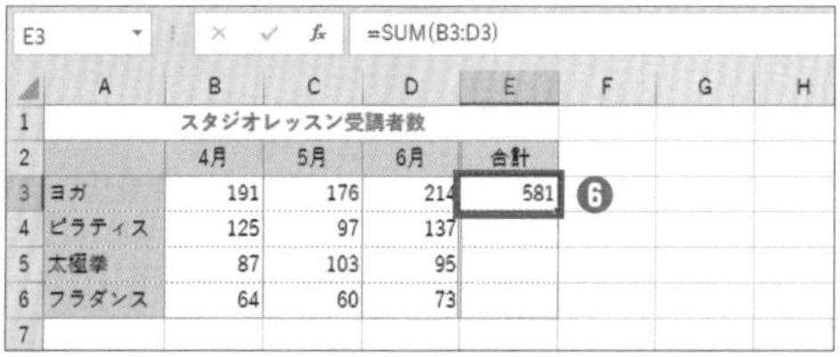

ヒント

関数の分類がわからない場合は

数式バーや［数式］タブの ［関数の挿入］ボタンをクリックすると、［関数の挿入］ダイアログが表示されます。［関数の分類］ボックスの▼をクリックして［すべて表示］を選択するとすべての関数を表示できます。また、［関数名］ボックス内をクリックし、関数名の先頭文字を入力すると、合致する関数が選択されます。［OK］をクリックすると、選択した関数の［関数の引数］ダイアログが表示されます。

4 数式をコピーするには

集計表の合計など、同じ数式を他の行や列にも入力する場合は、数式をコピーします。

オートフィル機能を使う

数式のコピーは、オートフィル機能を使って、ドラッグ操作で行うと効率的です。なお、数式をコピーすると、数式内のセル参照がコピー先の位置に合わせて自動的に調整されます。

❶ 数式が入力されているセルをクリックする。

❷ セルの右下のフィルハンドル（■）をポイントし、マウスポインターの形が ＋ になったら、目的のセルまでドラッグする。

❸ 数式がコピーされる。

参照

SUM関数

第2章の1

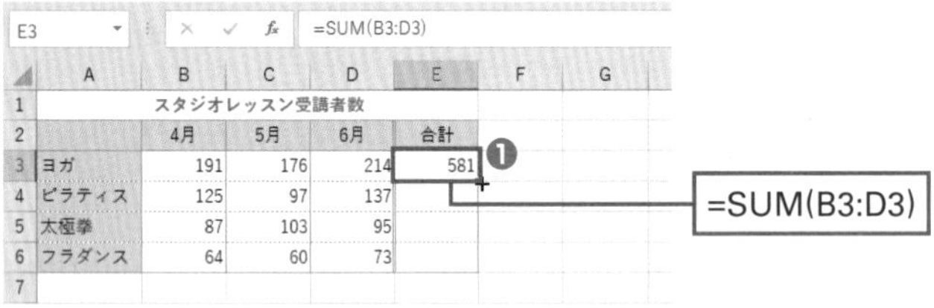

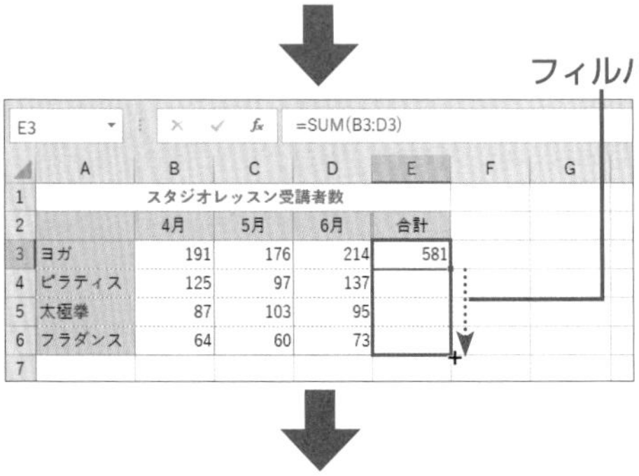

ヒント

ダブルクリックで数式をコピー

コピー元のセルのフィルハンドル（■）をダブルクリックすると、隣接する列のデータが入力されている最終行まで、自動的に数式がコピーされます。

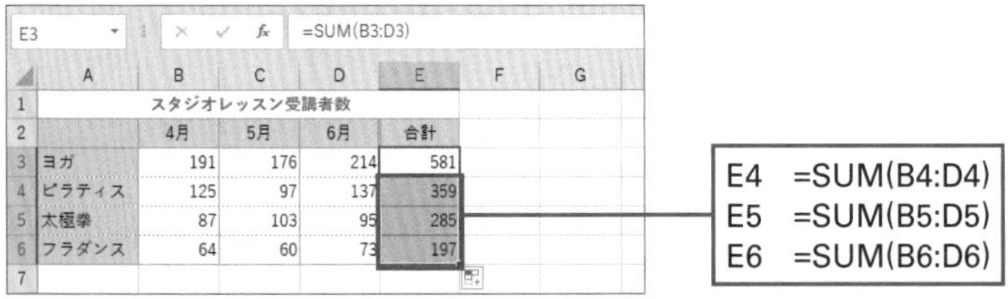

活用　書式なしコピー

オートフィル機能を使うと数式だけでなく、コピー元のセルの書式も引き継がれます。書式をコピーせずに数式だけコピーする場合は、コピー終了後にセルの右下に表示される［オートフィルオプション］ボタンをクリックし、［書式なしコピー］を選択します。

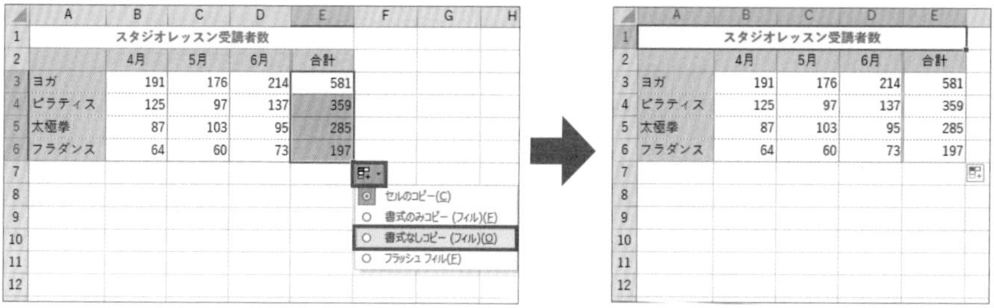

▲セルE3をオートフィル機能でコピーすると、セルに設定されている点線の下罫線もコピーされるため、セルE6の下罫線が実線から点線に変わってしまう。［書式なしコピー］をすると、罫線はコピーされず、セルE6の下罫線は実線のままになる。

セル参照

数式が、「A1」のように、セルの位置を示す「セル参照」で指定されている場合、数式をコピーすると、セル参照はコピー先に合わせて自動的に調整されます。セル参照には相対参照と絶対参照があり、必要に応じて使い分けます。

■ 相対参照

数式が入力されているセル位置を基点にして、相対的な位置にあるセルを参照します。数式を他の行や列にコピーした場合、数式内の参照も自動的に調整されます。

下の例で、セルE3をE6にコピーすると、数式内のB3はB6に、D3はD6に変更されます。

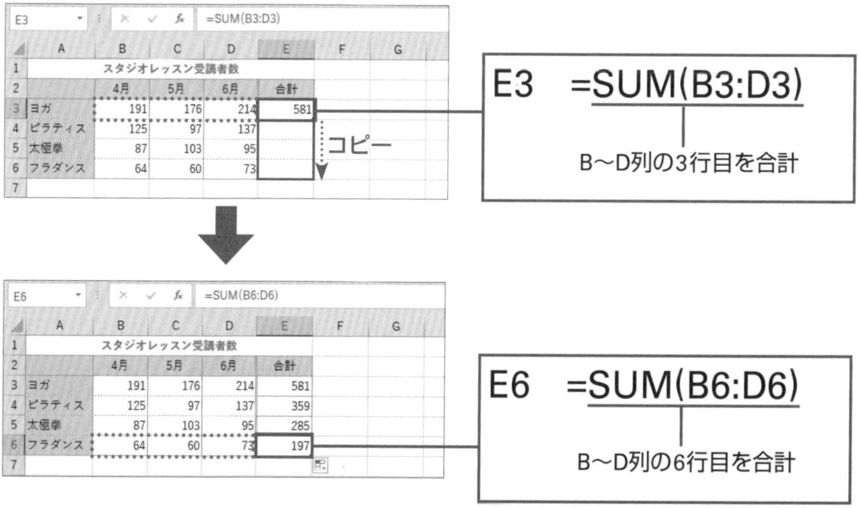

■ 絶対参照

特定の位置にあるセルを固定して参照します。数式を他の行や列にコピーしてもセル参照は変わりません。絶対参照にするときは、「$E$3」のように列番号や行番号の前に「$」を付けます。「$」は直接入力するか、セル参照を指定後に F4 キーを1回押します。

下の例で、セルC3をC6にコピーしても、数式内にある絶対参照$E$3は変更されません。

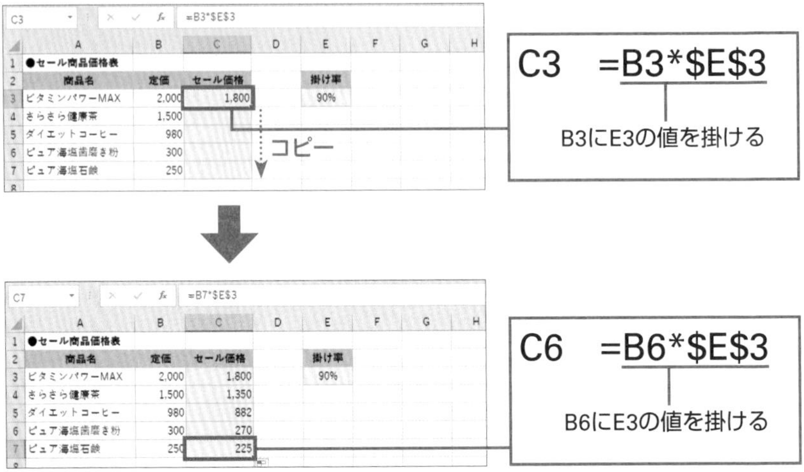

■ 複合参照

絶対参照と相対参照を組み合わせることもできます。「$A1」や「B$1」のように列または行のどちらか一方を固定します。数式を他の行や列にコピーした場合、相対参照の部分は自動的に調整され、絶対参照の部分は変わりません。複合参照にするときは、列番号や行番号の前に「$」を直接入力するか、セル参照を指定後に F4 キーを押します。F4 キーを2回押すと行が固定され、3回押すと列が固定されます。

下の例で、セルC3をE6にコピーすると、数式内にある複合参照$B3は$B6に、C$2はE$2に変更されます。

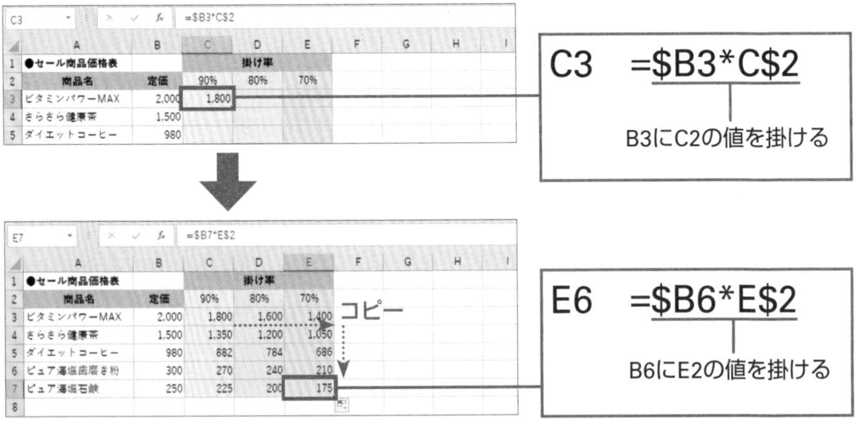

コラム

構造化参照

表を「テーブル」として設定しておくと、表全体や表の一部を参照する数式を作成する際に、表の名前や列名などで指定ができます。これを「構造化参照」といいます。構造化参照を使うと、表の行や列が追加、削除されたときでも、実際に計算する際のセル参照が自動的に調整されるため、関数式の修正が不要になります。

この例では、構造化参照を使用して合計を求める式を入力します。

❶ テーブルにする表のいずれかのセルを選択し、[挿入] タブの [テーブル] ボタンをクリックする。
❷ [テーブルの作成] ダイアログが表示されるので、表の全範囲が指定されていて、[先頭行をテーブルの見出しとして使用する] にチェックが入っていることを確認し、[OK] をクリックする。
❸ [デザイン] タブの [テーブル名] ボックスのテーブル名を確認する。ここでは「テーブル1」になっている。この名前は、ボックス内に入力して変更することもできる。
❹ 金額を表示するセル（セルF4）をクリックして「=」を入力し、、単価のセル（セルD4）をクリックし、「*」を入力して、数量のセルE4をクリックする。
❺「=[@単価]* [@数量]」と入力される。
❻ Enter キーを押すと、金額の列に自動的に数式が設定され、各行の単価×数量の値が表示される。
❼ 売上合計を表示するセル（セルD11）をクリックし、[ホーム] タブの Σ [合計] ボタンをクリックし、合計する金額のセル範囲（セルD4～D9）を指定する。
❽「=SUM(テーブル1[金額])」と入力される。
❾ 再び Σ [合計] ボタンか Enter キーを押すと、金額列の値の合計が表示される。

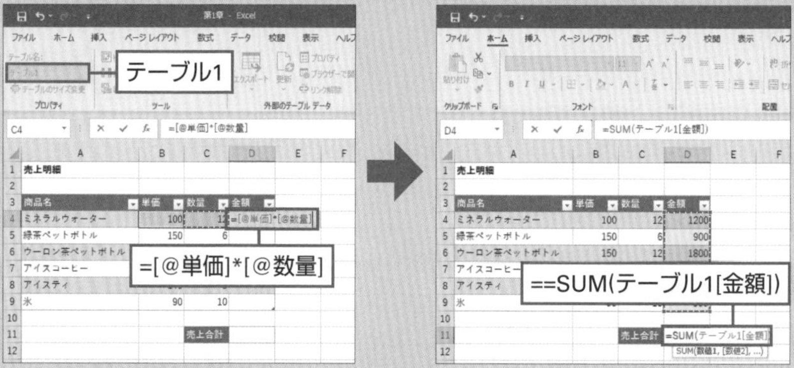

▲数式で構造化参照を使うときは、見出し行を除いたテーブル全体は「テーブル名」、特定の列は「テーブル名[列見出し]」、数式セルと同じ行の特定の列のセルは「[@列見出し]」と指定する。構造化参照は、関数の引数としてテーブル内のセルやセル範囲を指定すると自動的に入力される。また、テーブル内のセルに数式を入力すると、同じ列のセルに自動的に数式が設定される。

5 エラーを修正するには

計算結果が正しく求められない場合は、エラー値が表示されます。エラーの内容からエラーの原因を追究し、修正します。

エラー値の表示

数式にエラーがあると、セルの左上にエラーインジケーターと呼ばれる緑色の三角（◤）、セルにエラー値が表示されます。このセルを選択すると、[エラー] ボタンが表示され、クリックすると、エラーの意味を確認したり、対処方法を選択したりできます。

[エラー] ボタンから選択できる対処方法

[エラー] ボタンをクリックして表示される一覧から、次のようにエラーに対処することができます。

■ヘルプを表示して修正方法を調べる

[このエラーに関するヘルプ] を選択すると、[ヘルプ] 作業ウィンドウが表示され、エラーの原因や修正方法を調べられます。

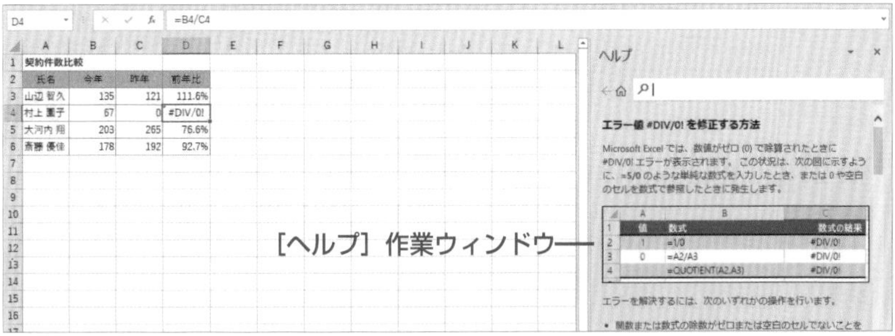

■ 数式の検証をする

［計算の過程を表示］を選択すると、［数式の計算］ダイアログが表示されます。複数の数式が組み合わされている式の場合、各数式それぞれに結果が表示されるので、どの数式のどの部分にエラーがあるのかを検証できます。

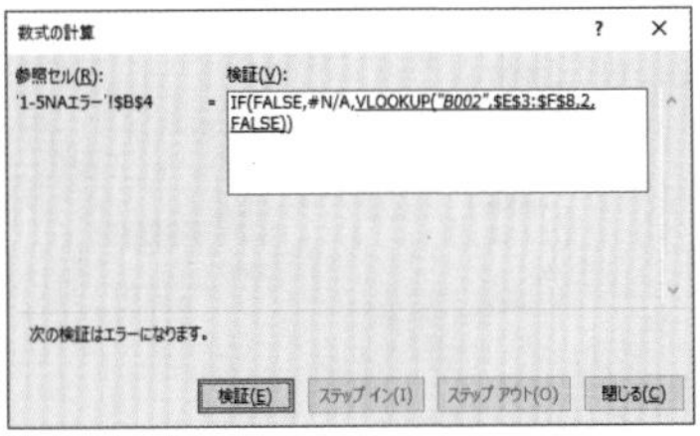

▲計算される順序で数式に下線が引かれる。［検証］をクリックすると、下線の部分の結果が表示される。エラー値が表示されたら、その部分の数式を修正する。

■ エラーインジケーターを非表示にする

［エラーを無視する］を選択すると、セルのエラーが無視され、エラーインジケーター（◤）が非表示になります。エラーは解消されていないので、エラー値はそのままです。

■ 数式を修正する

［数式バーで編集］を選択すると、数式バーにカーソルが表示され、数式を修正できます。

■ エラーの自動チェックを止める

［エラーチェックオプション］を選択すると、［Excelのオプション］ダイアログの［数式］カテゴリが表示されます。［エラーチェックルール］の項目のチェックを外すと、その項目が自動チェックされなくなり、該当するエラー値のエラーインジケーターが非表示になります。［エラーチェック］の［バックグラウンドでエラーチェックを行う］のチェックを外すと、すべての自動チェックがされなくなり、すべてのエラーインジケーターが非表示になります。

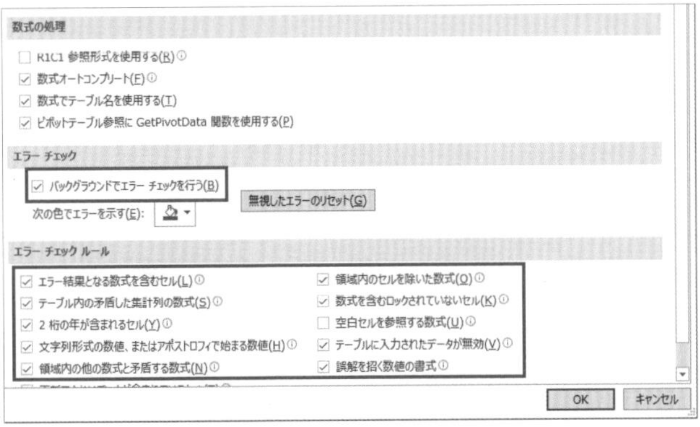

▲［バックグラウンドでエラーチェックを行う］のチェックを外すとすべてのエラーチェックがされなくなり、エラーインジケーターが非表示になる。エラーの種類によってチェックを止めたい場合は［エラーチェックルール］の項目のチェックを外す。

ヒント

エラー値が印刷されないようにするには

エラーインジケーターは印刷されませんが、エラー値は印刷されます。エラー値を印刷しないようにするには、次の手順で設定をします。

❶［ページレイアウト］タブ［印刷タイトル］ボタンをクリックする。
❷［ページ設定］ダイアログの［シート］タブの［セルのエラー］ボックスの▼をクリックし、［表示する］から［<空白>］または［--］に変更する。
❸［OK］をクリックする。

エラー値別の対処方法

エラー値の意味とエラー値別の一般的な対処方法は次のとおりです。

■ #DIV/0!

数値をゼロ（0）または値が入力されていないセルで除算（割り算）しているときに表示されます。エラー値が表示されているセルの数式を削除するか、「0」と入力します。

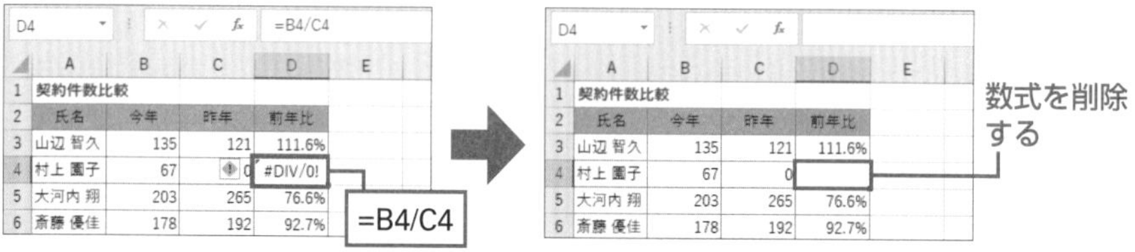

▲前月比は、今月の値を前月の値で割って求める。前月の値が未入力のときは、エラー値「#DIV/0!」が表示される。前月の値が未入力だと前年比は求められないので、セルの数式を削除する。

■ #NAME?

Excelが認識できない文字列が数式に使用されているときに表示されます。関数名のスペルは正しいか、引数の文字列が「"」（ダブルクォーテーション）で囲まれているかなどを確認し、誤っているところを修正します。

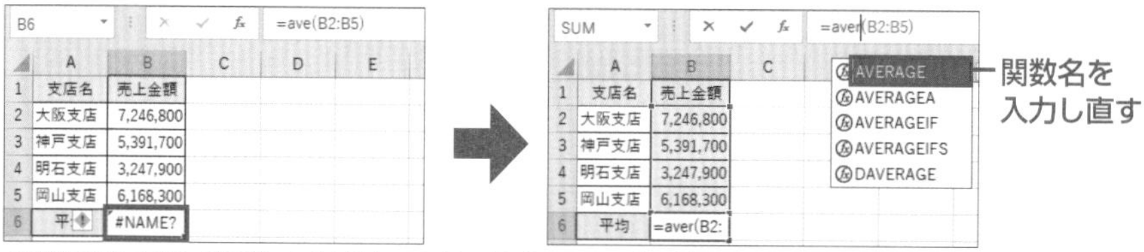

▲関数名のスペルが間違っていると、エラー値「#NAME?」が表示される。数式バーをクリックして、正しい関数名に修正する。数式オートコンプリートで関数名の一覧が表示された場合はそこから選択すると確実だ。

#N/A

計算に必要なデータが入力されていないときに表示されます。データを入力すると、エラー表示が消えます。なお、空白セルを参照するときは、IF関数と組み合わせるとエラー値を表示しないようにできます（7章の2参照）。

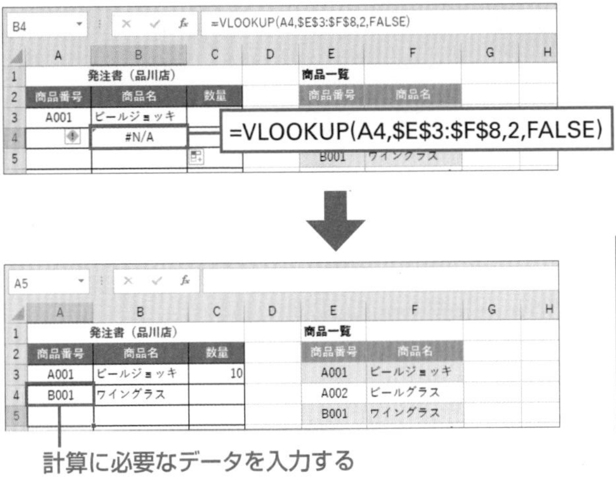

参照

IF関数
第3章の1

VLOOKUP関数
第4章の1

▲表の中から検索値と一致するデータを取り出すVLOOKUP関数が入力されているが、検索値（セルA4）が入力されていないため、エラー値が表示される。検索値を入力すると正しい結果が表示される。

#VALUE!

計算で使用する値の種類が間違っているときに表示されます。数値の部分に文字列が入力されていないか、引数で1つのセルを指定するところにセル範囲が指定されていないかなどを確認し、必要なところを修正します。

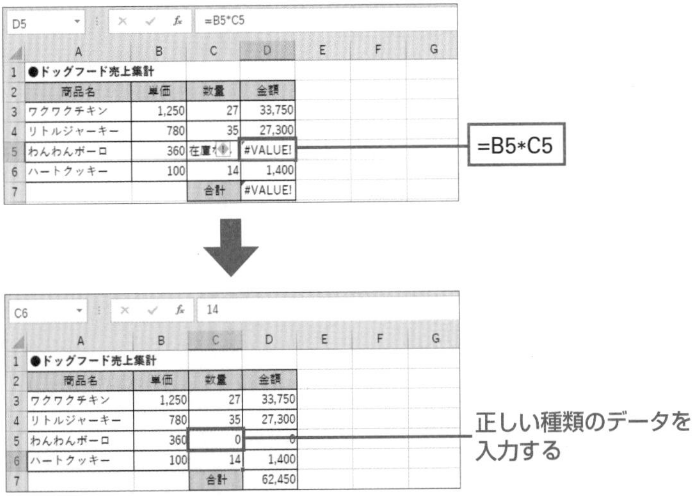

▲金額は単価に数量を掛けて求める。数量のセル（C5）に数値でなく、「在庫なし」という文字列が入力されているため計算ができず、金額のセル（D5）にエラー値が表示される。数量のセルに数値を入力し直すと計算できるので、エラー表示は消える。

#REF!

数式内のセル参照が正しくないときに表示されます。参照先のセルが削除されていないか、引数で存在しないセルを指定していないかなどを確認します。

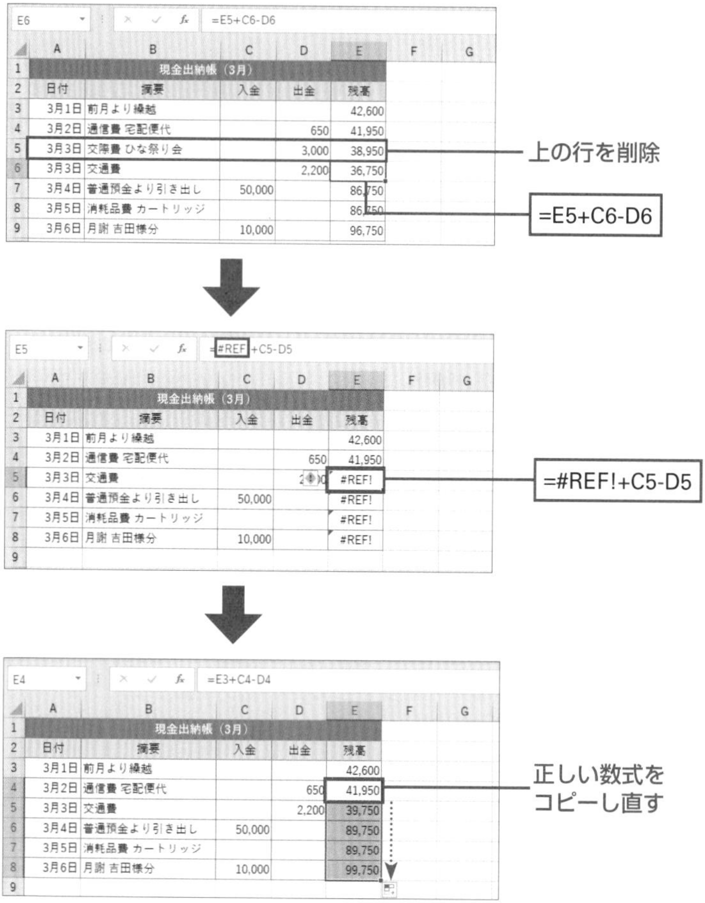

▲残金のセル「E6」には、上の残高の値に入金の値を足し、出金の値を引くという式「=E5+C6-D6」が入力されている。上の行（行5）が削除されると、参照先がなくなり、セルと数式にエラー値が表示される。削除された行の上までは正しい式が入っているので、コピーし直す。

ヒント

その他のエラー値

エラー値には他に#NUM!、#NULL!、#####があります。
#NUM!は、Excelで処理できない大きな値や小さな値が使われているなど、数式や関数の引数の数値が不適切なときに表示されます。数値を確認して修正します。
#NULL!は、指定した2つのセル範囲に共通部分がないときに表示されます。セル範囲を確認し、正しく指定します。
#####は、列幅が足りないために桁数の多い数値が表示できなかったり、入力された日付または時刻が負の値のときに表示されます。列幅を広げたり、日付や時刻を修正したりします。

エラー値のないエラーの対処方法

エラー値は表示されずに、エラーインジケーター（◤）のみが表示されるときがあります。これはエラーの可能性が高く、Excelが注意を促している場合です。セルを選択すると、［エラー］ボタンが表示され、クリックすると内容を確認できます。ここではよく出る表示についての対処方法を紹介します。

■「数式は隣接したセルを使用していません」と表示される

合計を表示するセルと、合計する範囲が離れているときなどに表示されます。数式バーで式を確認して、正しい場合は、［エラー］ボタンから［エラーを無視する］を選択します。［数式を更新してセルを含める］を選択すると、自動的にセル範囲が隣接するセルに修正されるので注意しましょう。

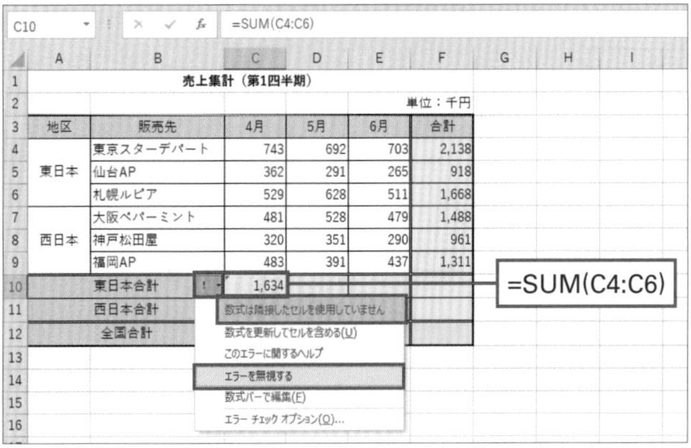

参照
SUM関数
第2章の1

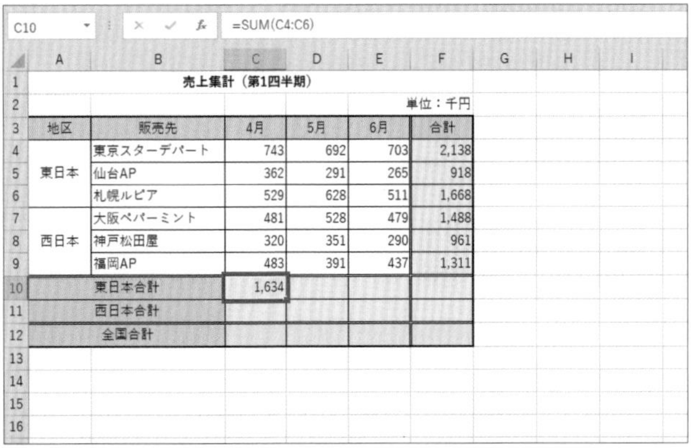

▲合計を表示するセル「C10」と合計するセル範囲「C4:C6」が離れているためにエラーが表示される。数式が正しい場合は、［エラー］ボタンの［エラーを無視する］を選択するとエラー表示が消える。なお、ここで［数式を更新してセルを含める］を選択するとセル範囲は隣接する「C4:C9」に変更される。

■「矛盾した数式」と表示される

縦の合計と横の合計が混在している、掛け算の定数がそのセルだけ違うなど、周囲のセルで行う計算と部分的に異なる式が入力されたときに表示されます。数式バーで式を確認して、正しい場合は、[エラー] ボタンから [エラーを無視する] を選択します。他の式に合わせて修正する場合は、[数式を上からコピーする] など、そのセルに応じた修正方法が表示されるので、これを選択します。

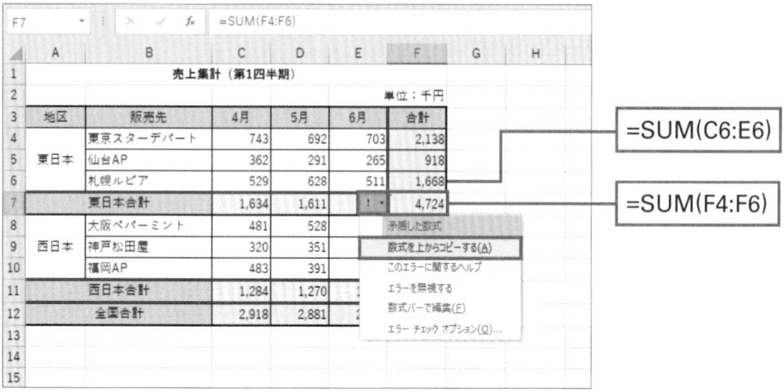

	A	B	C	D	E	F
1		売上集計（第1四半期）				
2						単位：千円
3	地区	販売先	4月	5月	6月	合計
4	東日本	東京スターデパート	743	692	703	2,138
5		仙台AP	362	291	265	918
6		札幌ルピア	529	628	511	1,668
7		東日本合計	1,634	1,611		4,724
8	西日本	大阪ペパーミント	481	528		
9		神戸松田屋	320	351		
10		福岡AP	483	391		
11		西日本合計	1,284	1,270		
12		全国合計	2,918	2,881		

	A	B	C	D	E	F
1		売上集計（第1四半期）				
2						単位：千円
3	地区	販売先	4月	5月	6月	合計
4	東日本	東京スターデパート	743	692	703	2,138
5		仙台AP	362	291	265	918
6		札幌ルピア	529	628	511	1,668
7		東日本合計	1,634	1,611	1,479	4,724
8	西日本	大阪ペパーミント	481	528	479	1,488
9		神戸松田屋	320	351	290	961
10		福岡AP	483	391	437	1,311
11		西日本合計	1,284	1,270	1,206	3,760
12		全国合計	2,918	2,881	2,685	8,484

▲上のセル「F6」までは横計の範囲「C6:E6」を指定していたのに、そのセル「F7」だけが縦計の範囲「F4:F6」を指定しているので、エラーが表示される。ここで [数式を上からコピーする] を選択すると、合計する範囲が横計「C7:E7」に変更され、エラー表示が消える。

第2章

データの集計や端数処理をする

データの集計や端数処理をするときは、数学/三角に分類されている関数を使います。合計や平均、最大値、最小値、セルの個数を求める関数はよく使うので、リボンのボタンから簡単に入力できるようになっています。また、切り上げ、切り捨て、四捨五入は桁指定の概念を理解すれば使いこなせるようになります。

1 合計を求めるには

365 2019 2016 2013

セルの数値の合計を求めるにはSUM関数を使います。SUM関数は、Excelで最もよく使われる関数です。[ホーム] タブと [数式] タブに専用のボタンが用意されていてクリックするだけで式が入力できます。

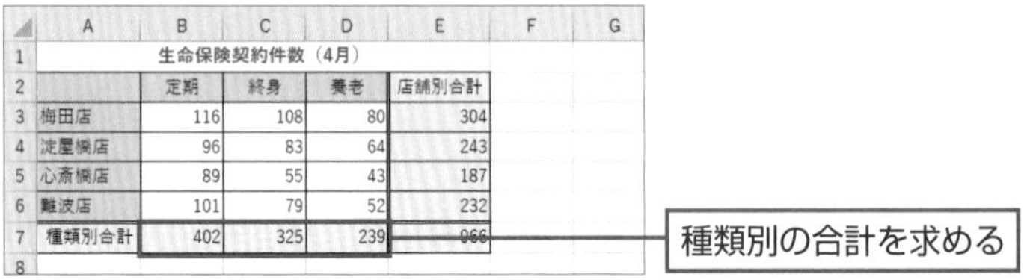

	A	B	C	D	E	F	G
1	生命保険契約件数（4月）						
2		定期	終身	養老	店舗別合計		
3	梅田店	116	108	80	304		
4	淀屋橋店	96	83	64	243		
5	心斎橋店	89	55	43	187		
6	難波店	101	79	52	232		
7	種類別合計	402	325	239	966		
8							

●SUM関数

［サム］【数学/三角】

指定した数値を合計する。

書式　**SUM(数値1,[数値2],…)**

引数　**数値1,数値2,…**：数値、セル参照、セル範囲、数式などを指定する。

使用例**=SUM(B3:B6)**

セルB3〜B6の数値を合計する。

種類別の契約件数を合計する

この例では、[合計] ボタンを使って、保険の種類別の契約件数の合計を求めます。

❶「定期」の列の合計を表示するセル（セルB7）をクリックする。

❷ [ホーム] タブの Σ [合計] ボタンをクリックする。

❸ SUM関数の数式が入力され、計算対象のセル範囲が自動認識され点線が表示される。

❹ セル範囲（セルB3〜B6）が正しいことを確認し、Σ [合計] を再びクリックするか、Enterキーを押す。

❺ 数値の合計が表示される。

❻ 数式をコピーする。

ヒント

[オートSUM] ボタンも同じボタン

[ホーム] タブの Σ [合計] ボタンの代わりに [数式] タブの [関数ライブラリ] の Σ [オートSUM] ボタンを使用してもかまいません。

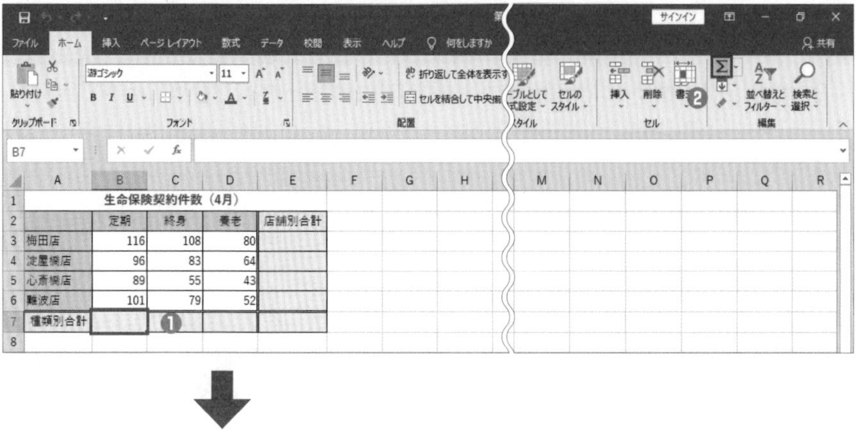

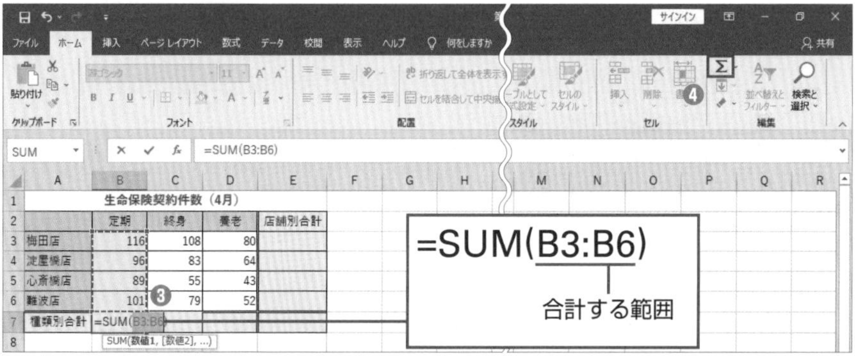

▶数式をコピーするときはオートフィル機能を使う（10ページ参照）。書式をコピーせずに数式だけコピーする場合はコピー終了後にセルの右下に表示される［オートフィルオプション］ボタンをクリックし、［書式なしコピー］を選択する（11ページの「活用」参照）。

ヒント

自動認識されるセル範囲

SUM関数の引数として自動認識されるのは、Σ［合計］ボタンを使ってSUM関数を入力したセルの上または左の連続して数値が入力されている範囲です。

セル範囲を変更するには

自動認識されたセル範囲を変更するには、正しいセル範囲をドラッグして指定し直すか、セル範囲の点線枠の隅をポイントしてマウスポインターの形が↘や↗に変わったらドラッグして範囲を修正します。離れたセル範囲を選択する場合は、Ctrlキーを押しながら選択します。

活用 種類別と店舗別の縦横の合計を一度に求める

［合計］ボタンを使うと、表の縦方向と横方向の合計を一度に求めることができます。この例では、保険の種類別の契約件数の合計（縦計）と店舗別の契約件数の合計（横計）を求めます。

❶ 契約件数が入力されているセルと分類別と店舗別の合計を表示するセル範囲（セルB3～E7）をドラッグして選択する。

❷［ホーム］タブの Σ ［合計］ボタンをクリックする。

❸ 分類別の合計（縦計）と店舗別の合計（横計）が一度に表示される。

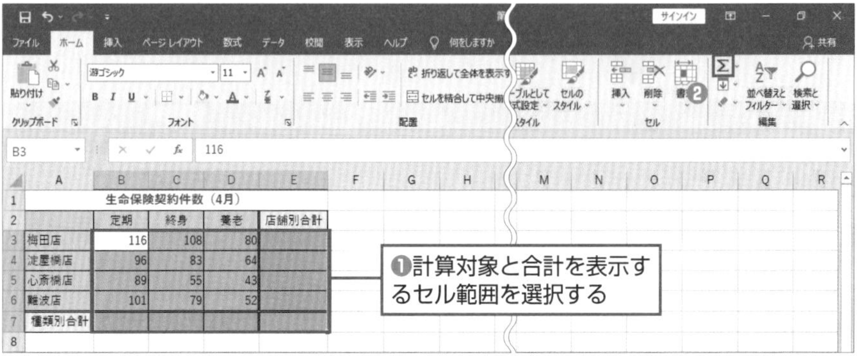

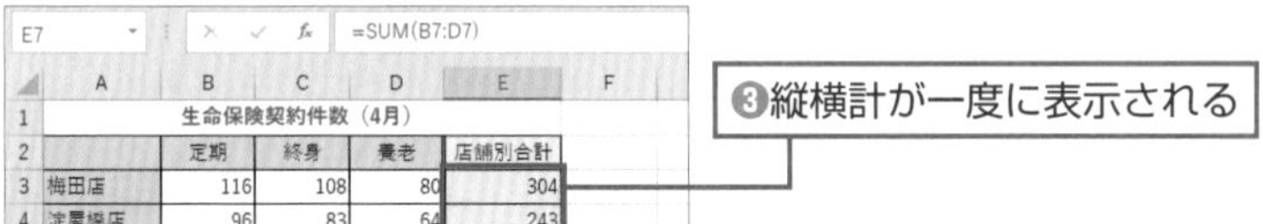

◀計算対象と縦横の合計を表示するセル範囲を選択すると、縦横計が一度に求められる。また、縦計と横計の交差するセル（セルE7）には総合計も表示される。

ヒント

縦計（横計）だけを一度に求めるには

縦計（または横計）だけを求めるには、縦計（または横計）の合計を表示するセルを選択し、Σ ［合計］ボタンをクリックします。なお、縦計（または横計）の計算対象と合計を表示するセル範囲を選択して、Σ ［合計］ボタンをクリックしてもかまいません。

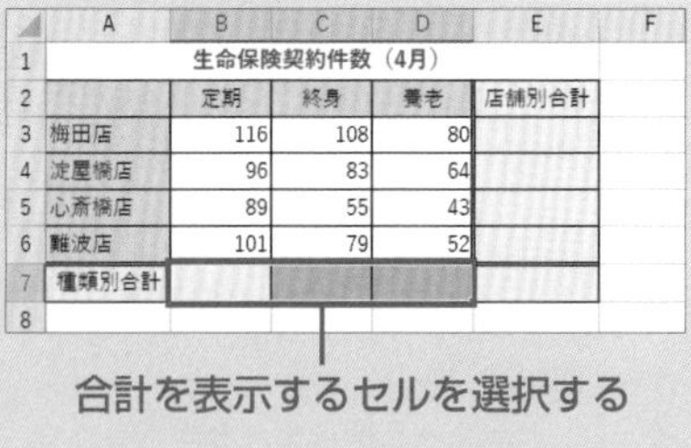

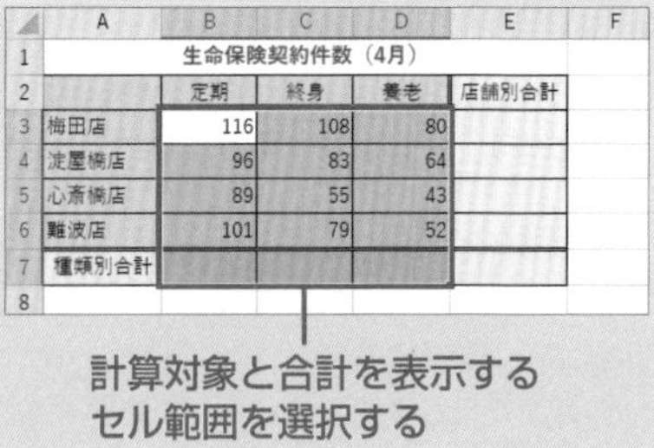

2 複数のワークシート間で串刺し集計するには

365　2019　2016　2013

同じ形式の表が、複数のワークシートの同じ位置にある場合は、［合計］ボタンを使って複数のシートに入力されている数値の合計を求められます。この集計方法を串刺し集計または3-D集計といいます。

■ 4月の集計表

生命保険契約件数（4月）

	定期	終身
梅田店	116	108
淀屋橋店	96	83
心斎橋店	89	55
難波店	101	79
種類別合計	402	325

■ 5月の集計表

生命保険契約件数（5月）

	定期	終身
梅田店	123	76
淀屋橋店	89	88
心斎橋店	100	72
難波店	92	55
種類別合計	404	291

■ 6月の集計表

生命保険契約件数（6月）

	定期	終身	養老	店舗別合計
梅田店	84	79	52	215
淀屋橋店	79	80	48	207
心斎橋店	57	42	35	134
難波店	63	57	40	160
種類別合計	283	258	175	716

■ 4〜6月期の集計表

生命保険契約件数（4〜6月期）

	定期	終身	養老	店舗別合計
梅田店	323	263	196	782
淀屋橋店	264	251	165	680
心斎橋店	246	169	115	530
難波店	256	191	137	584
種類別合計	1,089	874	613	2,576

4月から6月の契約件数の合計を求める

4〜6月期の合計を求める

この例では、4月〜6月の各ワークシートに入力された契約件数の合計を4〜6月期のワークシートに表示します。

❶ 4月から6月の合計を表示するワークシートのシート見出し（4〜6月期）をクリックして、アクティブにする。

❷ 4月から6月の合計を表示するセル範囲（セルB3〜D6）をドラッグして選択する。

❸［ホーム］タブの［Σ］［合計］ボタンをクリックする。

❹「=SUM()」と表示される。

❺ 集計する先頭のワークシートのシート見出し（4月）をクリックする。

❻ 合計する契約件数のセル範囲の左上のセル（セルB3）をクリックする。

ヒント

複数の項目を一度に3D集計する

手順❷で合計を表示するセル範囲を選択しておき、手順❾で［Σ］［合計］ボタンをクリックして集計すると、複数の項目の合計が一度に表示されます。手順❾でEnterキーを押して集計すると、セル範囲内のアクティブなセル（ここではセルB3）にしか合計が表示されません。

❼ Shiftキーを押しながら、集計する最後のワークシートのシート見出し（6月）をクリックする。

❽ 数式バーの式が「=SUM('4月:6月'!B3)」になっていることを確認する。

❾ 再び Σ ［合計］ボタンをクリックする。

❿ 手順❷で選択したすべてのセルに合計が表示される。

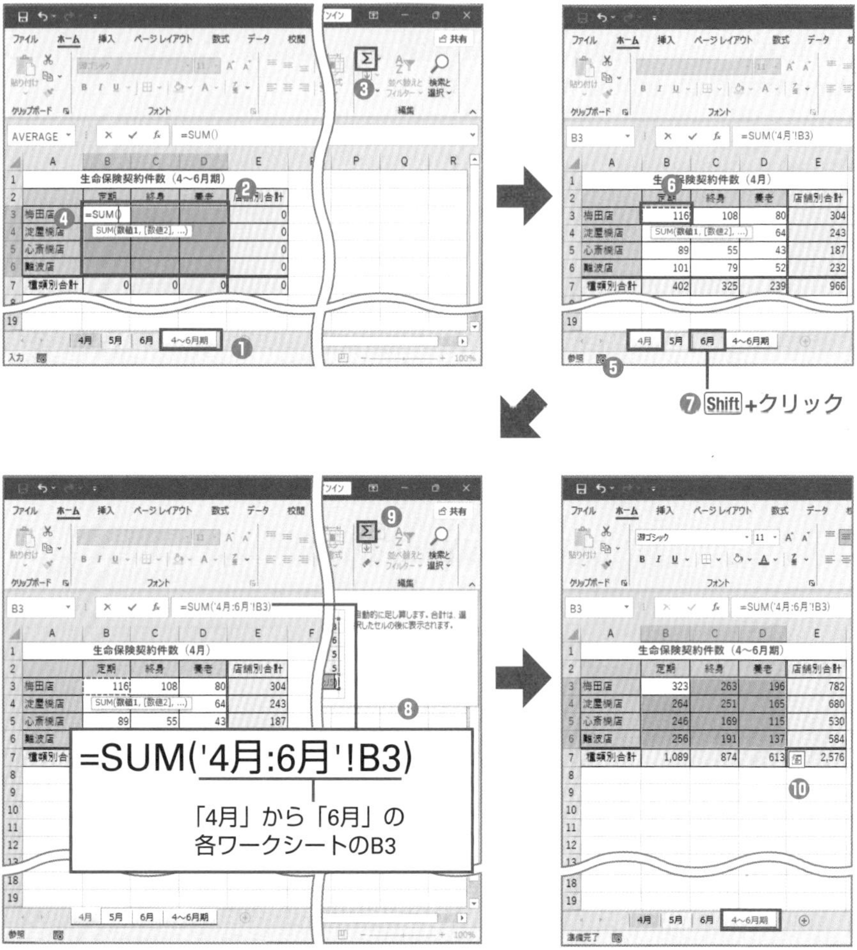

▲合計を表示する範囲には、縦計、横計は含めない。すでに計算式が入力されているからだ。各ワークシートの数値のセルだけを串刺し集計すると、縦計、横計もその結果を反映して表示される。

ヒント

他のワークシートのセルを指定するには

他のワークシートのセルを参照するときは「Sheet1!」のように「シート名」＋「!」で表します。他のブックのセルを参照するときは、「[Book1.xlsx]sheet1 ! A1:A5」のようにブック名を［ ］で囲みます。

3 平均値を求めるには

365　2019　2016　2013

指定したセル範囲にある数値の平均値を求めるにはAVERAGE関数を使います。AVERAGE関数も、合計を求めるSUM関数と同様にExcelでよく使われる関数です。

	A	B	C	D	E	F	G
1		資格試験結果					
2	社員番号	氏名	点数		平均点		
3	16025	佐久間　玲奈	85		64.9		
4	16038	川村　拓海	79				
5	16051	吉池　純也	98				
6	16066	神崎　真由子	65				
7	17003	村上　美咲	43				
8	17021	伊藤　雅治	60				
9	17043	広末　優紀	0	※欠席			
10	18011	中村　大吾	74				
11	18023	園田　翔	53				
12	18085	大久保　香奈	92				
13							

試験の平均点を求める

●AVERAGE関数　［アベレージ］【数学/三角】

指定した複数の数値の平均値を求める。

書式　**AVERAGE(数値1,[数値2],…)**

引数　**数値1,数値2,…**：数値、セル参照、セル範囲などを指定する。

使用例**=AVERAGE(C3:C12)**

セルC3～C12の数値の平均値を求める。

ヒント

「0」は計算対象、空白や文字列のセルは計算対象外

AVERAGE関数では、空白セルや文字列が入力されているセルは計算の対象になりませんが、「0」は対象となります。上の表ではセルB5に「0」が入力されているので、全員の点数の合計÷10で平均値が求められます。

右の表のようにセルC9に「欠席」と文字が入力されていたり、空白セルだったりした場合は、全員の点数の合計÷9で平均値が求められます。数式はどちらも「=AVERAGE(C3:C12)」です。

なお、空白や文字列のセルも計算の対象にする場合は、AVERAGEA（アベレージエー）関数を使用します。引数はAVERAGE関数と同じです。

L16

	A	B	C	D	E
1		資格試験結果			
2	社員番号	氏名	点数		平均点
3	16025	佐久間　玲奈	85		72.11111
4	16038	川村　拓海	79		
5	16051	吉池　純也	98		
6	16066	神崎　真由子	65		
7	17003	村上　美咲	43		
8	17021	伊藤　雅治	60		
9	17043	広末　優紀	欠席		
10	18011	中村　大吾	74		
11	18023	園田　翔	53		
12	18085	大久保　香奈	92		

試験の平均点を求める

この例では、試験結果が入力された表から、平均値を求めます。

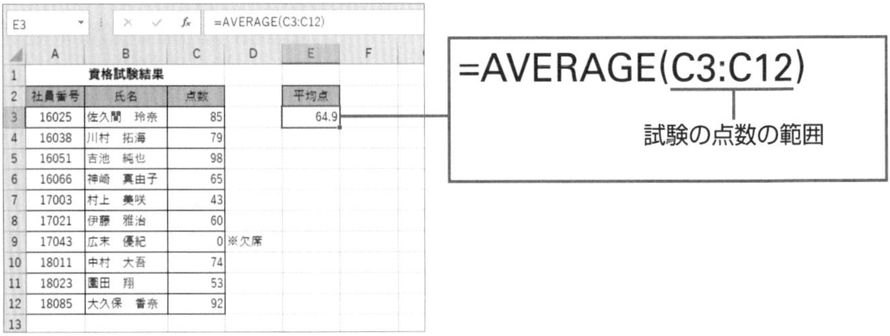

E3　=AVERAGE(C3:C12)

	A	B	C	D	E	F
1		資格試験結果				
2	社員番号	氏名	点数		平均点	
3	16025	佐久間　玲奈	85		64.9	
4	16038	川村　拓海	79			
5	16051	吉池　純也	98			
6	16066	神崎　真由子	65			
7	17003	村上　美咲	43			
8	17021	伊藤　雅治	60			
9	17043	広末　優紀	0	※欠席		
10	18011	中村　大吾	74			
11	18023	薗田　翔	53			
12	18085	大久保　香奈	92			
13						

▲AVERAGE関数は、［ホーム］タブの［Σ］［合計］ボタンの▼をクリックして［平均］を選択しても入力できる（7ページ参照）。この例の場合、結果を表示するセルの左側のセル（セルC3～D3）が範囲として自動認識されるので、正しい範囲（セルC3～C12）を指定する。

活用 試験の点数の中央値を求める

データ全体の中央値を求める場合は、MEDIAN（メジアン）関数を使います。メジアンとはデータを昇順に並べたときに中央になる値のことです。統計では全体の特徴を表す指標として、平均値とともによく使われます。

書式：MEDIAN(数値１,[数値2],…)

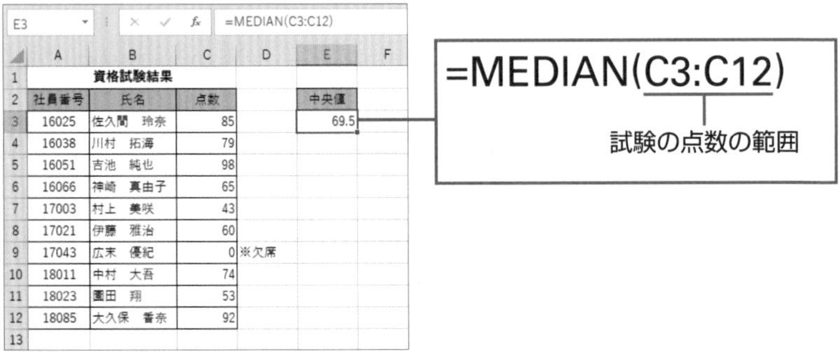

E3　=MEDIAN(C3:C12)

	A	B	C	D	E	F
1		資格試験結果				
2	社員番号	氏名	点数		中央値	
3	16025	佐久間　玲奈	85		69.5	
4	16038	川村　拓海	79			
5	16051	吉池　純也	98			
6	16066	神崎　真由子	65			
7	17003	村上　美咲	43			
8	17021	伊藤　雅治	60			
9	17043	広末　優紀	0	※欠席		
10	18011	中村　大吾	74			
11	18023	薗田　翔	53			
12	18085	大久保　香奈	92			
13						

▲MEDIAN関数ではAVERAGE関数と同様に文字列や空白セルは無視されます。引数のデータの個数が偶数の場合は、中央になる2つの値（ここでは神崎　真由子の「65」と中村　大吾の「74」）の平均値が求められます。

4 最大値／最小値を求めるには

365　2019　2016　2013

指定したセル範囲にある数値の最大値を求めるにはMAX関数、最小値を求めるにはMIN関数を使います。

	A	B	C	D	E	F	G
1		資格試験結果					
2	社員番号	氏名	点数		最高点		
3	16025	佐久間　玲奈	85		98		
4	16038	川村　拓海	79				
5	16051	吉池　純也	98		最低点		
6	16066	神崎　真由子	65		0		
7	17003	村上　美咲	43				
8	17021	伊藤　雅治	60				
9	17043	広末　優紀	0	※欠席			
10	18011	中村　大吾	74				
11	18023	園田　翔	53				
12	18085	大久保　香奈	92				
13							

試験の最高点／最低点を求める

●MAX関数　［マックス］【数学/三角】

指定した範囲の数値の最大値を求める。

書式　**MAX(数値1,[数値2],…)**

引数　**数値1,数値2,…**：数値、セル参照、セル範囲などを指定する。

使用例**=MAX(C3:C12)**

セルC3～C12の数値の最大値を求める。

●MIN関数　［ミニマム］【数学/三角】

指定した範囲の数値の最小値を求める。

書式　**MIN(数値1,数値2,…)**

引数　**数値1,数値2,…**：数値、セル参照、セル範囲などを指定する。

使用例**=MIN(C3:C12)**

セルC3～C12の数値の最小値を求める。

最高点／最低点を求める

この例では、試験結果が入力された表から、最高点と最低点を求めます。

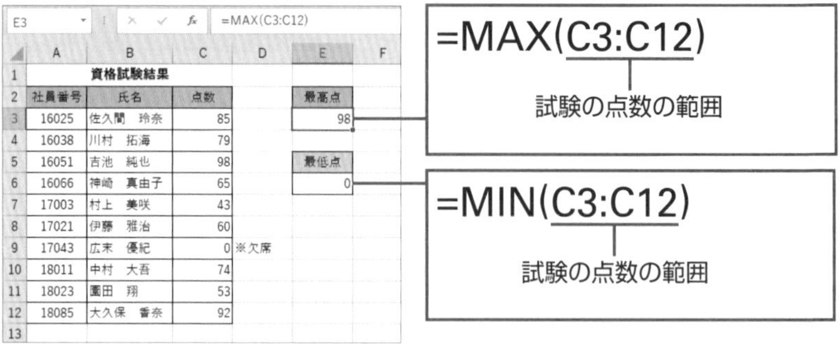
E3 =MAX(C3:C12)

	A	B	C	D	E	F
1		資格試験結果				
2	社員番号	氏名	点数		最高点	
3	16025	佐久間　玲奈	85		98	
4	16038	川村　拓海	79			
5	16051	吉池　純也	98		最低点	
6	16066	神崎　真由子	65		0	
7	17003	村上　美咲	43			
8	17021	伊藤　雅治	60			
9	17043	広末　優紀	0	※欠席		
10	18011	中村　大吾	74			
11	18023	園田　翔	53			
12	18085	大久保　香奈	92			
13						

▲MAX関数、MIN関数は、［ホーム］タブの Σ ［合計］ボタンの▼をクリックして［最大値］、［最小値］を選択しても入力できる（7ページ参照）。この例の場合、数式を入力するセルの左側のセルが範囲として自動認識されるので、正しいセル範囲（セルC3～C12）を指定し直す必要がある。

活用 0を除外した最小値を求める

Microsoft 365およびExcel 2019で新たに追加されたMINIFS関数を使うと、試験の点数の範囲から0を除外した最小値を求めることが簡単にできます。

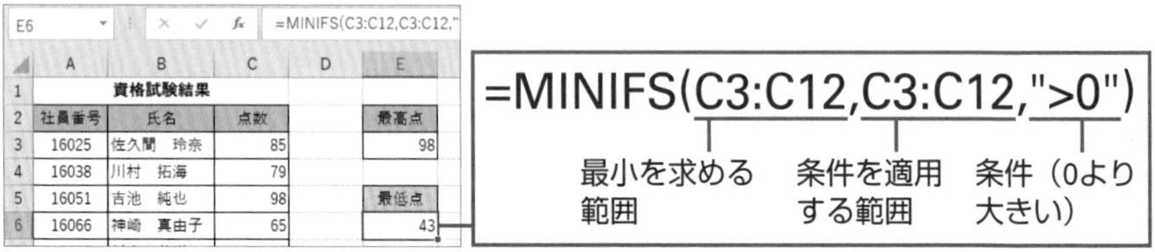
E6 =MINIFS(C3:C12,C3:C12,"

	A	B	C	D	E
1		資格試験結果			
2	社員番号	氏名	点数		最高点
3	16025	佐久間　玲奈	85		98
4	16038	川村　拓海	79		
5	16051	吉池　純也	98		最低点
6	16066	神崎　真由子	65		43

▲試験の点数の0より大きい値を検査し、その中の最小値を求める。「0より大きい」は比較演算子の「>」を使って「>0」と表す（58ページ参照）。なお、MINIFS関数の条件として指定する場合は「"」（ダブルクォーテーション）で囲む。

MINIFS関数が使えない場合は、SMALL関数とCOUNTIF関数を組み合わせて、「=SMALL(C3:C12,COUNTIF(C3:C12,0)+1)」という式を入力します。COUNTIF関数で店舗ごとの試験の点数の範囲の「0」を検索して個数を調べ、それより1つ大きい順位をSMALL関数で指定することにより、0でない一番小さい最小値を求めるという方法です。

参照

MINIFS関数
第3章の12
SMALL関数
この章の13
COUNTIF関数
第3章の13

5 セルの個数を求めるには

365　2019　2016　2013

数値が入力されているセルの個数を数えるにはCOUNT関数、文字や数値など何かしらのデータが入力されている空白以外のセルの個数を数えるにはCOUNTA関数を使います。この2つを使い分けると、データの総数と、数値データの総数を別々に求めることができます。

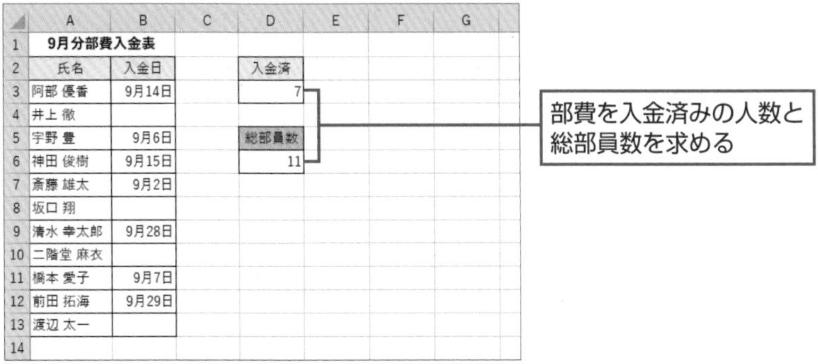

	A	B	C	D	E	F	G
1	9月分部費入金表						
2	氏名	入金日		入金済			
3	阿部 優香	9月14日		7			
4	井上 徹						
5	宇野 豊	9月6日		総部員数			
6	神田 俊樹	9月15日		11			
7	斎藤 雄太	9月2日					
8	坂口 翔						
9	清水 幸太郎	9月28日					
10	二階堂 麻衣						
11	橋本 愛子	9月7日					
12	前田 拓海	9月29日					
13	渡辺 太一						
14							

●COUNT関数

［カウント］【数学/三角】

指定した範囲の中で数値が入力されているセルの個数を求める。

書式　**COUNT(値1,[値2],…)**

引数　**値1,値2,…**：数値が入力されたセル参照、セル範囲などを指定する。

使用例**=COUNT(B3:B13)**

セルB3〜B13で、数値が入力されたセルの個数を求める。

●COUNTA関数

［カウンタ］【数学/三角】

指定した範囲の中で文字や数値、数式などデータが入力されているセルの個数を求める。

書式　**COUNTA(値1,[値2],…)**

引数　**値1,値2,…**：データが入力されたセル参照、セル範囲などを指定する。

使用例**=COUNTA(A3:A13)**

セルA3〜A13で、データが入力されたセルの個数を求める。

部費を入金済みの人数と総部員数を調べる

この例では、氏名と入金日が入力された表を基に、入金済みの人数と総部員数を調べます。

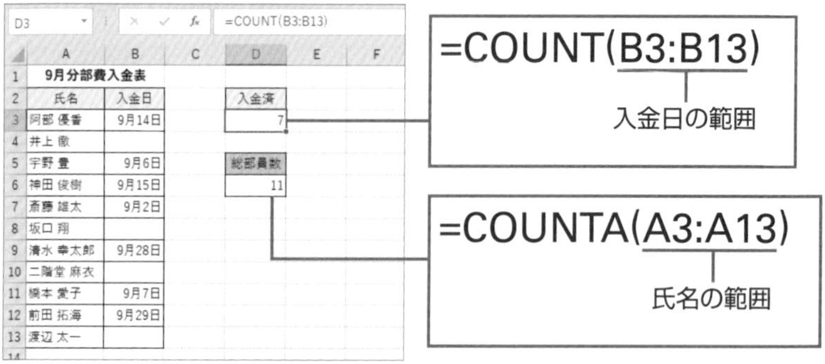

▲入金済みの人数は、入金日の日付が入力されているセルの数を求める。日付は文字のように見えるが実体は数値データだ。表示形式で月や日が表示されている。このため、COUNT関数で扱える。COUNT関数は、［ホーム］タブの Σ ［合計］ボタンの▼をクリックして［数値の個数］を選択しても入力できる（7ページ参照）。総部員数は氏名が入力されているセルの数で求める。

活用 部費を未入金の人数を調べる

部費を未入金の人数を調べるには、空白のセルの個数を調べるCOUNTBLANK（カウントブランク）関数を使います。

書式：COUNTBLANK(範囲)

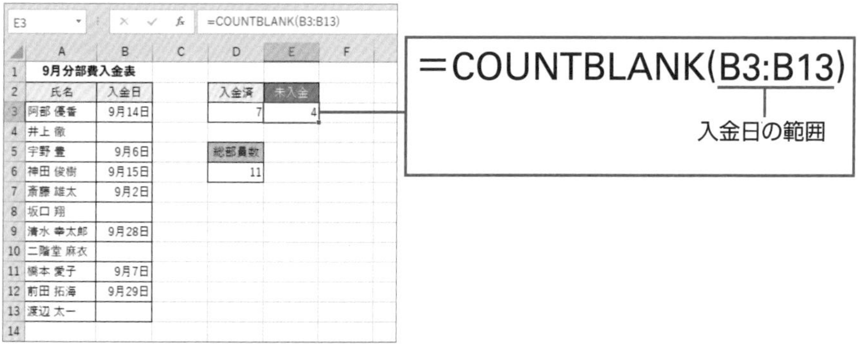

▲この例の場合、総部員数がわかっているので、未入金の人数は総部員数（セルD6）から入金済の人数（セルD3）を引いて求めることもできるが、総部員数がわからない場合は、入金日が空白のセルの数を求める。

6 最も多く登場する値を求めるには

365　2019　2016　2013

MODE.SNGL関数を使うと、指定した値の集合の中で、最も多く登場する数値（最頻値）を求めることができます。ただし、最頻値が複数ある場合、戻り値は対象となる範囲で最初に登場する数値だけでそれ以外は求められません。

	A	B	C	D	E	F
1	10月度新規会員寄付金一覧					
2	会員No.	氏名	寄付金額		最頻金額	
3	211001	山口 洋子	3,000		3,000	
4	211002	坂戸 美幸	1,000			
5	211003	大森 芳人	5,000			
6	211004	東山 香奈	10,000			
7	211005	大河内 瑠衣	3,000			
8	211006	緑川 澄香	1,000			
9	211007	吉池 勇樹	10,000			
10	211008	中野 早紀	3,000			
11	211009	西 友康	20,000			
12	211010	斎藤 祥平	3,000			
13	211011	坂本 紀子	2,000			
14	211012	今井 綾香	1,000			
15						

最も多く登場する金額を表示する

●MODE.SNGL関数

［モード.シングル］【数学/三角】

複数の数値の中での最頻値を求める。

書式　**MODE.SNGL(数値1,[数値2],…)**

引数　**数値1,数値2,…**：数値、セル参照、セル範囲などを指定する。

使用例**=MODE.SNGL(C3:C14)**

セルC3~C14で最も多く登場する数値を求める。

以前の Excel からの変更点

MODE.SNGL関数は、Excel 2007にあったMODE関数の名称を変更したものです。なお、2007以前のバージョンとの互換性を保つために、現行バージョンでもMODE関数を使用することができます。

最も多く登場する金額を求める

この例では、寄付金一覧から、最も多く登場する金額を求めます。

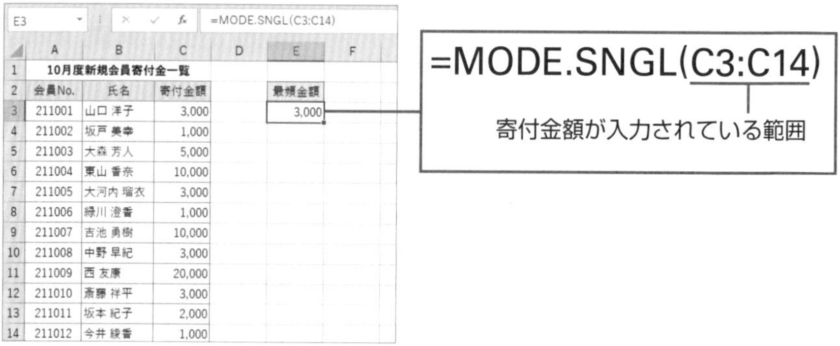

▲寄付金額が入力されている範囲を調べ、最も多く登場する金額（最頻値）が求められる。

活用 最頻値が複数ある場合にすべてを求める

MODE.SNGL関数は最頻値が複数ある場合、最初に登場する1つの数値しか求めることができませんが、MODE.MULT（モードマルチ）関数を使うと、そのすべてを配列として求めることができます。MODE.MULT関数の引数はMODE.SNGL関数と同じですが、配列数式にするため、数式を入力後にCtrlとShiftキーを押しながらEnterキーを押して確定します。

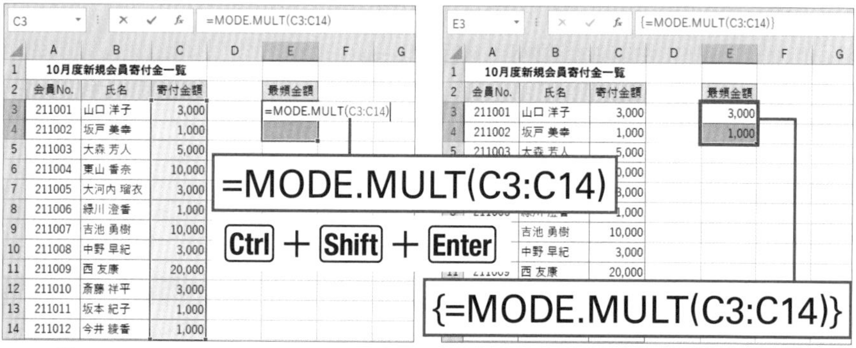

▲この例では、3,000と1,000がそれぞれ4回ずつ登場する。縦に並んだセル範囲（セルE3～E4）を選択し、MODE.MULT関数を使った数式を配列数式として入力することで、すべての最頻値を表示させることができる。なお、選択したセルの数より最頻値が少ない場合は、エラー値「#N/A」が表示される。

7 数値の積を求めるには

365 2019 2016 2013

複数の数値を掛け算した結果（積）を求めたいときは、PRODUCT関数を利用します。2つの数値を掛け算するには、乗算の演算子「*」を使用するのが一般的ですが、より多くの数値の積を求める場合や、対象のセルに数値ではなく文字が入力されていたり、未入力だったりする可能性がある場合は、PRODUCT関数を利用するとエラーを回避できて便利です。

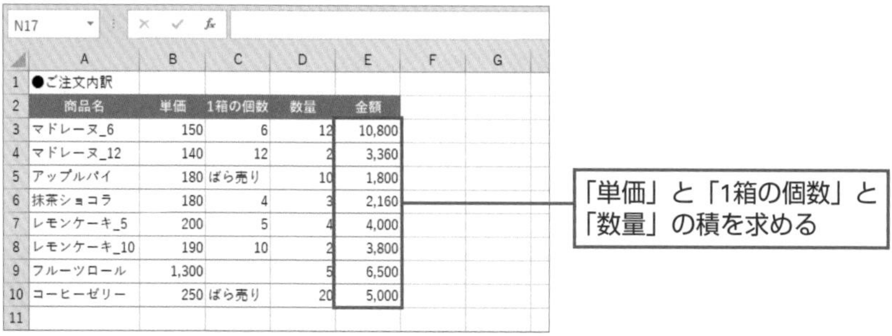

	A	B	C	D	E
1	●ご注文内訳				
2	商品名	単価	1箱の個数	数量	金額
3	マドレーヌ_6	150	6	12	10,800
4	マドレーヌ_12	140	12	2	3,360
5	アップルパイ	180	ばら売り	10	1,800
6	抹茶ショコラ	180	4	3	2,160
7	レモンケーキ_5	200	5	4	4,000
8	レモンケーキ_10	190	10	2	3,800
9	フルーツロール	1,300		5	6,500
10	コーヒーゼリー	250	ばら売り	20	5,000
11					

●PRODUCT関数　［プロダクト］【数学/三角】

指定した複数の数値の積を求める。

書式　**PRODUCT(数値1,[数値2],…)**

引数　**数値1,数値2,…**：数値、セル参照、セル範囲などを指定する。

使用例**=PRODUCT(B3:D3)**
セルB3～D3の数値の積を求める。

単価×1箱の個数×数量を求める

この例では、商品の単価とその1箱の個数、数量から、商品ごとの売上金額を求めます。ただし、箱単位ではなく1個単位で販売している商品は、「1箱の個数」に「ばら売り」と入力しています。

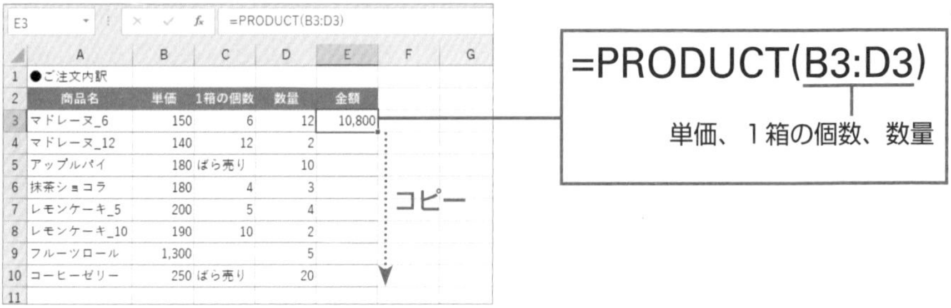

	A	B	C	D	E
1	●ご注文内訳				
2	商品名	単価	1箱の個数	数量	金額
3	マドレーヌ_6	150	6	12	10,800
4	マドレーヌ_12	140	12	2	
5	アップルパイ	180	ばら売り	10	
6	抹茶ショコラ	180	4	3	
7	レモンケーキ_5	200	5	4	
8	レモンケーキ_10	190	10	2	
9	フルーツロール	1,300		5	
10	コーヒーゼリー	250	ばら売り	20	

▲PRODUCT関数は数値のセルだけを計算対象として、文字列や空白のセルは無視して積を求める。マドレーヌ_6では「150×6×12」、アップルパイでは「180×10」、フルーツロールでは「1,300×5」、コーヒーゼリーでは「250×20」という計算が行われる。

ヒント

乗算の演算子「*」との違い

この例で、セルE3は「=B3*C3*D3」という数式で積を求めることができます。しかし、この数式をコピーすると、セルE5は「=B5*C5*D5」となり、セルC5の値が文字列であるため、エラー値「#VALUE!」が表示されます。また、セルE9は、セルC9が未入力であるため、値が0とみなされて、計算結果は0になります。

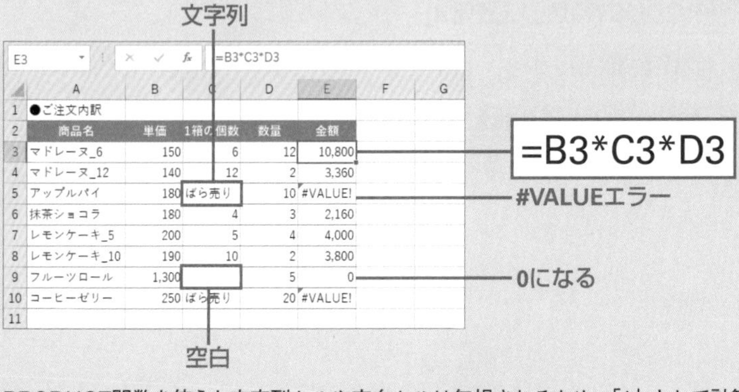

	A	B	C	D	E
1	●ご注文内訳				
2	商品名	単価	1箱の個数	数量	金額
3	マドレーヌ_6	150	6	12	10,800
4	マドレーヌ_12	140	12	2	3,360
5	アップルパイ	180	ばら売り	10	#VALUE!
6	抹茶ショコラ	180	4	3	2,160
7	レモンケーキ_5	200	5	4	4,000
8	レモンケーキ_10	190	10	2	3,800
9	フルーツロール	1,300		5	0
10	コーヒーゼリー	250	ばら売り	20	#VALUE!

PRODUCT関数を使うと文字列セルや空白セルは無視されるため、「1」として計算した場合と同じ結果になります。

8 分類ごとの小計と総合計を求めるには

365　2019　2016　2013

AGGREGATE関数を使うと、合計や平均などの集計処理を、オプションを指定してきめ細かく計算できます。具体的には、エラー値や非表示になっている行、範囲内で「小計」を表示しているセルを計算に加えるかどうかなどを指定できます。

AGGREGATE関数の書式には「セル範囲形式」と「配列形式」がありますが、計算の内容と集計対象のセル範囲だけを指定すればよいのが「セル範囲形式」、それらに加えて順位を指定する必要があるのが「配列形式」です。

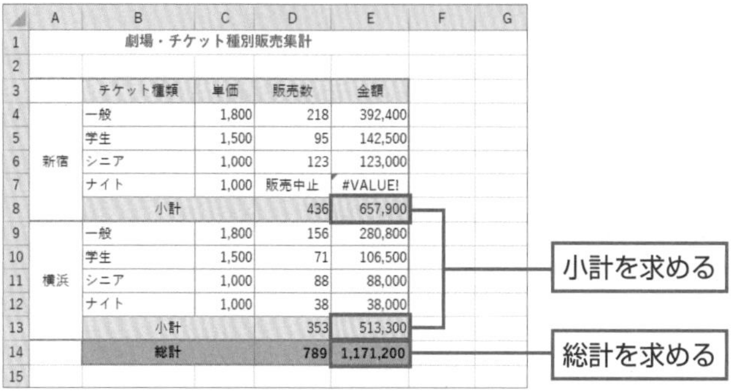

	A	B	C	D	E	F	G
1	劇場・チケット種別販売集計						
2							
3		チケット種類	単価	販売数	金額		
4	新宿	一般	1,800	218	392,400		
5		学生	1,500	95	142,500		
6		シニア	1,000	123	123,000		
7		ナイト	1,000	販売中止	#VALUE!		
8		小計		436	657,900		
9	横浜	一般	1,800	156	280,800		
10		学生	1,500	71	106,500		
11		シニア	1,000	88	88,000		
12		ナイト	1,000	38	38,000		
13		小計		353	513,300		
14		総計		789	1,171,200		
15							

●AGGREGATE関数　［アグリゲート］【数学/三角】

指定した方法で数値を集計する。

【セル範囲形式】

書式　**AGGREGATE(集計方法,オプション,参照1,[参照2],…)**

引数　**集計方法**：集計に使用する計算方法を1～13の数値で指定する。

オプション：集計で無視する値を1～7の数値で指定する。

参照1,参照2,…：集計の対象となるセル範囲を指定する。

使用例**=AGGREGATE(9,3,E4:E13)**

非表示の行とエラー値、小計セルを無視して、セルE4～E13の数値の合計を求める。

【配列形式】

書式 **AGGREGATE(集計方法,オプション,配列,[順位])**

引数 **集計方法**：集計に使用する計算方法を14～19の数値で指定する。
オプション：集計で無視する値を1～7の数値で指定する。
配列：集計の対象となるセル範囲または配列を指定する。
順位：**配列**内の位置を指定する。

使用例**=AGGREGATE(14,3,E4:E13,3)**
非表示の行と小計セルを無視して、セルE4～E13の中で3番目に大きい値を求める。

■ 集計方法の指定

AGGREGATE関数では、合計や平均、最大値といった、Excelの他の関数と同様の計算を行うことができます。**集計方法**では、実際に行う計算の種類を指定します。この引数に指定できる数値と、行われる計算の種類は次の通りです。

指定値	計算の種類	同じ機能の関数
1	平均	AVERAGE
2	数値の個数	COUNT
3	データの個数	COUNTA
4	最大値	MAX
5	最小値	MIN
6	積	PRODUCT
7	標本標準偏差	STDEV.S
8	標準偏差	STDEV.P
9	合計	SUM
10	標本分散	VAR.S
11	分散	VAR.P
12	中央値	MEDIAN
13	最頻値	MODE.SNGL
14	上位から指定した位置にある値	LARGE
15	下位から指定した位置にある値	SMALL
16	百分率で指定した位置にある値	PERCENTILE.INC
17	四分位数で指定した位置にある値	QUARTILE.INC
18	百分率で指定した位置にある値	PERCENTILE.EXC
19	四分位数で指定した位置にある値	QUARTILE.EXC

集計方法に1～13の値を指定した場合は「セル範囲形式」、14～19を指定した場合は「配列形式」になります。14～19の集計方法で指定した計算の種類により、同じ機能の関数と同様に、位置を表す数値を**順位**に指定します。

■ オプションの指定

オプションでは、対象の範囲内にAGGREGATE関数またはSUBTOTAL関数を使った数式セルがあった場合、それらを含めて計算するか、それとも無視するかを指定できます。また、非表示の行やエラー値の扱いについても同様に指定可能です。次の表のそれぞれの値をこの引数に指定した場合、「×」が付いている内容は無視され、「○」が付いている内容は計算の対象に含まれます。

指定値	AGGREGATE／SUBTOTALのセル	非表示の行	エラー値
0	×	○	○
1	×	×	○
2	×	○	×
3	×	×	×
4	○	○	○
5	○	×	○
6	○	○	×
7	○	×	×

エラー値を無視しない設定にした場合、対象の範囲にエラー値が含まれていると、その結果もエラー値になります。

ヒント

SUBTOTAL関数

AGGREGATE関数はExcel 2010で追加されました。Excel 2007以前で同様の機能を持った関数としては、SUBTOTAL関数があります。この関数がサポートするのは、AGGREGATE関数でいう「セル範囲形式」だけで、「配列形式」には対応していません。

書式：SUBTOTAL(集計方法,参照1,[参照2],…)

SUBTOTAL関数の集計方法で指定できるのは、AGGREGATE関数の集計方法の1～11と同じです（12以降は指定できません）。また、オプションの指定はなく、対象の範囲内で、SUBTOTAL関数またはAGGREGATE関数を使った集計結果のセルだけが無視されます。

小計および総計を求める

この例では、2つの劇場のチケット販売金額の小計と、両劇場を合計した総計を、AGGREGATE関数で求めます。ただし、小計のセルでは非表示の行とエラー値を無視し、総計のセルでは非表示の行とエラー値、小計のセルを無視するようにします。

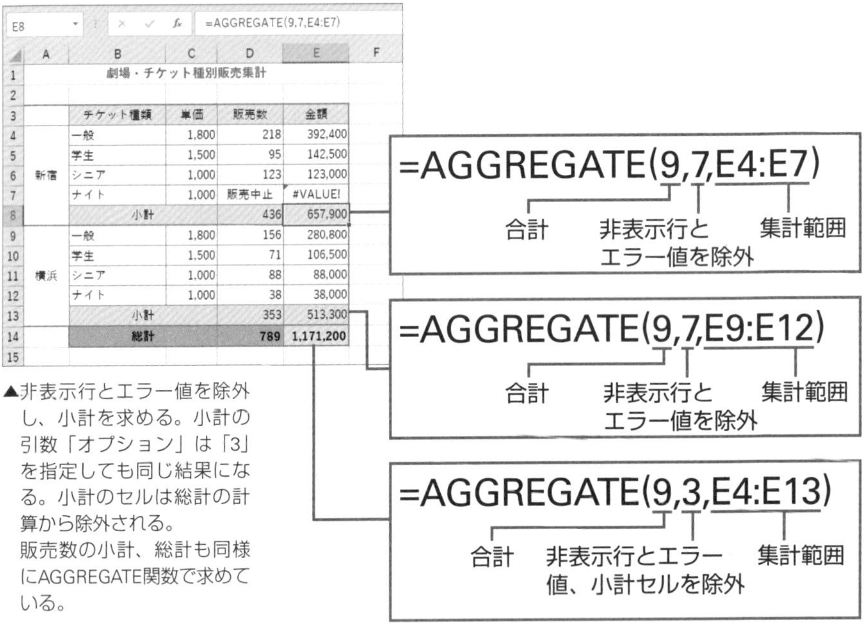

E8 =AGGREGATE(9,7,E4:E7)

	A	B	C	D	E	F
1		劇場・チケット種別販売集計				
2						
3		チケット種類	単価	販売数	金額	
4	新宿	一般	1,800	218	392,400	
5		学生	1,500	95	142,500	
6		シニア	1,000	123	123,000	
7		ナイト	1,000	販売中止	#VALUE!	
8		小計		436	657,900	
9	横浜	一般	1,800	156	280,800	
10		学生	1,500	71	106,500	
11		シニア	1,000	88	88,000	
12		ナイト	1,000	38	38,000	
13		小計		353	513,300	
14		総計		789	1,171,200	
15						

▲非表示行とエラー値を除外し、小計を求める。小計の引数「オプション」は「3」を指定しても同じ結果になる。小計のセルは総計の計算から除外される。
販売数の小計、総計も同様にAGGREGATE関数で求めている。

活用 抽出結果を集計する

表にフィルターを設定し、条件を指定して抽出すると、該当しないデータの行は非表示になります。AGGREGATE関数で非表示の行を除外する指定をしている場合、集計結果が自動的に変更されます。

表にフィルターを設定するには、表内の任意のセルをアクティブにし、［データ］タブの ［フィルター］ボタンをクリックします。見出しの行に▼が表示されるので、これをクリックして抽出条件を指定することができます。

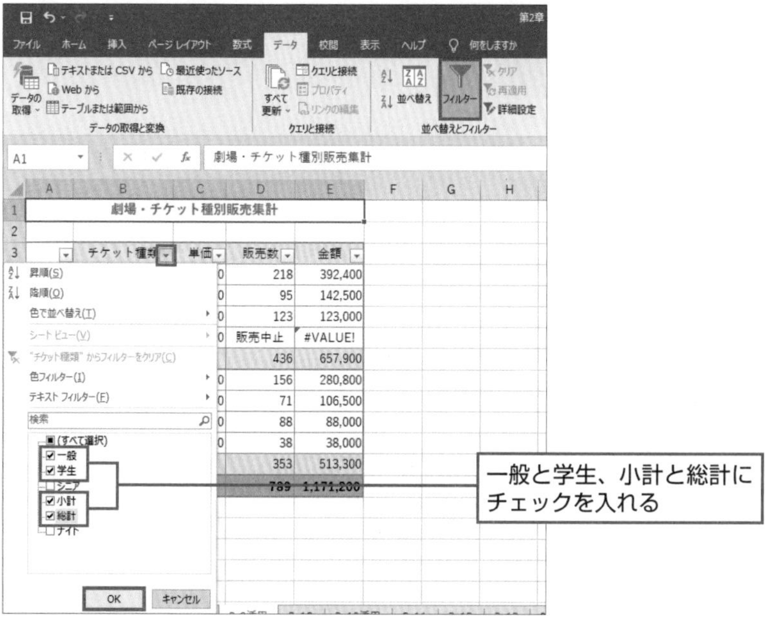

	A	B	C	D	E
1	劇場・チケット種別販売集計				
2					
3		チケット種類	単価	販売数	金額
4	新宿	一般	1,800	218	392,400
5		学生	1,500	95	142,500
8		小計		313	534,900
9	横浜	一般	1,800	156	280,800
10		学生	1,500	71	106,500
13		小計		227	387,300
14		総計		540	922,200
15					

▲フィルターを使用して一般と学生のデータだけを抽出した。小計と総計も表示する設定にしておくと、一般と学生のデータだけが集計された表になる。

9 割り算の商や余りを求めるには

365 2019 2016 2013

割り算の商を求めるにはQUOTIENT関数、余りを求めるにはMOD関数を使います。この2つの関数を組み合わせると予算内で購入可能な商品の個数や、余りの金額などを求めることができます。

	A	B	C	D	E	F
1	予算	10,000				
2						
3	ギフト券購入可能枚数					
4	品名	単価	枚数	余り		
5	ビール共通券（びん633ml 2本）	845	11	705		
6	ビール共通券（缶350ml 2缶）	544	18	208		
7	おこめ券	440	22	320		
8	アイスクリーム券	740	13	380		
9						

予算内で購入可能なギフト券の枚数と余りの金額を求める

●QUOTIENT関数

［クォウシェント］【数学/三角】

除算（割り算）の商の整数部分を求める。

書式 **QUOTIENT(分子,分母)**

引数 **分子** 割られる数を指定する。
分母 割る数を指定する。

使用例**=QUOTIENT(B1,B5)**
セルB1の値をセルB5の値で割った商を求める。

●MOD関数

［モッド］【数学/三角】

除算（割り算）の余りを求める。

書式 **MOD(数値,除数)**

引数 **数値** 割られる数を指定する。
除数 割る数を指定する。

使用例**=MOD(B1,B5)**
セルB1の値をセルB5の値で割った余りを求める。

ギフト券の購入可能枚数と余りの金額を求める

この例では、予算内で同じ種類のギフト券が何枚購入可能で、余りの金額がいくらかを求めます。

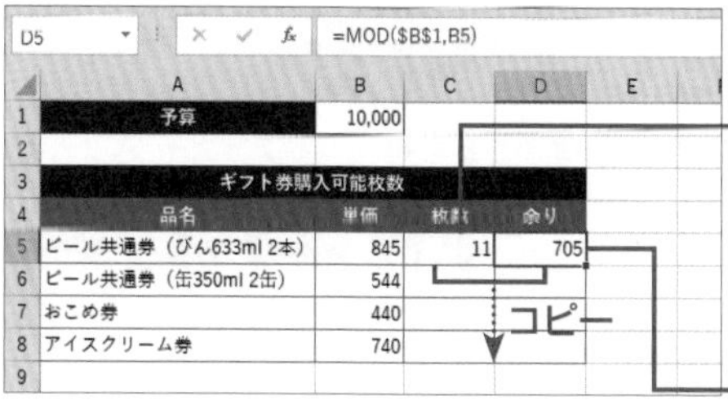

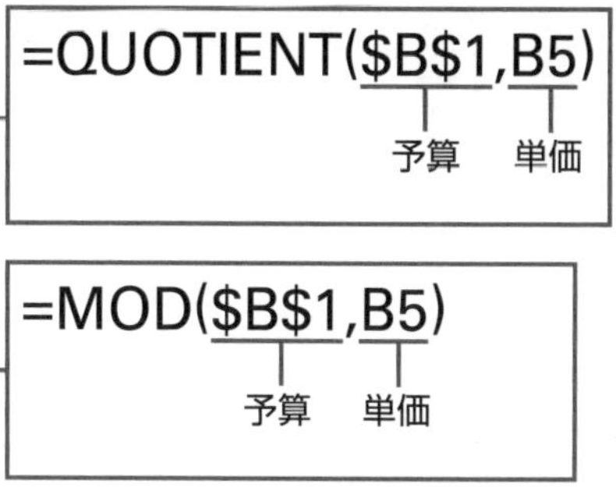

▲数式をコピーするため、予算のセルは絶対参照で指定する。購入可能枚数と余りの金額が表示されたら、2つのセルを範囲選択し、フィルハンドルをドラッグすると、2つのセルの数式が一度にコピーできる。

活用　金種表を作成する

QUOTIENT関数とMOD関数を組み合わせて、どの金種を何枚用意すればよいかを表す金種表を作ることができます。高額な金種の必要枚数から順に求めます。10000円札の必要枚数は、支払金額を10000で割って求めます。5000円札の必要枚数は10000で割った残りを5000円で割って求め、1000円札の必要枚数は5000で割った残りを1000で割って求めるというように、5000円以下はそれぞれ1つ上の金種で割った残りをその金種で割ると求められます。

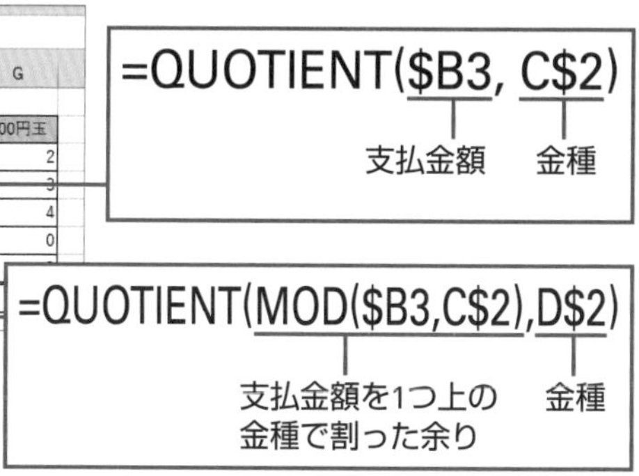

▲支払金額と金種は数式をコピーすることを考慮して、複合参照で指定する。セルC3の数式はセルC4～C7に、セルD3の数式はセルD4～D7およびE3～G7にコピーする。

ヒント

数値の表示形式を変更するには

「10000」を「10000円札」とセルに入力すると文字列になり計算に使用できなくなります。数値に「円札」や「円玉」を付けて、数値のまま扱えるようにするには、表示形式を変更します。[ホーム] タブの [数値] グループ右下の [表示形式] ボタンをクリックすると、[セルの書式設定] ダイアログの [表示] タブが表示されます。[分類] ボックスの [ユーザー定義] をクリックし、[種類] ボックスに「#"円札"」や「#"円玉"」(「#」は数字を表す書式記号、文字列は「"」で囲む) と入力して、[OK] をクリックします。

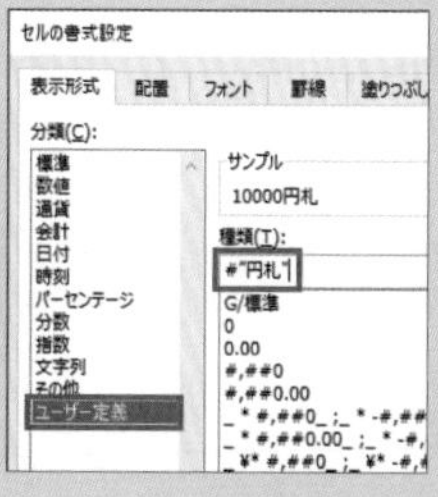

10 数値を指定した桁で四捨五入するには

365 2019 2016 2013

ROUND関数を使うと、数値を指定した桁で四捨五入できます。セルの表示形式を設定しても四捨五入はできますが、表示が変わっただけで実際の数値は変わらないため、計算によっては誤差が生じます。四捨五入した数値を計算に使うときは、ROUND関数を使って数値自体を変更しておきます。

	A	B	C	D	E
1	◆セール価格表		割引率:	30%	
2	商品	定価	割引適用	セール価格	
3	扇風機	4,900	3,430	3,400	
4	冷風機	7,800	5,460	5,500	
5	空気清浄機	15,300	10,710	10,700	
6	ロボット掃除機	35,600	24,920	24,900	
7	ハンディクリーナー	12,800	8,960	9,000	
8	ふとん乾燥機	21,500	15,050	15,100	
9					

100円未満を四捨五入する

●ROUND関数

［ラウンド］【数学/三角】

数値を指定した桁で四捨五入する。

書式 **ROUND(数値,桁数)**

引数 **数値**：四捨五入する数値を指定する。
桁数：四捨五入する桁を指定する。

使用例**=ROUND(C3,-2)**
セルC3の数値を10の位で四捨五入する。

■ 桁数の指定

小数点以下で四捨五入する場合は、数として残す桁を正の整数で指定します（たとえば「1」を指定した場合は、小数点以下第2位で四捨五入し、小数点以下第1位の値を返します）。小数点以下すべてを四捨五入するには「0」とします。小数点より上の桁で四捨五入する場合は、四捨五入する桁を負の整数で指定します（たとえば「-1」を指定した場合は、1の位を四捨五入した値を返します）。

数値	1	2	3	4	.	5	6	
桁数	-4	-3	-2	-1	0	1	2	…

▲四捨五入する桁は小数点を「0」として考える。小数点以下は「何桁まで表示するか」を正の整数で指定、小数点より上の部分は「何桁目を四捨五入するか」を負の整数で指定する。

100円未満を四捨五入する

この例では、セール価格として、割引適用後価格を100円未満で四捨五入します。

なお、セルC3には定価×（1-割引率）の「=B3*(1-$D$1)」という数式を入力し、これをセルC8までコピーしていて割引適用後金額を求めています。

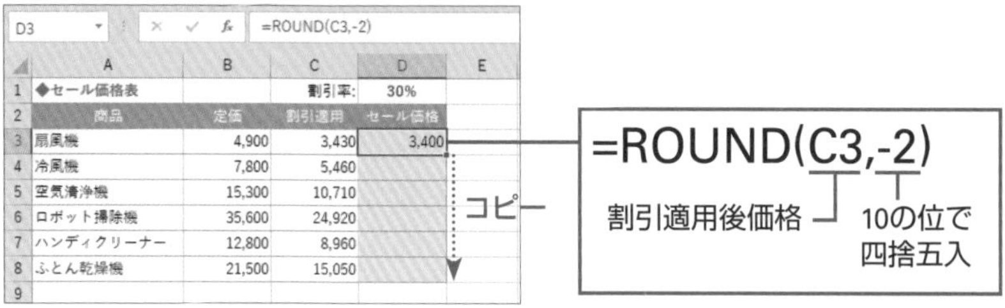

▲セール価格は割引適用後価格を10の位で四捨五入するので、桁数には「-2」を指定する。

ヒント

表示形式で四捨五入するには

小数点以下の端数を四捨五入して表示するには、［ホーム］タブの［数値］の［小数点以下の表示桁数を減らす］をクリックします。ボタンをクリックする度に、最終桁の数値が四捨五入されて表示される桁数が減ります。反対に増やすときは、［小数点以下の表示桁数を増やす］をクリックします。この方法で四捨五入した場合は、表示される桁数が変わるだけで、実際の数値は変わりません。値を計算で使用すると、誤差が生じる場合があります。

表示形式で設定した桁数で計算するには

表示形式で設定した桁数で計算を実行する場合は、［ファイル］タブをクリックし、［その他］をクリックして［オプション］をクリックします（［その他］がない場合は［オプション］をクリックします）。［Excelのオプション］ダイアログが表示されるので、［詳細設定］カテゴリの［数式］の［表示桁数で計算する］のチェックを入れます。「データの正確さが失われます。元に戻すことはできません。」というメッセージが表示されるので、［OK］をクリックします。

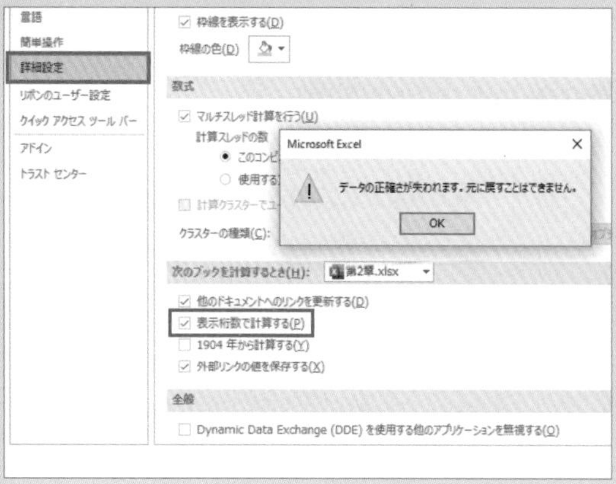

11 数値を指定した桁で切り上げる／切り捨てるには

365 2019 2016 2013

数値を指定した桁で切り上げるにはROUNDUP関数、切り捨てるにはROUNDDOWN関数を使います。

	A	B	C	D	E
1	お届け明細書兼ご請求書				
2	商品名	単価	数量	金額	
3	牛乳	157	3	471	
4	ヨーグルト	215	2	430	
5	バナナ	189	1	189	
6	ロースハム	298	2	596	
7		合計		1,686	
8		消費税	10%	168	
9		税込価格		¥1,854	
10					

消費税の小数点以下の端数を切り捨てる

●ROUNDUP関数

［ラウンドアップ］【数学/三角】

数値を指定した桁で切り上げる。

書式　**ROUNDUP(数値,桁数)**

引数　**数値**：切り上げる数値を指定する。
　　　桁数：切り上げる桁を指定する。

使用例**=ROUNDUP(C3,-2)**
　　　セルC3の数値の10の位で切り上げる。

●ROUNDDOWN関数

［ラウンドダウン］【数学/三角】

数値を指定した桁で切り捨てる。

書式　**ROUNDDOWN(数値,桁数)**

引数　**数値**：切り捨てる数値を指定する。
　　　桁数：切り捨てる桁を指定する。

使用例**= ROUNDDOWN(D7*C8,0)**
　　　セルD7の数値にセルC8の数値を掛けた値の、小数点以下を切り捨てる。

■ 桁数の指定

小数点以下で切り上げる／切り捨てる場合は、数として残す桁を正の整数で指定します。小数点以下すべてを切り上げる／切り捨てるには「0」とします。小数点より上の桁で切り上げる／切り捨てる場合は、切り上げる／切り捨てる桁を負の整数で指定します（44ページの四捨五入と考え方は同じです）。

消費税の端数を切り捨てる

この例では、合計から消費税を計算し、小数点以下の端数を切り捨てます。

	A	B	C	D
1	お届け明細書兼ご請求書			
2	商品名	単価	数量	金額
3	牛乳	157	3	471
4	ヨーグルト	215	2	430
5	バナナ	189	1	189
6	ロースハム	298	2	596
7		合計		1,686
8		消費税	10%	168
9		税込価格		¥1,854
10				

▲消費税は合計金額×消費税率「D7＊C8」で求める。この式をROUNDDOWN関数の引数として指定し、桁数には小数点以下を切り捨てる「0」を指定する。

活用 もっと簡単に消費税の端数を切り捨てる

INT関数を使うと、もっと簡単に1円未満の端数を切り捨てることができます。INT関数は小数点以下を切り捨てて整数にする関数です。桁数を指定しなくてよいので、消費税の計算などの場合は便利です。なお、消費税の小数点以下を切り捨てるか切り上げるかは事業者の判断となっています。確認してから設定しましょう。

書式：INT(数値)

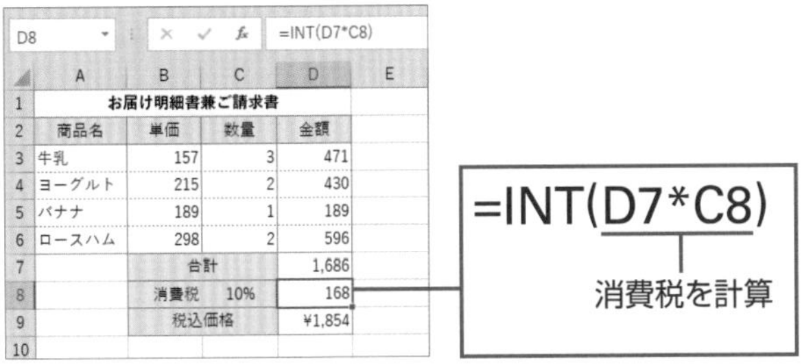

	A	B	C	D
1	お届け明細書兼ご請求書			
2	商品名	単価	数量	金額
3	牛乳	157	3	471
4	ヨーグルト	215	2	430
5	バナナ	189	1	189
6	ロースハム	298	2	596
7		合計		1,686
8		消費税	10%	168
9		税込価格		¥1,854
10				

▲INT関数を使うと、引数で桁数を指定せずに小数点以下を切り捨てて整数にできる。

INT関数とROUND関数の違いは、数値が負の数のときに現れます。INT関数は数値以下で最も近い整数に切り捨てるため、ROUNDDOWN関数とは異なる結果を返します。

数式	結果
=INT(-4.8)	-5
=ROUNDDOWN(-4.8,0)	-4

12 順位を求めるには

365　2019　2016　2013

RANK.EQ関数を使うと、指定した数値の順位を調べることができます。順位は数値の大きい順に付けることも、小さい順に付けることも可能です。

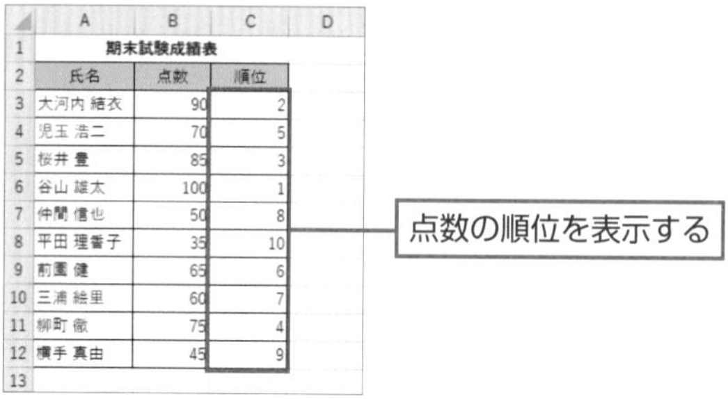

	A	B	C	D
1	期末試験成績表			
2	氏名	点数	順位	
3	大河内 結衣	90	2	
4	児玉 浩二	70	5	
5	桜井 豊	85	3	
6	谷山 雄太	100	1	
7	仲間 信也	50	8	
8	平田 理香子	35	10	
9	前園 健	65	6	
10	三浦 絵里	60	7	
11	柳町 徹	75	4	
12	横手 真由	45	9	
13				

●RANK.EQ関数

［ランク.イコール］【統計】

複数の数値から、指定した数値の順位を求める。

書式　**RANK.EQ(数値,参照,[順序])**

引数　**数値**：順位を調べる数値を指定する。
　　　参照：順位を比較するセル範囲を指定する。
　　　順序：順位の数値の並べ方を指定する。省略または「0」なら降順、「0」以外の数値なら昇順で順位が付く。

使用例**= RANK.EQ(B3,B3:B12)**
セルB3～B12の数値の中の、セルB3の順位を表示する。

■ 順序の指定

順序は、省略または「0」とすると、降順で順位が付きます。試験結果のように、数値が大きいほうから順位を付ける場合には、このように指定します。逆に数値が小さいほうから順位を付ける場合は昇順にするため、「0」以外の数値を指定します。

以前の Excel からの変更点

RANK.EQ関数は、Excel 2007のRANK関数が名称変更されたものです。なお、それ以前のバージョンとの互換性を保つために現行バージョンでもRANK関数を使用することができます。

点数の順位を表示する

この例では、点数を基に試験成績の順位を表示します。

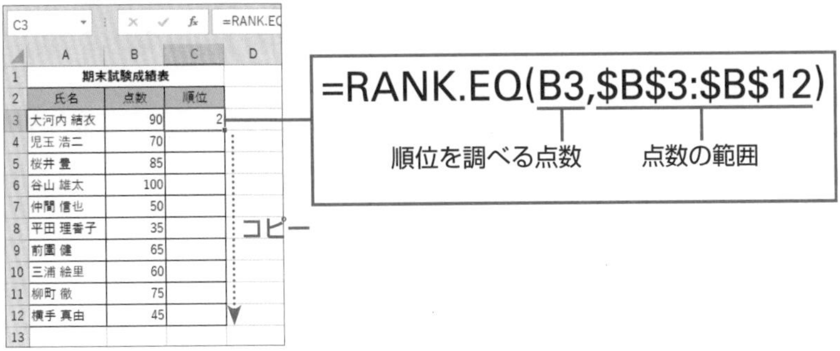

	A	B	C
1	期末試験成績表		
2	氏名	点数	順位
3	大河内 結衣	90	2
4	児玉 浩二	70	
5	桜井 豊	85	
6	谷山 雄太	100	
7	仲間 信也	50	
8	平田 理香子	35	
9	前園 健	65	
10	三浦 絵里	60	
11	柳町 徹	75	
12	横手 真由	45	
13			

▲数式をコピーするため、点数の範囲は絶対参照で指定する。

ヒント

RANK.AVG関数との違い

RANK.EQとよく似た関数に、RANK.AVG（ランク.アベレージ）関数があります。引数はRANK.EQ関数と同じです。その違いは、RANK.AVGでは参照する範囲に同じ数値が複数あった場合に、順位の平均値を使って表示するところにあります。上の例のセルB5の点数を変更してセルB3と同じにしてみると、RANK.EQ関数では同列2位になりますが、RANK.AVG関数では2位と3位の中間である「2.5」になります。

	A	B	C	D
1	期末試験成績表			
2	氏名	点数	順位 (RANK.EQ)	順位 (RANK.AVG)
3	大河内 結衣	90	2	2.5
4	児玉 浩二	70	5	5
5	桜井 豊	90	2	2.5
6	谷山 雄太	100	1	1
7	仲間 信也	50	8	8
8	平田 理香子	35	10	10
9	前園 健	65	6	6
10	三浦 絵里	60	7	7
11	柳町 徹	75	4	4
12	横手 真由	45	9	9
13				

13 上位／下位から指定した順位の数値を求めるには

365 2019 2016 2013

複数のデータの中から、指定した順位に当たるデータを大きいほうから求めるときはLARGE関数、小さいほうから求めるときはSMALL関数を使います。たとえばボーリングのスコアなどのように、値が大きいほうが優位になる場合に、1～3位の数値はLARGE関数、最下位から2番目のブービーの数値はSMALL関数で求めます。

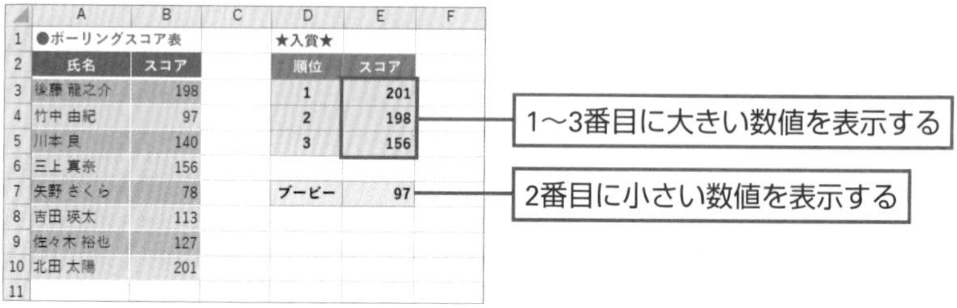

	A	B	C	D	E	F
1	●ボーリングスコア表			★入賞★		
2	氏名	スコア		順位	スコア	
3	後藤 龍之介	198		1	201	
4	竹中 由紀	97		2	198	
5	川本 良	140		3	156	
6	三上 真奈	156				
7	矢野 さくら	78		ブービー	97	
8	吉田 瑛太	113				
9	佐々木 裕也	127				
10	北田 太陽	201				
11						

●LARGE関数 「ラージ」【統計】

複数のデータの中から、指定した順位に当たるデータを大きいほうから数えて求める。

書式 **LARGE(配列,順位)**

引数 **配列**：対象となるデータのある配列またはセル範囲を指定する。
順位：抽出する値の、大きいほうから数えた順位を数値で指定する。

使用例**=LARGE(B3:B10,1)**
セルB3～B10の範囲の中から、1番大きいデータを表示する。

●SMALL関数 ［スモール］【統計】

複数のデータの中から、指定した順位に当たるデータを小さいほうから数えて求める。

書式 **SMALL(配列,順位)**

引数 **配列**：対象となるデータのある配列またはセル範囲を指定する。
順位：抽出する値の、小さいほうから数えた順位を数値で指定する。

使用例**=SMALL(B3:B10,2)**
セルB3～B10の範囲の中から、2番目に小さいデータを表示する。

1位～3位までのスコアを表示する

この例では、LARGE関数を使って、ボーリングのスコア表から上位1～3位までのスコアを表示します。

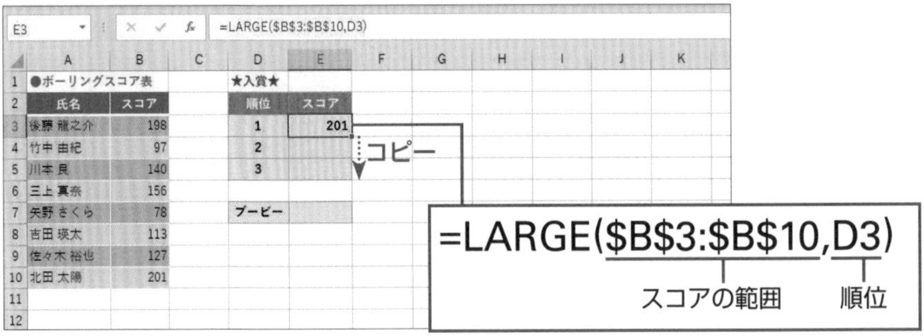

▲数式をコピーするため、スコアの範囲は絶対参照で指定する。順位としてセルD3を指定すると、1番大きい値が求められる。

ブービーのスコアを表示する

この例では、SMALL関数を使って、ボーリングのスコア表からブービー（小さいほうから2番目）のスコアを表示します。

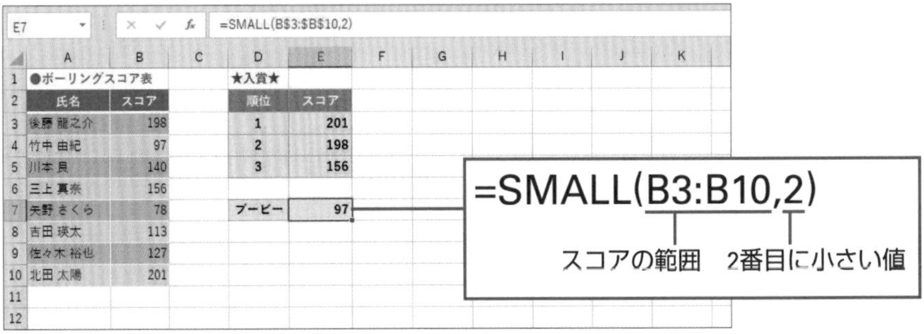

▲ブービーは最下位から2番目の順位。ボーリングの場合はスコアが小さいほど順位が低くなる。ブービーのスコアを表示するには、2番目に小さい値を求める。

ヒント

同じ数値が複数ある場合

LARGE関数、SMALL関数では、同じ数値は同順位となり、それ以降の順位が繰り下がって付きます。
たとえば、右の表のように2位のスコア「198」が2人いるような場合、2位、3位が「198」、4位が「156」になります。また、最下位とブービーを同じ「97」にすると、最下位もブービーも「97」が表示されます。

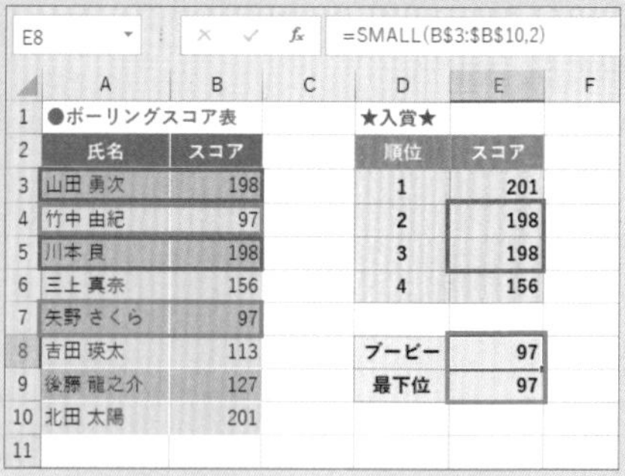

活用 スコアを基に名前を表示する

Microsoft 365で新たに追加されたXLOOKUP関数を使うと、スコアを基に氏名を表示することが簡単にできます。

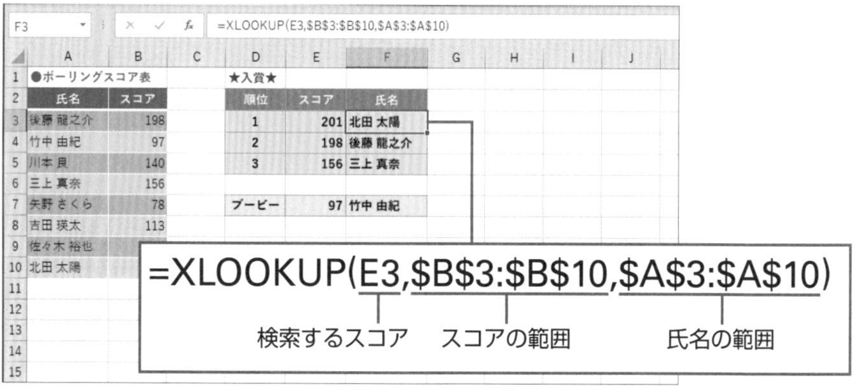

▲XLOOKUP関数で、1位のスコア（セルE3の値）をスコア表のスコアの範囲から検索し、該当する行の氏名を表示する。2位、3位、ブービーの名前は1位の数式をコピーして表示するので、スコアの範囲と氏名の範囲は絶対参照で指定する。

XLOOKUP関数が使えない場合は、INDEX関数とMATCH関数を組み合わせて「=INDEX($A$3:$A$10,MATCH(E3,$B$3:$B$10,0))」という式を入力します。MATCH関数で、1位のスコア（セルE3の値）をスコア表から検索して行番号を求め、INDEX関数でその行番号を指定して、同じ行にある氏名を取り出して表示するという方法です。

参照

XLOOKUP関数
第4章の3

INDEX関数
第4章の4

MATCH関数
第4章の6

14 数値を基準値の倍数になるように切り上げる／切り捨てるには

365　2019　2016　2013

指定した基準値の倍数のうち、最も近い値に切り上げるにはCEILING.MATH関数、切り捨てるにはFLOOR.MATH関数を使います。数量を発注単位で切り上げたり、利用時間を15分単位で切り捨てるなど、特定の単位でまとめたいときに便利です。

	A	B	C	D	E
1	部品発注数計算表				
2	品番	不足数	発注単位	発注数	
3	H-640-SV	105	30	120	
4	H-640-ZCV	37	20	40	
5	H-540-SV	191	30	210	
6	H-540-MKY	54	10	60	
7	H-300-TK	93	20	100	
8					

発注単位で切り上げて表示する

	A	B	C	D	E	F	G
1	シェアオフィス利用記録			15分：	¥200		
2				※15分以下切り捨て			
3	区画	入室時刻	退出時刻	利用時間	利用料金		
4	A	10:03	12:15	2:00	¥1,600		
5	B	11:12	14:36	3:15	¥2,600		
6	C	11:34	18:20	6:45	¥5,400		
7	D	12:20	17:41	5:15	¥4,200		
8	E	13:01	14:38	1:30	¥1,200		

利用時間を15分単位で切り捨てて表示する

●CEILING.MATH関数

［シーリング.マス］【数学/三角】

基準値の倍数のうち、最も近い値に切り上げた数値を求める。

書式　**CEILING.MATH(数値,[基準値],[モード])**

引数　**数値**：切り上げる値を指定する。

基準値：切り上げの基準となる数値を指定する。省略時は「1」が設定される。

モード：負の数値のときに端数を処理する方向を指定する。省略または「1」を指定すると0に近い値に、「-1」を指定すると0から離れた値に置き換えられる。

使用例**= CEILING.MATH(B3,C3)**

セルB3の数値をセルC3の単位で切り上げた数値を表示する。

●FLOOR.MATH関数

［フロアー.マス］【数学/三角】

基準値の倍数のうち、最も近い値に切り捨てた数値を求める。

書式　**FLOOR.MATH(数値,[基準値],[モード])**

引数　**数値**：切り下げる値を指定する。

基準値：切り下げの基準となる数値を指定する。省略時は「1」が設定される。

モード：負の数値のときに端数を処理する方向を指定する。省略または「1」を指定すると0に近い値に、「-1」を指定すると0から離れた値に置き換えられる。

使用例= **FLOOR.MATH(C4-B4,"0:15")**

セルC4からセルB4を引いた時間を、15分単位で切り捨てた時間で求める。

以前の Excel からの変更点

Excel 2007のCEILING関数、FLOOR関数では、数値が正の値で基準値が負の値の場合にエラーが発生していました。この問題を解消するためにExcel 2010では基準値の倍数に絶対値を採用したCEILING.PRECISE関数、FLOOR.PRECISE関数が追加されました。Excel 2013ではさらに負の数値のときに端数を処理する方向が指定できるCEILING.MATH関数、FLOOR.MATH関数に変更されました。

不足数を発注単位で切り上げる

この例では、部品の不足数を決められた発注単位で切り上げて、発注数を求めます。

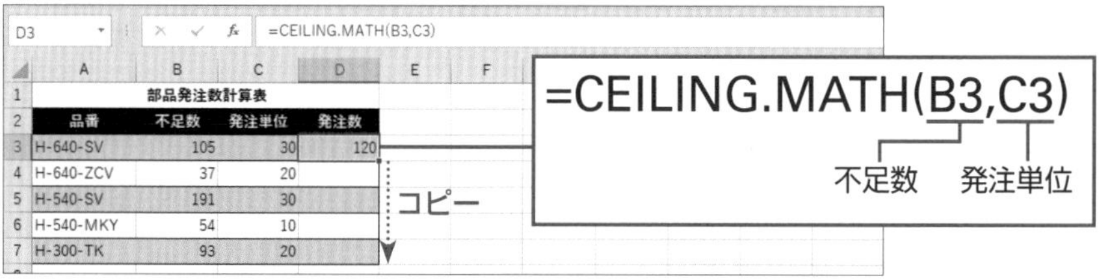

▲CEILING.MATH関数を使うと、基準値の倍数のうちで最も近い値に数値を切り上げます。この例の「H-640-SV」の場合、不足数が「105」で、基準値の発注単位が「30」のため、「30」の倍数で不足数の「105」を超えた数値、なおかつ不足数に最も近い値が表示されます。結果は「120」になります。

利用時間の15分以下を切り捨てる

この例では、シェアオフィスの利用時間を求め、15分以下を切り捨てます。

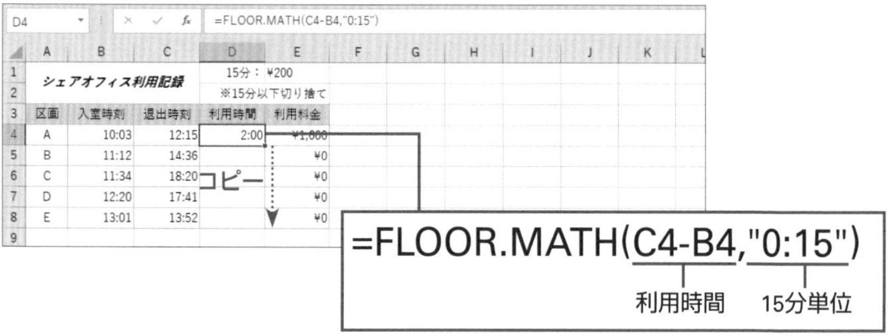

▲FLOOR.MATH関数を使うと、基準値の倍数のうちで最も近い値に数値を切り捨てます。この例の場合、入室時刻が「10:03」で退出時間が「12:15」なので、利用時間は「12:15-10:03」で「2:12」になります。基準値の単位が「15分」のため、15分刻みで、「2:12」を超えない最も近い時間「2:00」が表示されます。なお、セルE4には、あらかじめ「=(D4/"0:15")*$E$1」という利用時間を15分単位にして利用料金を求める数式が入力されて、利用料金の列にコピーされています。

ヒント

ヒント　時刻の表示形式を設定するには

セルD5にFLOOR.MATH関数を入力すると、「0.833333333」と表示されます。「時:分」の時刻の表示形式にするには、すでに時刻の表示形式になっているセルB4またはセルC4の書式をコピーするか、ユーザー定義の時刻の表示形式を設定します。

書式をコピーするには、コピー元のセルをクリックし、[ホーム] タブの [書式のコピー/貼り付け] ボタンをクリックします。マウスポインターの形がに変わるので、コピー先のセルをクリック、複数セルの場合はドラッグします。

「時:分」の時刻の表示形式を設定するには、[ホーム] タブの [数値] グループ右下の [表示形式] ボタンをクリックします。[セルの書式設定] ダイアログの [表示] タブが表示されるので、[分類] ボックスの [ユーザー定義] をクリックし、[種類] ボックスから [h:mm] を選択し、[OK] をクリックします。

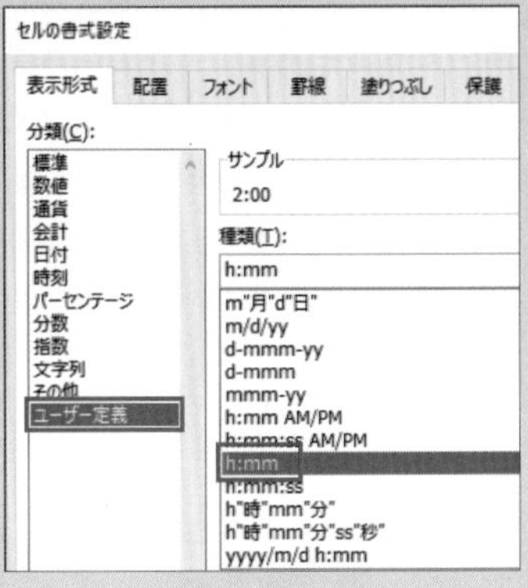

活用　定額料金がある場合の利用料金を求める

この例では、シェアオフィスの利用時間が5時間以上は定額4000円という場合の利用料金を求めます。IF関数とTIME関数を使います。

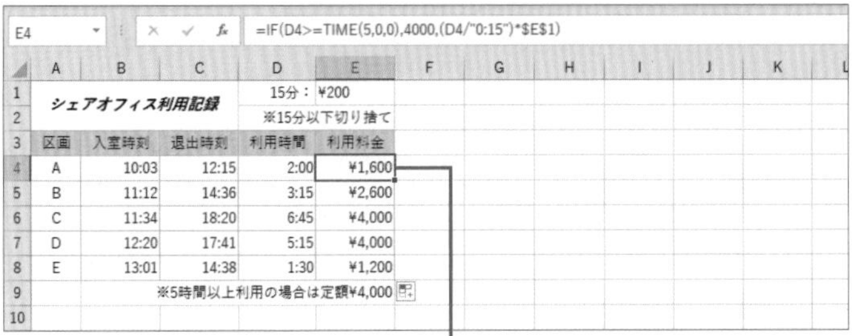

E4　=IF(D4>=TIME(5,0,0),4000,(D4/"0:15")*$E$1)

	A	B	C	D	E
1	シェアオフィス利用記録			15分：	¥200
2				※15分以下切り捨て	
3	区画	入室時刻	退出時刻	利用時間	利用料金
4	A	10:03	12:15	2:00	¥1,600
5	B	11:12	14:36	3:15	¥2,600
6	C	11:34	18:20	6:45	¥4,000
7	D	12:20	17:41	5:15	¥4,000
8	E	13:01	14:38	1:30	¥1,200
9			※5時間以上利用の場合は定額¥4,000		
10					

=IF(D4>=TIME(5,0,0),4000,(D4/"0:15")*$E$1)

利用時間が5時間以上　真の場合「4000」を表示　偽の場合 利用時間（15分単位）×15分料金を計算

▲IF関数で、利用時間が5時間以上かどうかを判定し、5時間以上なら4000、5時間未満なら、利用時間を15分単位にして利用料金を求めます。なお、5時間はTIME関数を使って表します。

参照

IF関数
第3章の1
TIME関数
第5章の5

コラム 配列数式

Excelの数式では、引数として配列形式のデータを処理したり、戻り値として配列形式のデータを返す場合があります。「配列」とは、ちょうどExcelのセル範囲のように、縦横に複数の数値や文字列が並んでいる構造のデータです。

配列データやセル範囲を返す数式は、「配列数式」にすることで、そのすべての値を選択範囲に表示することができます。数式を配列数式として入力するには、単にEnterキーを押して確定するのではなく、Ctrlキーと Shiftキーを押しながらEnterキーを押します。

配列数式として入力すると、数式の前後が「{}」(中かっこ)で囲まれます。これを直接入力しても配列数式にはならないので注意してください。

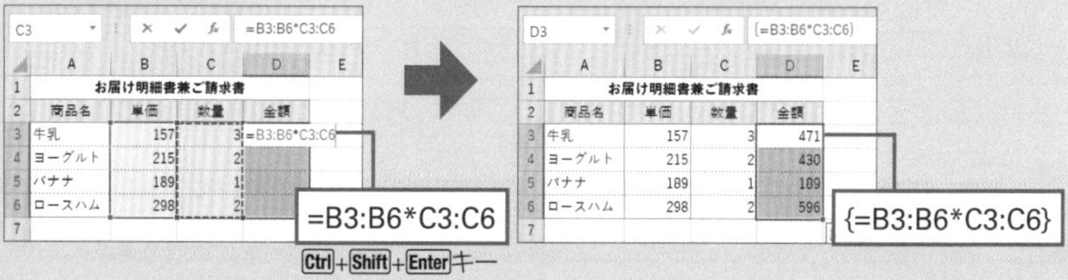

▲配列数式で「単価×数量」で金額を求める計算を一度に行う例。金額のセル範囲を選択し、単価のセル範囲と数量のセル範囲を掛ける数式を入力し、Ctrl+Shift+Enterキーで確定する。

Microsoft 365で追加されたスピル機能により、結果を表示する先頭セルに数式を入力してEnterキーを押すだけで、自動的に隣接するセルにも表示されます。

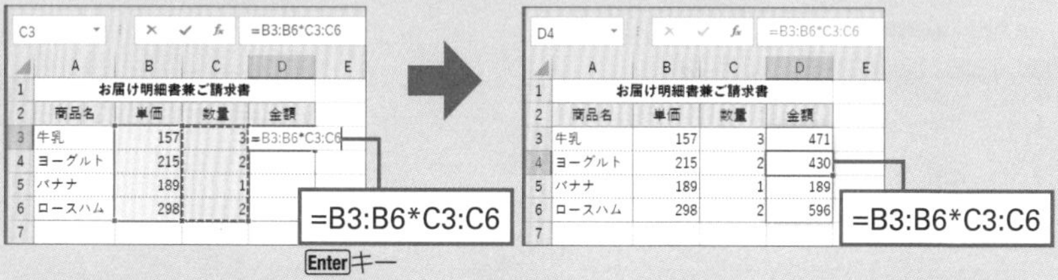

▲スピル機能が使える場合は、金額のセル範囲を選択する必要はない。金額のセルの先頭で、単価のセル範囲と数量のセル範囲を掛ける数式を入力し、Enterキーで確定すればよい。

配列数式は、関数の引数としても利用できます。数式を入力し、最後にCtrlキーとShiftを押しながらEnterキーを押して確定します。

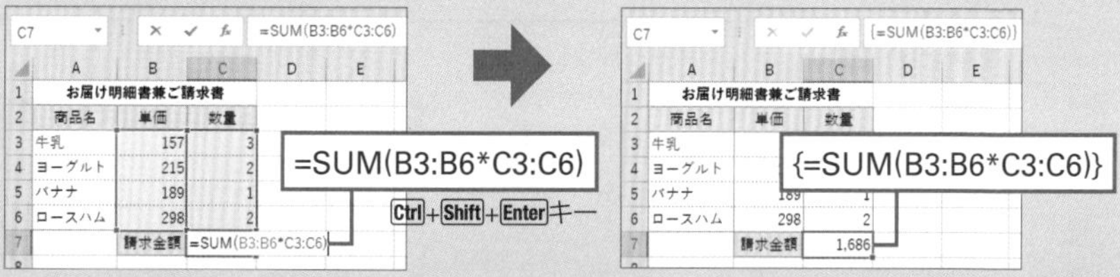

▲SUM関数の引数として配列数式を設定する。数式をすべて入力後に、Ctrl+Shift+Enterキーで確定する。

第3章

条件に応じた処理をする

論理関数を使うと、条件を設定し、それを満たしているかいないかで処理を分けることができます。代表的なものにIF関数があります。また、数学/三角や統計に分類されている集計するための関数にも「SUMIF」のように関数名に「IF」がついているものがあり、条件を満たすデータだけを計算することができます。条件に応じて処理が分けられると、複雑な処理がユーザーの操作や判断を介さずに、何度でも自動的に行えるようになり便利です。

1 条件に応じて異なる処理をするには

365 2019 2016 2013

IF関数を使うと、指定した条件に合う場合と合わない場合で、異なる処理を行うことができます。

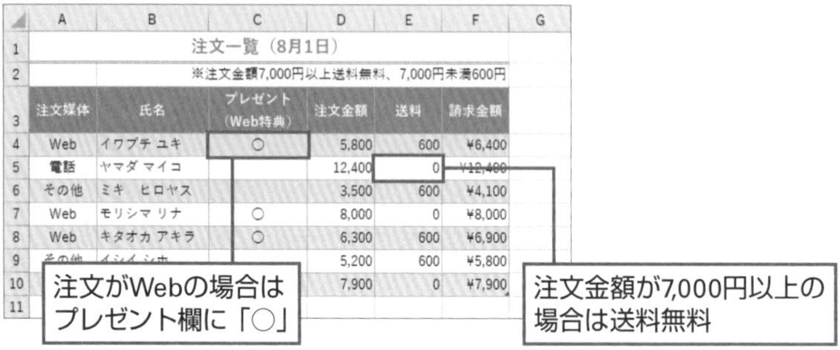

	A	B	C	D	E	F	G
1	注文一覧（8月1日）						
2		※注文金額7,000円以上送料無料、7,000円未満600円					
3	注文媒体	氏名	プレゼント（Web特典）	注文金額	送料	請求金額	
4	Web	イワブチ ユキ	○	5,800	600	¥6,400	
5	電話	ヤマダ マイコ		12,400	0	¥12,400	
6	その他	ミキ　ヒロヤス		3,500	600	¥4,100	
7	Web	モリシマ リナ	○	8,000	0	¥8,000	
8	Web	キタオカ アキラ	○	6,300	600	¥6,900	
9	その他	[illegible]		5,200	600	¥5,800	
10				7,900	0	¥7,900	
11							

●IF関数

［イフ］【論理】

指定された条件を満たす場合と満たさない場合で、異なる値を返す。

書式　**IF(論理式,[値が真の場合],[値が偽の場合])**

引数　**論理式**：論理値（「TRUE」または「FALSE」）を取得する値または式を指定する。比較演算子も使用可。

値が真の場合：**論理式**を満たす（結果が「TRUE」になる）場合に返す値を指定する。

値が偽の場合：**論理式**を満たさない（結果が「FALSE」）場合に返す値を指定する。

使用例**=IF(A4="Web","○","")**

セルA4の値が「Web」のときは「○」、そうでないときは何も表示しない。

■論理式の指定

論理式には、「真（TRUE)」または「偽（FALSE)」のどちらかに評価できる値または条件式を指定します。条件式には、次のような6種類の比較演算子を使用できます。

比較演算子	意味	比較演算子	意味
=	等しい	<=	～以下
<	～より小さい（未満）	>=	～以上
>	～より大きい	<>	等しくない

注文媒体によって「○」を表示する

この例では、注文媒体が「Web」の場合はプレゼント欄に「○」を表示し、Webでない場合は何も表示しません。

	A	B	C	D	E	F
1	注文一覧（8月1日）					
2		※注文金額7,000円以上送料無料、7,000円未満600円				
3	注文媒体	氏名	プレゼント（Web特典）	注文金額	送料	請求金額
4	Web	イワブチ ユキ	○	5,800		¥5,800
5	電話	ヤマダ マイコ		12,400		¥12,400
6	その他	ミキ　ヒロヤス		3,500		¥3,500
7	Web	モリシマ リナ		8,000		¥8,000
8	Web	キタオカ アキラ		6,300		¥6,300
9	その他	イシイ シホ		5,200		¥5,200
10	Web	ムカイ サクラ		7,900		¥7,900
11						

◀この例では注文媒体が「Web」なので真となり、「○」が表示される。

=IF(A4="Web","○","")

- 注文媒体が「Web」の場合
- 真の場合「○」を表示
- 偽の場合何も表示しない

ヒント

引数に文字列を設定する

関数の引数に文字列を設定する場合、文字列は「"」（半角のダブルクォーテーション）で囲んで入力します。関数の設定をダイアログで行う場合（8ページ参照）は入力不要で、[引数]ボックスに文字列のみを入力すると、他のボックスをクリックしたり、[OK]をクリックしたりした時点で自動的に「"」で囲まれます。

ヒント

何も表示させないためには

関数の結果としてセルに何も表示させないためには、空白文字列「""」（半角のダブルクォーテーション2つ）を入力します。

注文金額によって送料を設定する

この例では、注文金額が7,000円以上の場合は送料を無料にし、7,000円未満の場合は送料を600円にします。

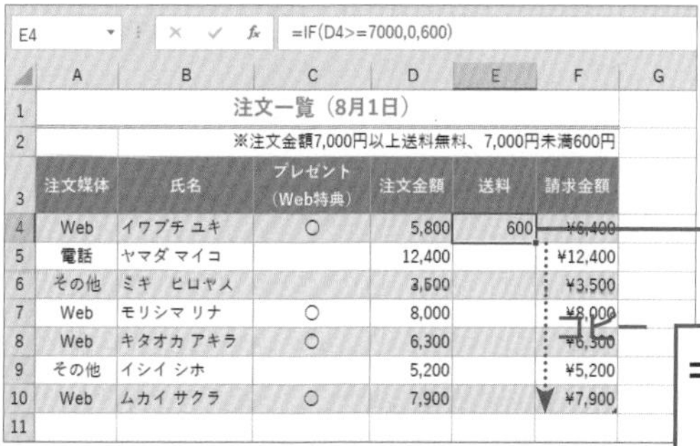

	A	B	C	D	E	F
1	注文一覧（8月1日）					
2		※注文金額7,000円以上送料無料、7,000円未満600円				
3	注文媒体	氏名	プレゼント（Web特典）	注文金額	送料	請求金額
4	Web	イワブチ ユキ	○	5,800	600	¥6,400
5	電話	ヤマダ マイコ		12,400		¥12,400
6	その他	ミキ　ヒロヤス		3,500		¥3,500
7	Web	モリシマ リナ	○	8,000		¥8,000
8	Web	キタオカ アキラ	○	6,300		¥6,300
9	その他	イシイ シホ		5,200		¥5,200
10	Web	ムカイ サクラ	○	7,900		¥7,900
11						

▲この例では注文金額が7,000円未満なので偽となり、「600」が表示される。なお、請求金額には注文金額に送料を合計する数式があらかじめ設定されている。

=IF(D4>=7000,0,600)

- 注文金額が7000円以上
- 真の場合「0」を表示
- 偽の場合「600」を表示

2 複数の条件に応じて異なる処理をするには（1）

365 2019 2016 2013

Microsoft 365、Excel 2019では、新たにIFS関数が追加され、複数の条件に応じて、異なる処理ができるようになりました。

注文一覧（8月1日）

注文媒体コード：W…Web、T…電話、P…はがき、F…FAX

注文媒体コード	注文媒体	氏名	注文金額	送料	請求金額
W	Web	イワブチ ユキ	5,800	600	¥6,400
T	電話	ヤマダ マイコ	12,400	0	¥12,400
P	その他	ミキ　ヒロヤス	3,500	600	
W	Web	モリシマ リナ	8,000	0	
W	Web	キタオカ アキラ	6,300	600	¥6,900
F	その他	イシイ シホ	5,200	600	¥5,800
W	Web	ムカイ サクラ	7,900	0	¥7,900

注文媒体コードに対応した注文媒体を表示する

●IFS関数

［イフエス］【論理】

1つ以上の条件が満たされるかどうかを確認し、最初に真になった条件に対応する値を返す。

書式　**IFS(論理式1,値が真の場合1,[論理式2,値が真の場合2],…)**

引数　**論理式1**：論理値（「TRUE」または「FALSE」）を取得する値または式を指定する。比較演算子、ワイルドカード文字も使用可。

値が真の場合1：論理式1を満たす（結果が「TRUE」になる）場合に返す値を指定する。

使用例**= IFS(A4="W","Web",A4="T","電話",TRUE,"その他")**

セルA4が「W」のときは「Web」と表示、セルA4が「T」のときは「電話」と表示、それ以外は「その他」と表示する。

■論理式の指定

論理式には、「真（TRUE）」または「偽（FALSE）」になる値または条件式を指定します。条件式には比較演算子（58ページ参照）やワイルドカード文字を使用できます。

ワイルドカード文字	意味
?（疑問符）	任意の1文字
*（アスタリスク）	任意の文字列（0文字以上）

また、既定の結果を指定するときには、最後の論理式を「TRUE」や「1=1」など常に真になるようにしておくと、「当てはまらなったものすべて」を対象にできます。なお、当てはまる条件がない場合はエラー値「#N/A」が表示されます。

注文媒体コードに対応した注文媒体を表示する

この例では、注文媒体欄に、注文媒体コードが「W」のときは「Web」、「T」のときは「電話」、それ以外は「その他」を表示します。

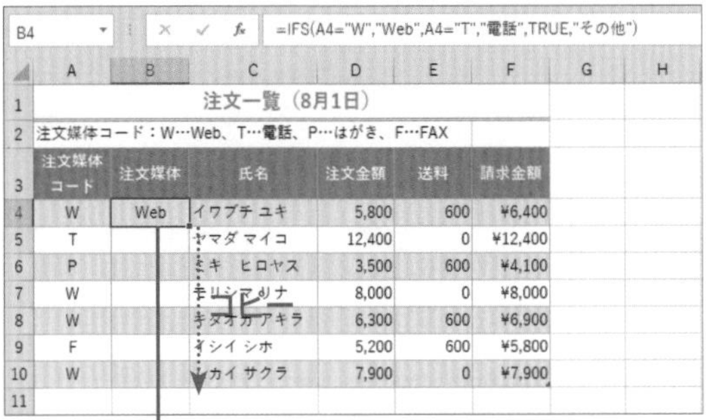

B4　=IFS(A4="W","Web",A4="T","電話",TRUE,"その他")

	A	B	C	D	E	F
1	注文一覧（8月1日）					
2	注文媒体コード：W…Web、T…電話、P…はがき、F…FAX					
3	注文媒体コード	注文媒体	氏名	注文金額	送料	請求金額
4	W	Web	イワブチ ユキ	5,800	600	¥6,400
5	T		ヤマダ マイコ	12,400	0	¥12,400
6	P		ミキ　ヒロヤス	3,500	600	¥4,100
7	W		モリシマ リナ	8,000	0	¥8,000
8	W		キタオカ アキラ	6,300	600	¥6,900
9	F		イシイ シホ	5,200	600	¥5,800
10	W		ムカイ サクラ	7,900	0	¥7,900
11						

=IFS(A4="W","Web",A4="T","電話",TRUE,"その他")

- A4="W"：注文媒体コードが「W」
- "Web"：「Web」を表示
- A4="T"：注文媒体コードが「T」
- "電話"：「電話」を表示
- TRUE,"その他"：それ以外は「その他」を表示

▲IFS関数を使用すれば、複数の条件に応じた処理ができる。いずれの条件にも合わないときは「その他」という既定の値を表示するため、最後の論理式は「TRUE」にしている。

以前の Excel からの変更点

IFS関数は、Microsoft 365およびExcel 2019から新たに加わった関数です。IFS関数が使えない場合は、IF関数にIF関数を組み合わせます。

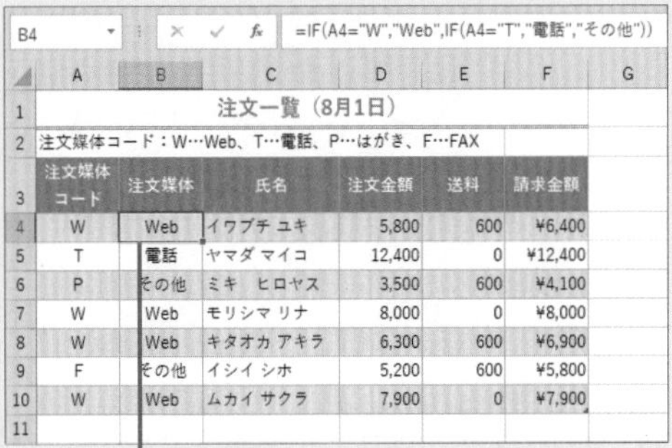

B4　=IF(A4="W","Web",IF(A4="T","電話","その他"))

	A	B	C	D	E	F
1	注文一覧（8月1日）					
2	注文媒体コード：W…Web、T…電話、P…はがき、F…FAX					
3	注文媒体コード	注文媒体	氏名	注文金額	送料	請求金額
4	W	Web	イワブチ ユキ	5,800	600	¥6,400
5	T	電話	ヤマダ マイコ	12,400	0	¥12,400
6	P	その他	ミキ　ヒロヤス	3,500	600	¥4,100
7	W	Web	モリシマ リナ	8,000	0	¥8,000
8	W	Web	キタオカ アキラ	6,300	600	¥6,900
9	F	その他	イシイ シホ	5,200	600	¥5,800
10	W	Web	ムカイ サクラ	7,900	0	¥7,900
11						

=IF(A4="W","Web",IF(A4="T","電話","その他"))

- A4="W"：注文媒体コードが「W」
- "Web"：真の場合「Web」を表示
- IF(A4="T","電話","その他")：偽の場合　注文媒体コードが「T」なら「電話」を表示、それ以外は「その他」を表示

参照
IF関数
この章の1

活用 点数に応じたレベル分けを表示する

この例では、テストの点数が、40点未満の場合は「初級」、40点以上80点未満の場合は「中級」、80点以上の場合は「上級」と表示します。

	A	B	C	D	E
1	■研修レベル分けテスト結果				
2	氏名	部署	点数	レベル分け	
3	池田 啓介	企画部	60	中級	
4	奥田 雄大	営業部	35	初級	
5	神田 浩美	人事部	80	上級	
6	小宮山 真理	企画部	40	中級	
7	島田 朋美	営業部	55	中級	
8	長岡 一彦	営業部	30	初級	
9	細井 仁志	経理部	100	上級	
10	枡谷 亜沙子	営業部	75	中級	
11					

=IFS(C3<40,"初級",C3<80,"中級",TRUE,"上級")

- C3<40：点数が40点未満
- "初級"：真の場合「初級」を表示
- C3<80：点数が40点以上80点未満
- "中級"：真の場合「中級」を表示
- TRUE,"上級"：それ以外は「上級」を表示

▲この例では点数が「60」なので、2番目の論理式が真になり、「中級」が表示される。最後の論理式は、1番目と2番目の論理式を満たさないすべての場合を指定するため「TRUE」にしているが、「C3>=80」でもよい。いずれにも当てはまらないものすべてを満たせるなら「C3<=100」といった条件でもよい。

以前の Excel からの変更点

IFS関数が使えない場合は、IF関数にIF関数を組み合わせます。

D3　=IF(C3<40,"初級",IF(C3<80,"中級","上級"))

	A	B	C	D	E	F	G
1	■研修レベル分けテスト結果						
2	氏名	部署	点数	レベル分け			
3	池田 啓介	企画部	60	中級			
4	奥田 雄大	営業部	35	初級			
5	神田 浩美	人事部	80	上級			
6	小宮山 真理	企画部	40	中級			
7	島田 朋美	営業部	55	中級			
8	長岡 一彦	営業部	30	初級			
9	細井 仁志	経理部	100	上級			
10	枡谷 亜沙子	営業部	75	中級			
11							
12							

=IF(C3<40,"初級",IF(C3<80,"中級","上級"))

- C3<40：点数が40点未満
- "初級"：真の場合「初級」を表示
- IF(C3<80,"中級","上級")：偽の場合 80点未満なら「中級」を表示、それ以外は「上級」を表示

参照
IF関数
この章の1

3 複数の条件に応じて異なる処理をするには（2）

365 2019 2016 2013

Microsoft 365およびExcel 2019では、新たにSWITCH関数が追加され、複数の条件に応じて、異なる処理ができるようになりました。

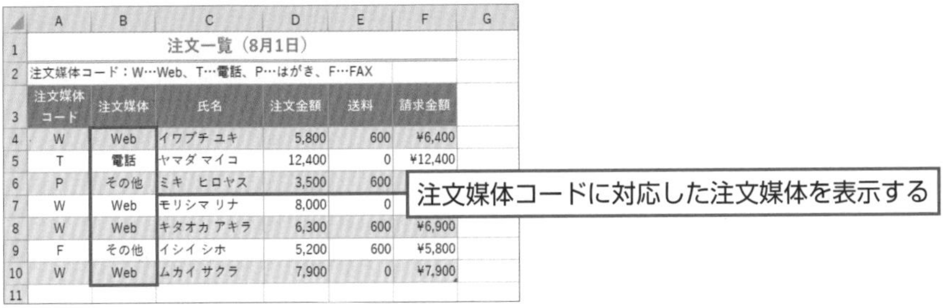

	A	B	C	D	E	F	G
1	注文一覧（8月1日）						
2	注文媒体コード：W…Web、T…電話、P…はがき、F…FAX						
3	注文媒体コード	注文媒体	氏名	注文金額	送料	請求金額	
4	W	Web	イワブチ ユキ	5,800	600	¥6,400	
5	T	電話	ヤマダ マイコ	12,400	0	¥12,400	
6	P	その他	ミキ　ヒロヤス	3,500	600		
7	W	Web	モリシマ リナ	8,000	0		
8	W	Web	キタオカ アキラ	6,300	600	¥6,900	
9	F	その他	イシイ シホ	5,200	600	¥5,800	
10	W	Web	ムカイ サクラ	7,900	0	¥7,900	
11							

●SWITCH関数

［スイッチ］【論理】

式を値の一覧で評価し、最初に一致する値に対応する結果を返す。

書式　**SWITCH(式,値1,結果1,[既定値または値2,結果2],…)**

引数　**式**：**値**と照合される値

値1：**式**と照合される値

結果1：**式**の値が、**値1**と一致する場合に返す値を指定する。

既定値：**値**に**式**と一致する項目が見つからない場合に返される値を指定する（省略可）。

使用例**=SWITCH(A4,"W","Web","T","電話","その他")**

セルA4が「W」のときは「Web」を表示、セルA4が「T」のときは「電話」を表示、それ以外は「その他」を表示する。

■既定値の指定

既定の結果（どの条件にも当てはまらない場合の結果）を指定するときには、**既定値**を入力します。**既定値**は必ずしも指定する必要はありませんが、一致する値がない場合はエラー値「#N/A」が表示されます。

ヒント

IFS関数とSWITCH関数の違い

IFS関数では引数「論理式」は複数設定することができ、毎回異なる条件やセルを指定できますが、SWITCH関数は、引数「式」は1つだけで、引数「値」のどれに一致するかということしか調べることができません。また、SWITCH関数の値には、比較演算子やワイルドカードは使用できません。

注文媒体コードに対応した注文媒体を表示する

この例では、注文媒体欄に、注文媒体コードが「W」のときは「Web」、「T」のときは「電話」、それ以外は「その他」を表示します。

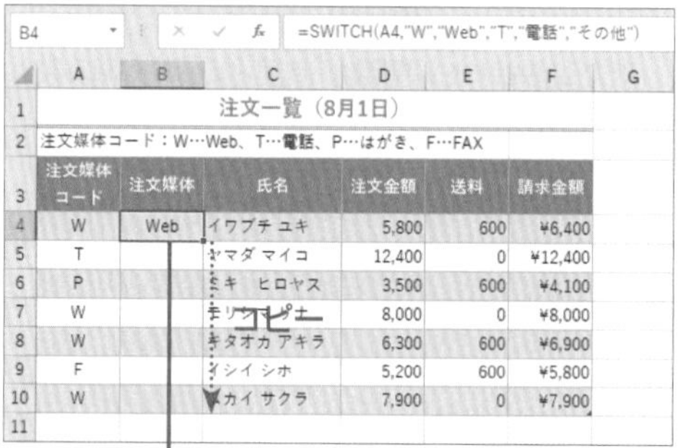

	A	B	C	D	E	F
1	注文一覧（8月1日）					
2	注文媒体コード：W…Web、T…電話、P…はがき、F…FAX					
3	注文媒体コード	注文媒体	氏名	注文金額	送料	請求金額
4	W	Web	イワブチ ユキ	5,800	600	¥6,400
5	T		ヤマダ マイコ	12,400	0	¥12,400
6	P		ミキ　ヒロヤス	3,500	600	¥4,100
7	W		[illegible]	8,000	0	¥8,000
8	W		キタオカ アキラ	6,300	600	¥6,900
9	F		イシイ シホ	5,200	600	¥5,800
10	W		サカイ サクラ	7,900	0	¥7,900
11						

=SWITCH(A4,"W","Web","T","電話","その他")

- 予約媒体コード
- 「W」の場合「Web」を表示
- 「T」の場合「電話」を表示
- それ以外「その他」を表示

▲SWITCH関数では、式を値の一覧で順に照合する。ここではセルA4の文字「W」が、値の一覧の最初の文字と一致するので、対応する結果の「Web」が返される。この例では既定値として「その他」を指定しているので、値の一覧に一致するものがない場合は「その他」が返される。

活用 特定の位置の文字を調べて対応する会員種類を表示する

会員番号の5番目にある会員種類を表す英字から会員種類名を表示するなど、特定の位置にある文字を調べて、それに対応する値を表示するときは、SWITCH関数とMID関数を組み合わせます。

参照
MID関数
第6章の4

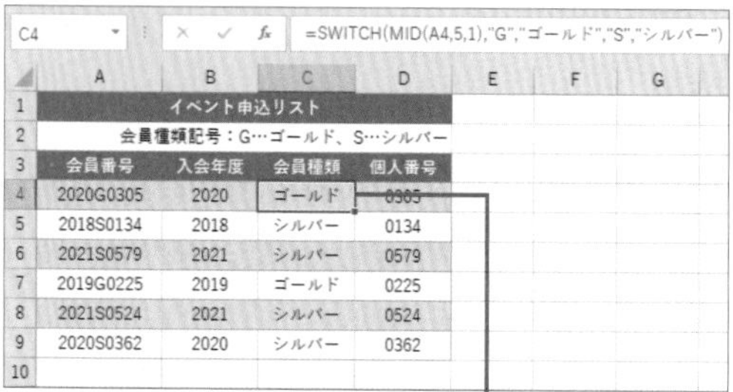

	A	B	C	D
1	イベント申込リスト			
2	会員種類記号：G…ゴールド、S…シルバー			
3	会員番号	入会年度	会員種類	個人番号
4	2020G0305	2020	ゴールド	0305
5	2018S0134	2018	シルバー	0134
6	2021S0579	2021	シルバー	0579
7	2019G0225	2019	ゴールド	0225
8	2021S0524	2021	シルバー	0524
9	2020S0362	2020	シルバー	0362
10				

◀MID関数を使用して、会員番号の5文字目から1文字分を取り出し、それを値1、値2の順に照合し、一致した場合に対応する結果を返す。この例では既定値の指定は省略している。

=SWITCH(MID(A4,5,1),"G","ゴールド","S","シルバー")

- 会員番号の5文字目から1文字分を取り出す
- 「G」の場合「ゴールド」を表示
- 「S」の場合「シルバー」を表示

4 複数の条件のすべてを満たしているかを調べるには

365　2019　2016　2013

AND関数を使うと、複数の条件のすべてを満たしているかどうかを調べることができます。その結果、すべて満たしていれば「真（TRUE）」、そうでなければ「偽（FALSE）」を返します。

たとえば、IF関数の論理式としてAND関数を使用し、「筆記が75点以上、面接が80点以上の場合は、合格とする」など、「複数の条件が満たされている場合は？」という条件式を作成することができます。

入社試験結果一覧

No.	氏名	筆記	面接	合否
1	桜田　結衣	80	90	合格
2	森口　博	85	75	不合格
3	関戸　絵里子	80	85	合格
4	林　和也	75	80	合格
5	中村　慎吾	65	70	不合格
6	長谷川　愛	80	85	合格
7	松村　聖	50	80	不合格
8	相沢　祥太郎	70	65	不合格
9	小野寺　春樹	90	80	合格
10	鈴木　楓	80	70	不合格

筆記が75点以上かつ面接が80点以上の場合は「合格」、それ以外は「不合格」と表示する

●AND関数

［アンド］【論理】

複数の条件のすべてを満たしているかどうかを調べる。

書式　**AND(論理式1,[論理式2],・・・)**

引数　**論理式1,論理式2・・・**：論理値（「TRUE」または「FALSE」）または論理値を取得する値、式を指定する。比較演算子を使用可。

使用例**=AND(C4>=75,D4>=80)**

セルC4の値が75以上で、かつセルD4の値が80以上の場合は「TRUE」を返す。

■論理式の指定

論理式では、条件として、論理値または論理式を含む範囲（配列やセル参照）を1つ以上、最大255個まで指定することができます。指定した範囲内の文字列または空白セルは無視されます。また、指定した範囲に論理値が含まれていない場合は、エラー値「#VALUE!」が表示されます。

試験の合否を調べる

この例では、筆記が75点以上で、かつ面接が80点以上かどうかを調べます。

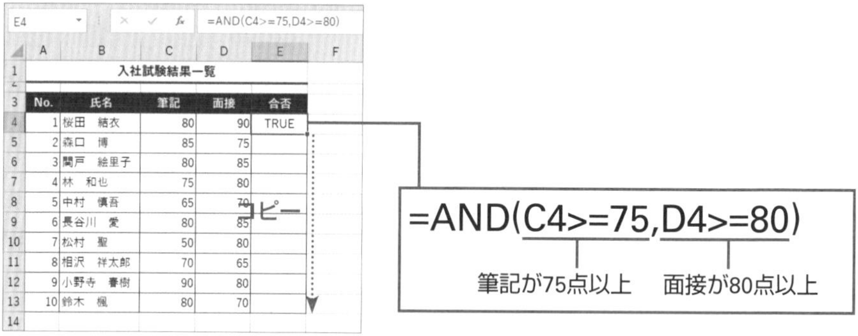

入社試験結果一覧

No.	氏名	筆記	面接	合否
1	桜田　結衣	80	90	TRUE
2	森口　博	85	75	
3	関戸　絵里子	80	85	
4	林　和也	75	80	
5	中村　慎吾	65	70	
6	長谷川　愛	80	85	
7	松村　聖	50	80	
8	相沢　祥太郎	70	65	
9	小野寺　春樹	90	80	
10	鈴木　楓	80	70	

▲AND関数では、条件のすべてを満たしているかどうかを調べた結果として、「TRUE」(真)か「FALSE」(偽)の論理値が返される。条件のうち、いずれか1つを満たせばよい場合は、OR関数を使用する。

参照
OR関数
この章の5

試験の合否を表示する

この例では、IF関数とAND関数を組み合わせて、筆記が75点以上で、かつ面接が80点以上の場合は「合格」、それ以外の場合は「不合格」と表示します。

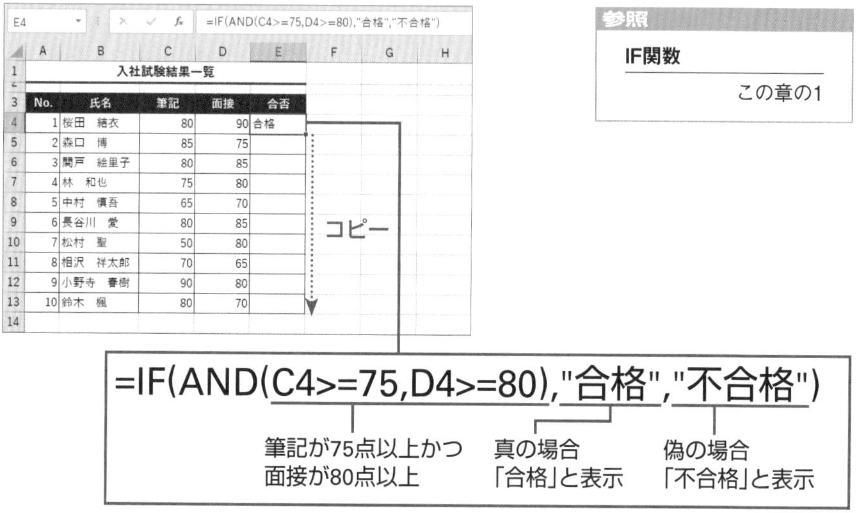

入社試験結果一覧

No.	氏名	筆記	面接	合否
1	桜田　結衣	80	90	合格
2	森口　博	85	75	
3	関戸　絵里子	80	85	
4	林　和也	75	80	
5	中村　慎吾	65	70	
6	長谷川　愛	80	85	
7	松村　聖	50	80	
8	相沢　祥太郎	70	65	
9	小野寺　春樹	90	80	
10	鈴木　楓	80	70	

参照
IF関数
この章の1

▲IF関数とAND関数を組み合わせれば、AND関数の結果に応じて任意の文字列を表示することができる。ここでは、AND関数の結果が「TRUE」(真)のときは「合格」、「FALSE」(偽)のときは「不合格」と表示されるように設定した。

ヒント

論理演算

条件Aと条件Bの両方を考慮するといったように複数の条件を組み合わせ、比較を行う際の条件式で使用するのが、論理演算です。論理演算の基本となるのは、次の3種類です。

論理演算	意味	使用する関数
論理積	AかつB	AND
論理和	AまたはB	OR
否定	Aではない	NOT

論理演算で「TRUE」になる範囲を色付き、「FALSE」になる範囲を白色にしてベン図で表すと、次のようになります。

A AND B……A かつ B

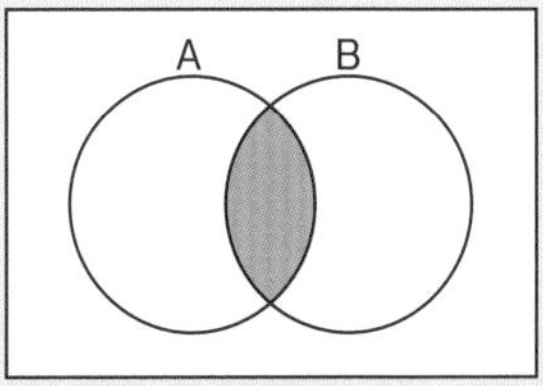

A OR B……A または B

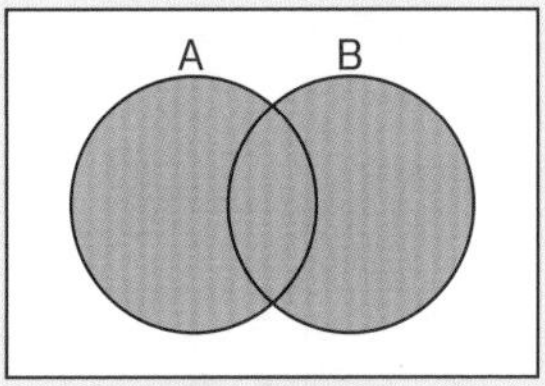

NOT A……A ではない

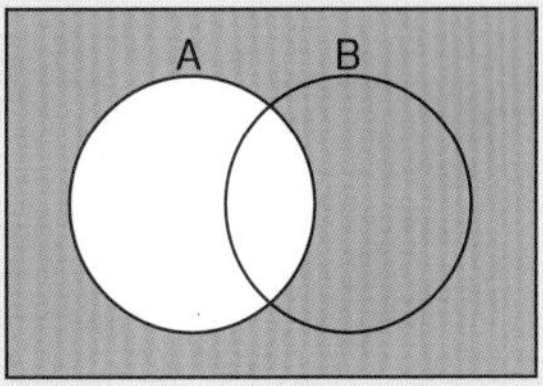

ヒント

Excelで「Aではない」を表す方法

「Aではない」や「Bではない」など引数を否定する論理値を返す必要がある場合には、否定の関数であるNOT関数を使用します。AND条件やOR条件と組み合わせて、「条件Aが「TRUE」で条件Bが「FALSE」の場合」などの条件設定を行うことができます。

書式：NOT(論理式1,[論理式2],･･･)

例）=AND(A1,NOT(B1))

5 複数の条件のいずれかを満たしているかを調べるには

365 2019 2016 2013

OR関数を使うと、複数の条件のいずれかを満たしているかどうかを調べることができます。その結果、どれか1つでも満たされていれば「真（TRUE)」、そうでなければ「偽（FALSE)」を返します。

例えば、IF関数の論理式としてOR関数を使用し、「人数が5人以上か予約プランが「パーティ」」の場合は、「個室」と表示するなど、「複数の条件のうち、いずれかが満たされている場合は？」という条件式を作成することができます。

	A	B	C	D	E	F
1	予約リスト				10月1日	
2						
3	時刻	お名前	人数	予約プラン	お席	
4	17:00	ミズタニユキ	4	パーティ	個室	
5	18:00	フクダアイ	4			
6	18:00	オオタショウコウカイ	12		個室	
7	18:30	キリヤユウジ	4			
8	19:00	オオバジュンコ	2			
9	19:00	シイナカオル	5		個室	
10	19:00	スギヤマシカ	6	パーティ	個室	
11	19:30	ヤマナカサリ	3			
12	20:00	イノウエケンジ	10		個室	
13						

人数が5人以上か予約プランが「パーティ」の場合は、「個室」と表示する

●OR関数

［オア］【論理】

複数の条件のいずれかを満たしているかどうかを調べる。

書式 **OR(論理式1,[論理式2],・・・)**

引数 **論理式1,論理式2・・・**：論理値（「TRUE」または「FALSE」）または論理値を取得する値、式を指定する。比較演算子も使用可。

使用例**=OR(C4>=5,D4="パーティ")**

セルC4の値が5以上またはセルD4の値が「パーティ」の場合は「TRUE」を返す。

■論理式の指定

論理式では、条件として、論理値または論理式を含む範囲（配列やセル参照）を1つ以上、最大255個まで指定することができます。指定した範囲内の文字列または空白セルは無視されます。また、指定した範囲に論理値が含まれていない場合は、エラー値「#VALUE!」が表示されます。

人数と予約プランを調べる

この例では、人数が5人以上、または予約プランが「パーティ」かどうかを調べます。

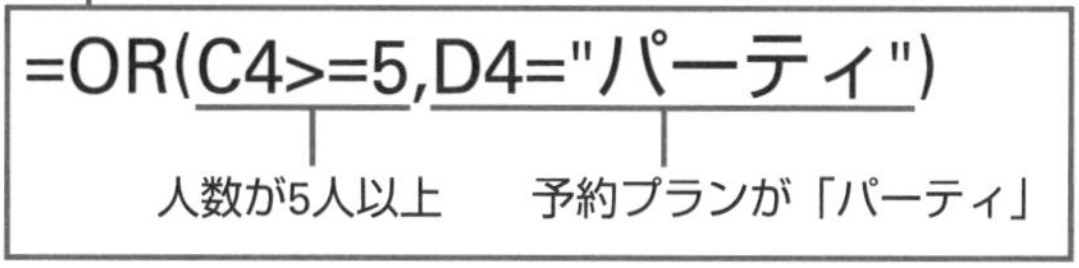

▲OR関数では、条件のいずれかを満たしているかどうかを調べた結果として、「TRUE」（真）か「FALSE」（偽）の論理値が返される。すべての条件を満たさなければならない場合は、AND関数を使用する。

参照
AND関数
この章の4

人数と予約プランによって「個室」と表示する

この例では、人数が5人以上、または予約プランが「パーティ」の場合は、お席の欄に「個室」と表示し、それ以外の場合は何も表示しません。

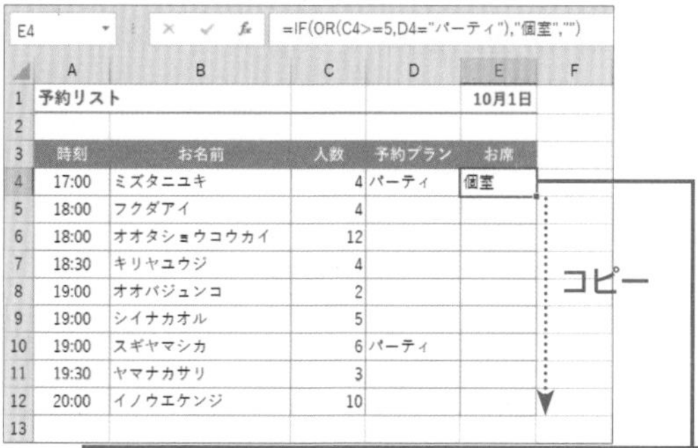

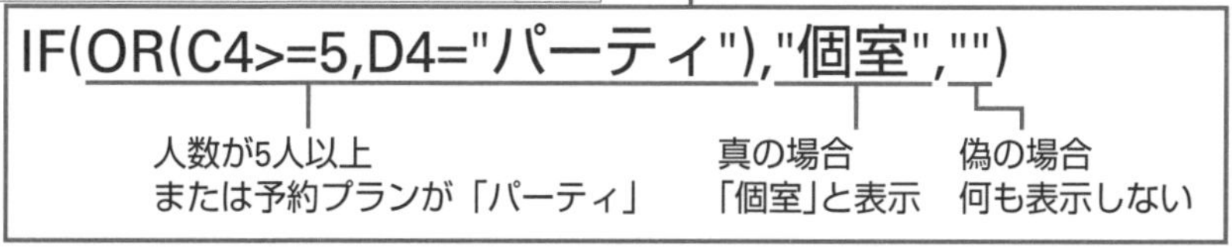

参照
IF関数
この章の1

▲IF関数とOR関数を組み合わせれば、OR関数の結果を任意の文字列で表すことができる。ここでは、OR関数の結果が「TRUE」（真）のときは「個室」、「FALSE」（偽）のときは何も表示しないように設定した。

6 指定した値に応じたデータを求めるには

365 2019 2016 2013

いくつかの選択肢の中で、指定された順番に当たるデータを求めたい場合は、CHOOSE関数を使います。選択肢には数値や文字列などのほか、セル参照を指定することも可能です。

	A	B	C	D	E	F
1	*シェアオフィス利用記録*					
2	種別コード　1：個人会員、2：法人会員、3：非会員					
3	区画	入室時刻	退出時刻	会員種別コード	会員種別	
4	A	10:03	12:15	1	個人会員	
5	B	11:12	14:36	2	法人会員	
6	C	11:34	18:20	1	個人会員	
7	D	12:20	17:41	3	非会員	
8	E	13:01	14:38	1	個人会員	
9	A	13:26	15:10	3	非会員	
10	B	15:23	18:03	1	個人会員	
11	E	16:08	17:32	2	法人会員	
12						

会員種別コードに対応した会員種別を表示する

●CHOOSE関数

［チューズ］【検索/行列】

選択肢の中で、指定した数値の順番に当たる値を返す。

書式　**CHOOSE(インデックス,値1,[値2],…)**

引数　**インデックス**：何番目の値を取り出すかを、数値または数値が入力されたセル参照で指定する。

値：返す値の候補となる数値、文字列、セル参照などを指定する。

使用例=CHOOSE(D4,"個人会員","法人会員","非会員")

セルD4に入力された数値（1～3）に応じて「個人会員」「法人会員」「非会員」のいずれかを返す。

値の指定

インデックスに指定された数値に応じて返す値の候補を、1つ以上、最大254個まで指定します。セル範囲の参照を指定することもでき、SUM関数で、CHOOSE関数の戻り値のセル範囲を合計するといった使い方も可能です。

会員種別コードに対応した会員種別を表示する

この例では会員種別欄に、会員種別コードが1のときは「個人会員」、2のときは「法人会員」、3のときは「非会員」を表示します。

E4　=CHOOSE(D4,"個人会員","法人会員","非会員")

	A	B	C	D	E	F	G
1	*シェアオフィス利用記録*						
2	種別コード　1：個人会員、2：法人会員、3：非会員						
3	区画	入室時刻	退出時刻	会員種別コード	会員種別		
4	A	10:03	12:15	1	個人会員		
5	B	11:12	14:36	2			
6	C	11:34	18:20	1			
7	D	12:20	17:41	3			
8	E	13:01	14:38	1			
9	A	13:26	15:10	3			
10	B	15:23	18:03	1			
11	E	16:08	17:32	2			
12							

コピー

=CHOOSE(D4,"個人会員","法人会員","非会員")

会員種別コード（D4）　会員種別の候補（"個人会員","法人会員","非会員"）

▲引数「値」が引数「インデックス」に指定された数値より少ない場合は、エラー値「#VALUE!」が表示される。

活用 点数に応じた評価を表示する

この例では、3教科の合計点が、100点未満の場合は「C」、100～199点の場合は「B」、200～299点の場合は「A」、300点満点の場合は「特A」と表示します。3桁の点数を1～4の数値に変換するには、100で割って1を足します。これは、CHOOSE関数では、引数「インデックス」に整数以外の値が指定された場合に、小数点以下が切り捨てられ、その順番にあたる選択肢が返されるためです。

F3　=CHOOSE(E3/100+1,"C","B","A","特A")

	A	B	C	D	E	F	G
1	期末テスト成績表						
2	氏名	国語	数学	英語	合計	評価	
3	井上 圭太	63	74	56	193	B	
4	斎藤 美咲	100	100	100	300	特A	
5	高橋 菜穂	37	28	23	88	C	
6	千倉 英太郎	87	90	75	252	A	
7	寺田 達也	76	65	52	193	B	
8	富岡 由梨	83	64	76	223	A	
9	山崎 杏	93	82	100	275	A	
10							

=CHOOSE(E3/100+1,"C","B","A","特A")

合計点を1～4に変換（E3/100+1）　評価の候補（"C","B","A","特A"）

7 エラーかどうかを調べるには

365 2019 2016 2013

IFERROR関数を使うと、指定したセルの数式の結果がエラーかどうかを調べることができます。評価されるエラーの種類は、「#N/A」、「#VALUE!」、「#REF!」、「#DIV/0!」、「#NUM!」、「#NAME?」、「#NULL!」の７種類です。

IFERROR関数では、結果がエラーでなかった場合は数式の結果を返し、エラーだった場合には空白や、指定した文字列を表示させることができます。

	A	B	C	D	E
1	●イベント来場者数比較				
2	イベント名	今年	前年	前年比	
3	ウォークプラネタリウム	1,248			
4	アニメ映画上映会	864	892	96.9%	
5	新春寄席	1,042	936	111.3%	
6	バンドフェスタ	691			
7	区民音楽祭	953	1,141	83.5%	
8	ダンスフェスティバル	443	569	77.9%	
9	ファミリーコンサート	2,309	1,847	125.0%	
10					

前年比を計算し、エラーの場合は何も表示しない

●IFERROR関数

［イフエラー］【論理】

数式の結果がエラーの場合は指定の値を返す。エラーでない場合は数式の結果を返す。

書式　**IFERROR(値,エラーの場合の値)**

引数　**値**：エラーを評価する値、数式またはセル参照を指定する。

エラーの場合の値：エラーの場合に表示させる値、数式、セル参照を指定する。

使用例**=IFERROR(B3/C3,"")**

セルB3をC3で割った値を表示する。結果がエラーだった場合は、何も表示しない。

来場者の前年比がエラーの場合は何も表示しない

この例では、今年と前年の来場者数から前年比を求め、エラーの場合は何も表示しません。

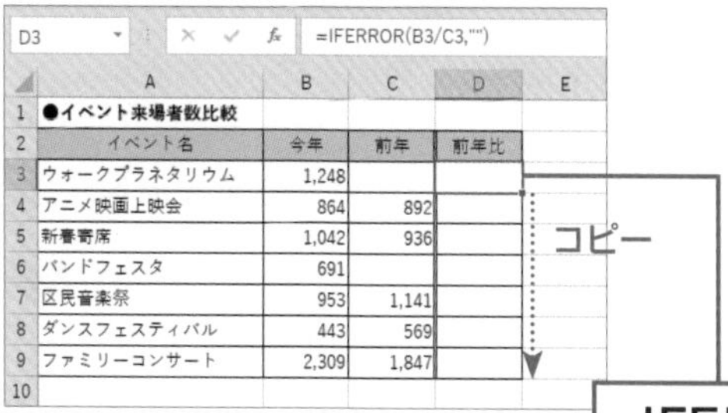

D3　=IFERROR(B3/C3,"")

	A	B	C	D	E
1	●イベント来場者数比較				
2	イベント名	今年	前年	前年比	
3	ウォークプラネタリウム	1,248			
4	アニメ映画上映会	864	892		
5	新春寄席	1,042	936		
6	バンドフェスタ	691			
7	区民音楽祭	953	1,141		
8	ダンスフェスティバル	443	569		
9	ファミリーコンサート	2,309	1,847		
10					

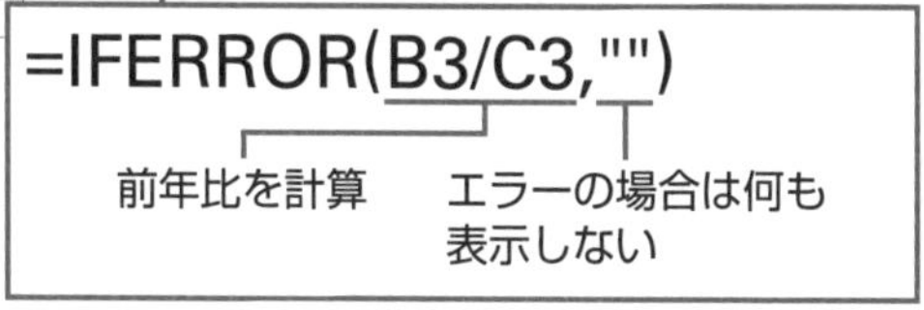

▲前年比を求める際、割る値となる前年の数値が指定されていない場合は、エラー値「#DIV/0!」が表示される。あらかじめIFERROR関数を使用することで、このエラーを回避できる。

活用 VLOOKUP関数の「#N/A」エラーを回避する

VLOOKUP（ブイルックアップ）関数で、存在しない商品IDを入力すると、該当するIDが見つからないのでエラー値「#N/A」が表示されます。商品IDが未入力の場合も同様です。IFERROR関数と組み合わせることで、エラーの場合は何も表示せず、エラーでなければVLOOKUPの結果を表示することができます。

IFERROR関数でエラーを回避

B4　=IFERROR(VLOOKUP(A4,$E$3:$F$8,2,FALSE),"")

	A	B	C	D	E	F	G
1	発注書（品川店）				商品一覧		
2	商品番号	商品名	数量		商品番号	商品名	
3	A001	ビールジョッキ	10		A001	ビールジョッキ	
4					A002	ビールグラス	
5					B001	ワイングラス	
6					C001	コーヒーカップ	
7					C002	ティーカップ	
8					C003	マグカップ	
9							

参照
VLOOKUP関数
第4章の1

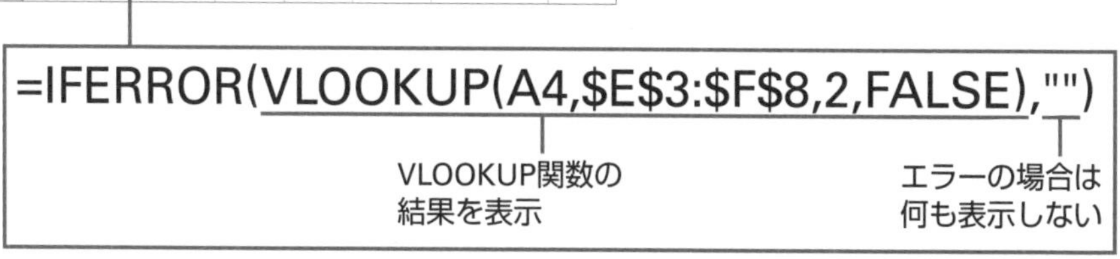

8 条件に一致する数値の合計を求めるには

365 2019 2016 2013

SUMIF関数を使うと、指定された範囲から検索条件と一致するデータを検索し、その合計を求めることができます。

SUMIF関数で指定できる条件は1つだけです。複数の条件を指定する場合は、SUMIFS関数、またはDSUM関数を使用します。

参照
SUMIFS関数
この章の9
DSUM関数
第4章の9

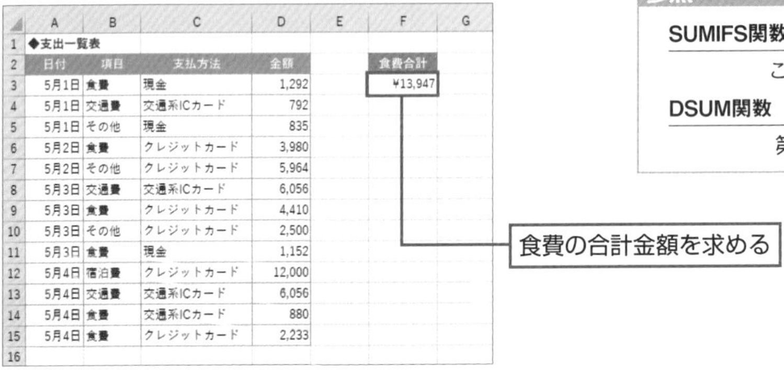

	A	B	C	D	E	F	G
1	◆支出一覧表						
2	日付	項目	支払方法	金額		食費合計	
3	5月1日	食費	現金	1,292		¥13,947	
4	5月1日	交通費	交通系ICカード	792			
5	5月1日	その他	現金	835			
6	5月2日	食費	クレジットカード	3,980			
7	5月2日	その他	クレジットカード	5,964			
8	5月3日	交通費	交通系ICカード	6,056			
9	5月3日	食費	クレジットカード	4,410			
10	5月3日	その他	クレジットカード	2,500			
11	5月3日	食費	現金	1,152			
12	5月4日	宿泊費	クレジットカード	12,000			
13	5月4日	交通費	交通系ICカード	6,056			
14	5月4日	食費	交通系ICカード	880			
15	5月4日	食費	クレジットカード	2,233			
16							

●SUMIF関数 ［サムイフ］【数学/三角】

指定された範囲から検索条件に一致するデータを検索し、合計範囲内で対応するセルの値を合計する。

書式 **SUMIF(範囲,検索条件,[合計範囲])**

引数 **範囲**：検索するデータが含まれるセル範囲を指定する。

検索条件：計算の対象となるセルを特定するための検索条件を数値、セル参照、数式、文字列で指定する（数式や文字列で指定する場合は「"」（ダブルクォーテーション）で囲む）。比較演算子、ワイルドカード文字も使用可。

合計範囲：合計を求める数値が入力されているセル範囲を指定する。

使用例**=SUMIF(B3:B15,"食費",D3:D15)**

セルB3～B15の範囲から「食費」の文字列を検索し、一致するデータに対応し、セルD3～D15にあるセルの値を合計する。

■ 合計範囲の指定

合計範囲には、実際に合計を求めるセル範囲を指定します。条件を検索する**範囲**と同じセル範囲の場合は省略できます。

合計範囲が指定された場合、**範囲**内で検索条件を満たしたセルに対応したセルが計算対象となります。たとえば、**範囲**が「B3:B15」で**合計範囲**が「D3:D15」の場合、セルB3が検索条件を満たすなら、「D3」が計算対象となります。

食費の合計金額を求める

この例では、支出一覧表から「食費」を検索し、その金額の合計を求めます。

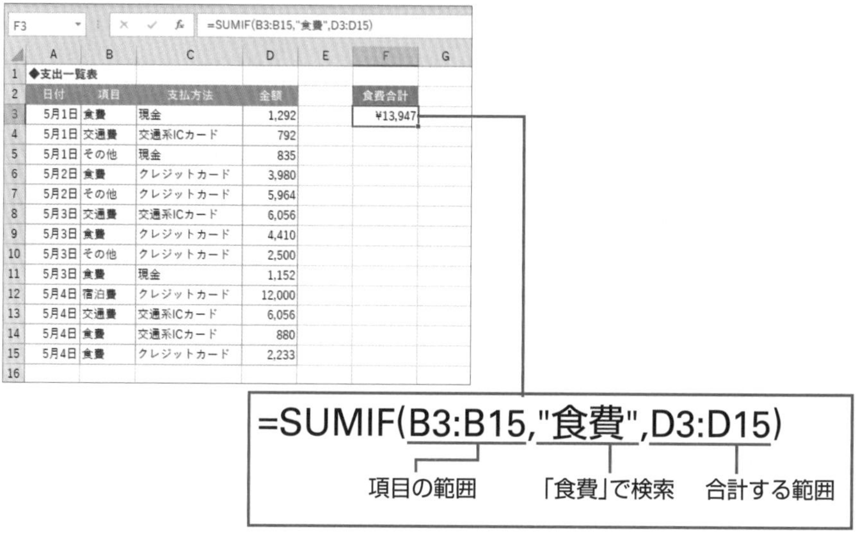

F3　=SUMIF(B3:B15,"食費",D3:D15)

	A	B	C	D	E	F	G
1	◆支出一覧表						
2	日付	項目	支払方法	金額		食費合計	
3	5月1日	食費	現金	1,292		¥13,947	
4	5月1日	交通費	交通系ICカード	792			
5	5月1日	その他	現金	835			
6	5月2日	食費	クレジットカード	3,980			
7	5月2日	その他	クレジットカード	5,964			
8	5月3日	交通費	交通系ICカード	6,056			
9	5月3日	食費	クレジットカード	4,410			
10	5月3日	その他	クレジットカード	2,500			
11	5月3日	食費	現金	1,152			
12	5月4日	宿泊費	クレジットカード	12,000			
13	5月4日	交通費	交通系ICカード	6,056			
14	5月4日	食費	交通系ICカード	880			
15	5月4日	食費	クレジットカード	2,233			
16							

▲項目が「食費」という条件に一致するデータの金額の合計が求められる。検索条件が文字列の場合は「"」（ダブルクォーテーション）で囲む。

9 複数の条件を満たす数値の合計を求めるには

365 2019 2016 2013

SUMIFS関数を使うと、指定された範囲から複数の検索条件を満たすデータを検索し、その合計を求めることができます。

特定の条件に一致するデータの合計を求めるSUMIF関数とは、引数の順序が異なる点に注意が必要です。

	A	B	C	D	E	F	G	H	I
1	◆支出一覧表								
2	日付	項目	支払方法	金額		カード払い 食費合計			
3	5月1日	食費	現金	1,292					
4	5月1日	交通費	交通系ICカード	792		¥11,503			
5	5月1日	その他	現金	835					
6	5月2日	食費	クレジットカード	3,980					
7	5月2日	その他	クレジットカード	5,964					
8	5月3日	交通費	交通系ICカード	6,056					
9	5月3日	食費	クレジットカード	4,410					
10	5月3日	その他	クレジットカード	2,500					
11	5月3日	食費	現金	1,152					
12	5月4日	宿泊費	クレジットカード	12,000					
13	5月4日	交通費	交通系ICカード	6,056					
14	5月4日	食費	交通系ICカード	880					
15	5月4日	食費	クレジットカード	2,233					
16									

カード払いの食費の合計金額を求める

参照

SUMIF関数

この章の8

●SUMIFS関数

［サムイフエス］【数学/三角】

指定された範囲から、複数の検索条件をすべて満たすデータを検索し、合計対象範囲内で対応するセルの値を合計する。

書式　**SUMIFS(合計対象範囲,条件範囲1,条件1, [条件範囲2,条件2],…)**

引数　**合計対象範囲**：合計する数値が入力されているセル範囲を指定する。

条件範囲1：検索するデータが含まれるセル範囲を指定する。

条件1：合計するセルを特定するための検索条件を数値、セル参照、数式、文字列で指定する（数式や文字列で指定する場合は「"」（ダブルクォーテーション）で囲む）。比較演算子、ワイルドカード文字も使用可。

使用例**=SUMIFS(D3:D15,B3:B15,"食費",C3:C15,"*カード")**

セルB3～B15の範囲から「食費」の文字列、セルC3～C15の範囲から「カード」で終わる文字列を検索し、この2つの条件を満たすデータに対応し、セルD3～D15にあるセルの値を合計する。

条件範囲と条件の指定

条件範囲1で指定されたセル範囲に対する検索条件が**条件1**、**条件範囲2**に対する検索条件が**条件2**というように、**条件範囲**と**条件**は組み合わせて指定します。最大127組の範囲と条件を指定することができます。

カードで支払った食費の合計金額を求める

この例では、支出一覧表からカード払いの食費を検索し、その合計金額を求めます。

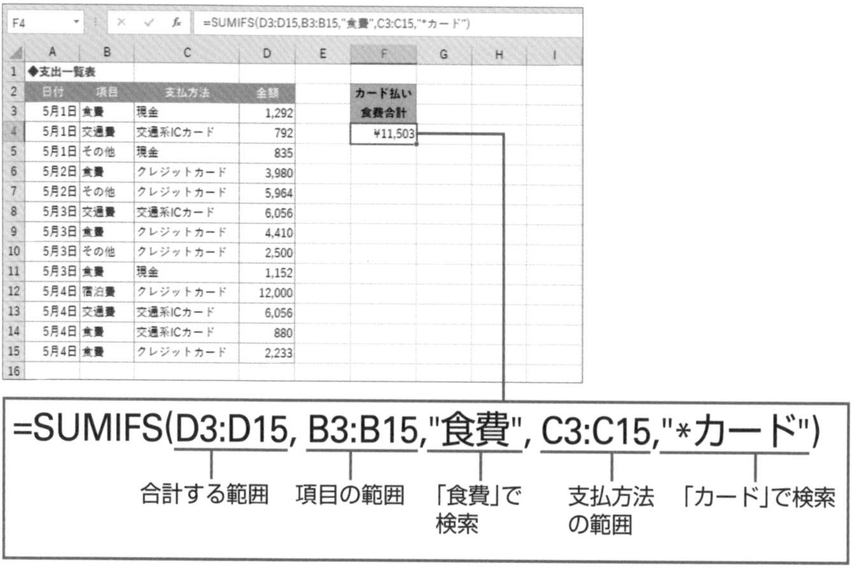
F4　=SUMIFS(D3:D15,B3:B15,"食費",C3:C15,"*カード")

	A	B	C	D	E	F
1	◆支出一覧表					
2	日付	項目	支払方法	金額		カード払い
3	5月1日	食費	現金	1,292		食費合計
4	5月1日	交通費	交通系ICカード	792		¥11,503
5	5月1日	その他	現金	835		
6	5月2日	食費	クレジットカード	3,980		
7	5月2日	その他	クレジットカード	5,964		
8	5月3日	交通費	交通系ICカード	6,056		
9	5月3日	食費	クレジットカード	4,410		
10	5月3日	その他	クレジットカード	2,500		
11	5月3日	食費	現金	1,152		
12	5月4日	宿泊費	クレジットカード	12,000		
13	5月4日	交通費	交通系ICカード	6,056		
14	5月4日	食費	交通系ICカード	880		
15	5月4日	食費	クレジットカード	2,233		
16						

▲項目が「食費」で、支払方法が「カード」という2つの条件を満たすデータの合計金額が求められる。「カード」には「交通系ICカード」と「クレジットカード」があるので、検索条件には、ワイルドカード文字（60ページ参照）を使用して「*カード」（文字列が「カード」で終わる）または「*カード*」（文字列に「カード」の3文字を含む）と入力する。

10 条件に一致する数値の平均値を求めるには

365 2019 2016 2013

AVERAGEIF関数を使うと、指定された範囲から、検索条件と一致するデータを検索し、その平均値を求めることができます。

AVERAGEIF関数で指定できる条件は1つだけです。複数の条件を指定する場合は、AVERAGEIFS関数を使用します。

	A	B	C	D	E	F	G	H	I	J	K
1	レンタサイクル利用記録										
2	30分：電動アシスト200円、シティサイクル150円										
3	No.	氏名	性別	年齢	種類	利用時間	利用料金		▼男女別平均利用時間		
4	1	サカモト ナオキ	男	29	シティ	1:20	¥450		男	2:03	
5	2	オオモリ ハヤト	男	34	電動	2:16	¥750		女	2:50	
6	3	タカハシ ユカ	女	25	シティ	1:52	¥600				
7	4	ヨコヤマ アキラ	男	19	シティ	1:37	¥600				
8	5	イシハラ ユウキ	男	28	電動	4:24	¥1,350				
9	6	イシハラ マイコ	女	27	電動	4:24	¥1,350				
10	7	ミウラ カズト	男	32	シティ	0:53	¥300				
11	8	セキグチ トモコ	女	41	電動	2:42	¥900				
12	9	タクマ ススム	男	36	シティ	1:48	¥600				
13	10	クワタ ミユ	女	18	シティ	2:23	¥750				
14											

男女別の平均利用時間を求める

参照
AVERAGEIFS関数
この章の11

●AVERAGEIF関数 [アベレージイフ]【統計】

指定された範囲から、検索条件に一致するデータを検索し、平均対象範囲内の対応するセルの値の平均値を求める。

書式 **AVERAGEIF(範囲, 条件, [平均対象範囲])**

引数 **範囲**：検索するデータが含まれるセル範囲を指定する。

条件：平均値を求めるセルを特定するための検索条件を数値、セル参照、数式、文字列で指定する（数式や文字列で指定する場合は「"」（ダブルクォーテーション）で囲む）。比較演算子、ワイルドカード文字も使用可。

平均対象範囲：平均値を求める数値が入力されているセル範囲を指定する。

使用例**=AVERAGEIF(C4:C13,I4,F4:F13)**

セルC4～C13の範囲からセルI4のデータを検索し、一致するデータに対応し、F4～F13にあるセルの値の平均値を求める。

平均対象範囲の指定

平均対象範囲では、実際に平均値を求めるセル範囲を指定します。条件を検索する**範囲**と同じセル範囲の場合は省略できます。

平均対象範囲が指定された場合、**範囲**内で検索条件を満たしたセルに対応したセルが計算対象となります。たとえば、**範囲**が「C4:C13」で**平均対象範囲**が「F4:F13」の場合、検索条件を満たすセルが「C4」のときは、「F4」が計算対象となります。

男女別の平均利用時間を求める

この例では、利用記録から男女別の平均利用時間を求めます。

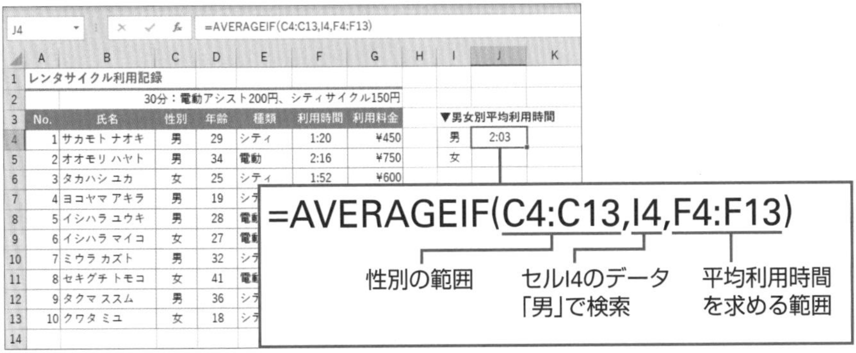

	A	B	C	D	E	F	G	H	I	J	K
1	レンタサイクル利用記録										
2			30分：電動アシスト200円、シティサイクル150円								
3	No.	氏名	性別	年齢	種類	利用時間	利用料金		▼男女別平均利用時間		
4	1	サカモト ナオキ	男	29	シティ	1:20	¥450		男	2:03	
5	2	オオモリ ハヤト	男	34	電動	2:16	¥750		女		
6	3	タカハシ ユカ	女	25	シティ	1:52	¥600				
7	4	ヨコヤマ アキラ	男	19	シティ	1:37	¥600				
8	5	イシハラ ユウキ	男	28	電動	4:24	¥1,350				
9	6	イシハラ マイコ	女	27	電動	4:24	¥1,350				
10	7	ミウラ カズト	男	32	シティ	0:53	¥300				
11	8	セキグチ トモコ	女	41	電動	2:42	¥900				
12	9	タクマ ススム	男	36	シティ	1:48	¥600				
13	10	クワタ ミユ	女	18	シティ	2:23	¥750				
14											

▲男性の平均利用時間の数式をコピーして女性の平均利用時間を求める場合は、性別と利用時間の範囲は絶対参照で指定しておく。なお、求められた値は「0.085417」と表示されるので、ユーザー定義の時刻の表示形式［h:mm］を設定して、「時:分」の表示形式にする（55ページの「ヒント」参照）。

11 複数の条件を満たす数値の平均値を求めるには

365 2019 2016 2013

AVERAGEIFS関数を使うと、指定された範囲から、複数の検索条件を満たすデータを検索し、その平均値を求めることができます。

特定の条件に一致する数値の平均値を求めるAVERAGEIF関数とは、引数の順序が異なる点に注意が必要です。

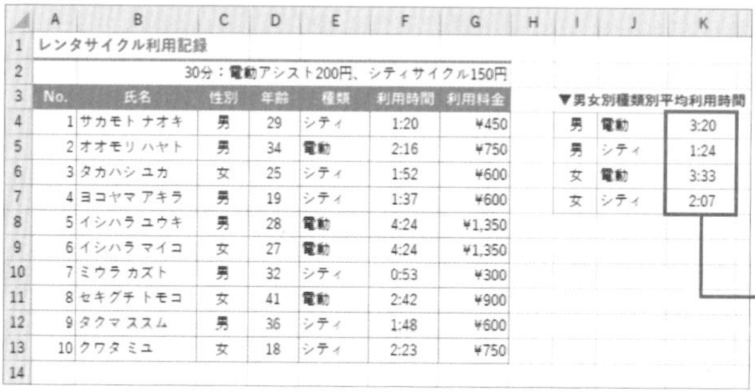

	A	B	C	D	E	F	G	H	I	J	K
1	レンタサイクル利用記録										
2		30分：電動アシスト200円、シティサイクル150円									
3	No.	氏名	性別	年齢	種類	利用時間	利用料金		▼男女別種類別平均利用時間		
4	1	サカモト ナオキ	男	29	シティ	1:20	¥450		男	電動	3:20
5	2	オオモリ ハヤト	男	34	電動	2:16	¥750		男	シティ	1:24
6	3	タカハシ ユカ	女	25	シティ	1:52	¥600		女	電動	3:33
7	4	ヨコヤマ アキラ	男	19	シティ	1:37	¥600		女	シティ	2:07
8	5	イシハラ ユウキ	男	28	電動	4:24	¥1,350				
9	6	イシハラ マイコ	女	27	電動	4:24	¥1,350				
10	7	ミウラ カズト	男	32	シティ	0:53	¥300				
11	8	セキグチ トモコ	女	41	電動	2:42	¥900				
12	9	タクマ ススム	男	36	シティ	1:48	¥600				
13	10	クワタ ミユ	女	18	シティ	2:23	¥750				
14											

参照
AVERAGEIF関数
この章の10

●AVERAGEIFS関数　［アベレージイフエス］【統計】

指定された範囲から、複数の検索条件をすべて満たすデータを検索し、平均対象範囲内で対応するセルの値の平均値を求める。

書式　**AVERAGEIFS(平均対象範囲,条件範囲1,条件1, [条件範囲2,条件2],…)**

引数　**平均対象範囲**：平均値を求める数値が入力されているセル範囲を指定する。

条件範囲1：検索するデータが含まれるセル範囲を指定する。

条件1：平均値を求めるセルを特定するための検索条件を数値、セル参照、数式、文字列で指定する（数式や文字列で指定する場合は「"」（ダブルクォーテーション）で囲む）。比較演算子、ワイルドカード文字も使用可。

使用例**=AVERAGEIFS(F4:F13,C4:C13,I4,E4:E13,J4)**

セルC4～C13の範囲からセルI4のデータ、セルE4～E13の範囲からセルJ4のデータを検索し、この2つの条件を満たすデータに対応し、セルF4～F13にあるセルの値の平均値を求める。

■ 条件範囲と条件の指定

条件範囲1で指定されたセル範囲に対する検索条件が**条件1**、**条件範囲2**に対する検索条件が**条件2**というように、**条件範囲**と**条件**は組み合わせて指定します。最大127組の範囲と条件を指定することができます。

男女別種類別の平均利用時間を求める

この例では、レンタサイクルの利用記録から男女別種類別の平均利用時間を求めます。

	A	B	C	D	E	F	G	H	I	J	K	L
1	レンタサイクル利用記録											
2	30分：電動アシスト200円、シティサイクル150円											
3	No.	氏名	性別	年齢	種類	利用時間	利用料金		▼男女別種類別平均利用時間			
4	1	サカモト ナオキ	男	29	シティ	1:20	¥450		男	電動	3:20	
5	2	オオモリ ハヤト	男	34	電動	2:16	¥750		男	シティ		
6	3	タカハシ ユカ	女	25	シティ	1:52	¥600		女	電動		
7	4	ヨコヤマ アキラ	男	19	シティ	1:37	¥600		女	シティ		
8	5	イシハラ ユウキ	男	28	電動	4:24	¥1,350					
9	6	イシハラ マイコ	女	27	電動	4:24	¥1,350					
10	7	ミウラ カズト	男	32	シティ	0:53	¥300					
11	8	セキグチ トモコ	女	41	電動	2:42	¥900					
12	9	タクマ ススム	男	36	シティ	1:48	¥600					
13	10	クワタ ミユ	女	18	シティ	2:23	¥750					
14												

=AVERAGEIFS(F4:F13,C4:C13,I4,E4:E13,J4)

- F4:F13：利用時間の範囲
- C4:C13：性別の範囲
- I4：セルI4のデータ「男」で検索
- E4:E13：種類別の範囲
- J4：セルJ4のデータ「電動」で検索

	A	B	C	D	E	F	G	H	I	J	K	L
1	レンタサイクル利用記録											
2	30分：電動アシスト200円、シティサイクル150円											
3	No.	氏名	性別	年齢	種類	利用時間	利用料金		▼男女別種類別平均利用時間			
4	1	サカモト ナオキ	男	29	シティ	1:20	¥450		男	電動	3:20	
5	2	オオモリ ハヤト	男	34	電動	2:16	¥750		男	シティ		
6	3	タカハシ ユカ	女	25	シティ	1:52	¥600		女	電動		
7	4	ヨコヤマ アキラ	男	19	シティ	1:37	¥600		女	シティ		
8	5	イシハラ ユウキ	男	28	電動	4:24	¥1,350					
9	6	イシハラ マイコ	女	27	電動	4:24	¥1,350					
10	7	ミウラ カズト	男	32	シティ	0:53	¥300					
11	8	セキグチ トモコ	女	41	電動	2:42	¥900					
12	9	タクマ ススム	男	36	シティ	1:48	¥600					
13	10	クワタ ミユ	女	18	シティ	2:23	¥750					
14												

▲男性の「電動」の平均利用時間の数式をコピーして女性や他の種類の平均利用時間を求める場合は、利用時間、性別、会員種別の範囲は絶対参照で指定しておく。なお、求められた値は「0.138889」と表示されるので、ユーザー定義の時刻の表示形式［h:mm］を設定して、「時:分」の表示形式にする（55ページの「ヒント」参照）。

12 複数の条件を満たす数値の最大値／最小値を求めるには

365 2019 2016 2013

Microsoft 365およびExcel 2019では、新たにMAXIFS関数、MINIFS関数が追加されました。MAXIFS関数またはMINIFS関数を使うと、指定された範囲から、複数の検索条件を満たすデータを検索し、その最大値または最小値を求めることができます。なお、本書の発行時点では条件を1つだけ指定するMAXIF、MINIFという関数はありません。

	A	B	C	D	E	F	G	H	I	J	K	L
1	レンタサイクル利用記録											
2	30分：電動アシスト200円、シティサイクル150円											
3	No.	氏名	性別	年齢	種類	利用時間	利用料金		▼男女別類別最大/最小利用料金			
4	1	サカモト ナオキ	男	29	シティ	1:20	¥450				最大	最小
5	2	オオモリ ハヤト	男	34	電動	2:16	¥750		男	電動	¥1,350	¥750
6	3	タカハシ ユカ	女	25	シティ	1:52	¥600		男	シティ	¥600	¥300
7	4	ヨコヤマ アキラ	男	19	シティ	1:37	¥600		女	電動	¥1,350	¥900
8	5	イシハラ ユウキ	男	28	電動	4:24	¥1,350		女	シティ	¥750	¥600
9	6	イシハラ マイコ	女	27	電動	4:24	¥1,350					
10	7	ミウラ カズト	男	32	シティ	0:53	¥300					
11	8	セキグチ トモコ	女	41	電動	2:42	¥900					
12	9	タクマ ススム	男	36	シティ	1:48	¥600					
13	10	クワタ ミユ	女	18	シティ	2:23	¥750					
14												

男女別種類別の最大利用料金、最小利用料金を求める

●MAXIFS関数

［マックスイフエス］【統計】

指定された範囲から、複数の検索条件をすべて満たすデータを検索し、最大範囲内で対応するセルの値の最大値を求める。

書式　**：MAXIFS(最大範囲,条件範囲1,条件1,[条件範囲2,条件2],…)**

引数　**最大範囲**：最大値を求める数値が入力されているセル範囲を指定する。

条件範囲1：検索するデータが含まれるセル範囲を指定する。

条件1：最大値を求めるセルを特定するための検索条件を数値、セル参照、数式、文字列で指定する（数式や文字列で指定する場合は「"」（ダブルクォーテーション）で囲む）。比較演算子、ワイルドカード文字も使用可。

使用例**=MAXIFS(G4:G13,C4:C13,I5,E4:E13,J5)**

セルC4～C13の範囲からセルI5のデータ、セルE4～E13の範囲からセルJ5のデータを検索し、この2つの条件を満たすデータに対応し、セルG4～G13にあるセルの値の最大値を求める。

●MINIFS関数　［ミニマムイフエス］【統計】

指定された範囲から、複数の検索条件をすべて満たすデータを検索し、最小範囲内で対応するセルの値の最小値を求める。

書式　：**MINIFS(最小範囲,条件範囲1,条件1,[条件範囲2,条件2],…)**

引数　**最小範囲**：最小値を求める数値が入力されているセル範囲を指定する。
条件範囲1：検索するデータが含まれるセル範囲を指定する。
条件1：最小値を求めるセルを特定するための検索条件を数値、セル参照、数式、文字列で指定する（数式や文字列で指定する場合は「"」（ダブルクォーテーション）で囲む)。比較演算子、ワイルドカード文字も使用可。

使用例**=MINIFS(G4:G13,C4:C13,I5,E4:E13,J5)**
セルC4～C13の範囲からセルI5のデータ、セルE4～E13の範囲からセルJ5のデータを検索し、この2つの条件を満たすデータに対応し、セルG4～G13にあるセルの値の最小値を求める。

■条件範囲と条件の指定

条件範囲1で指定されたセル範囲に対する検索条件が**条件1**、**条件範囲2**に対する検索条件が**条件2**というように、**条件範囲**と**条件**は組み合わせて指定します。最大127組の範囲と条件を指定することができます。

男女別種類別の最大利用料金、最小利用料金を求める

この例では、レンタサイクルの利用記録から男女別種類別の最大利用料金、最小利用料金を求めます。

K5　=MAXIFS(G4:G13,C4:C13,I5,E4:E13,J5)

レンタサイクル利用記録

30分：電動アシスト200円、シティサイクル150円

No.	氏名	性別	年齢	種類	利用時間	利用料金
1	サカモト ナオキ	男	29	シティ	1:20	¥450
2	オオモリ ハヤト	男	34	電動	2:16	¥750
3	タカハシ ユカ	女	25	シティ	1:52	¥600
4	ヨコヤマ アキラ	男	19	シティ	1:37	¥600
5	イシハラ ユウキ	男	28	電動	4:24	¥1,350
6	イシハラ マイコ	女	27	電動	4:24	¥1,350
7	ミウラ カズト	男	32	シティ	0:53	¥300
8	セキグチ トモコ	女	41	電動	2:42	¥900
9	タクマ ススム	男	36	シティ	1:48	¥600
10	クワタ ミユ	女	18	シティ	2:23	¥750

▼男女別類別最大/最小利用料金

		最大	最小
男	電動	¥1,350	¥750
男	シティ		
女	電動		
女	シティ		

=MAXIFS(G4:G13,C4:C13,I5,E4:E13,J5)

- G4:G13：利用料金の範囲
- C4:C13：性別の範囲
- I5：セルI5のデータ「男」で検索
- E4:E13：種類の範囲
- J5：セルJ5のデータ「電動」で検索

=MINIFS(G4:G13,C4:C13,I5,E4:E13,J5)

- G4:G13：利用料金の範囲
- C4:C13：性別の範囲
- I5：セルI5のデータ「男」で検索
- E4:E13：種類の範囲
- J5：セルJ5のデータ「電動」で検索

K5　=MAXIFS($G$4:$G$13,$C$4:$C$13,$I5,$E$4:$E$13,$J5)

レンタサイクル利用記録

30分：電動アシスト200円、シティサイクル150円

No.	氏名	性別	年齢	種類	利用時間	利用料金
1	サカモト ナオキ	男	29	シティ	1:20	¥450
2	オオモリ ハヤト	男	34	電動	2:16	¥750
3	タカハシ ユカ	女	25	シティ	1:52	¥600
4	ヨコヤマ アキラ	男	19	シティ	1:37	¥600
5	イシハラ ユウキ	男	28	電動	4:24	¥1,350
6	イシハラ マイコ	女	27	電動	4:24	¥1,350
7	ミウラ カズト	男	32	シティ	0:53	¥300
8	セキグチ トモコ	女	41	電動	2:42	¥900
9	タクマ ススム	男	36	シティ	1:48	¥600
10	クワタ ミユ	女	18	シティ	2:23	¥750

▼男女別類別最大/最小利用料金

		最大	最小
男	電動	¥1,350	¥750
男	シティ		
女	電動		
女	シティ		

▲男性の「電動」の平均利用料金の数式をコピーして女性や他の種類の平均利用料金を求める場合は、利用料金、性別、種類の範囲は絶対参照で指定しておく。

13 条件に一致する数値の個数を求めるには

365 2019 2016 2013

　COUNTIF関数を使うと、指定された範囲から検索条件と一致するデータを検索し、その個数を求めることができます。

　COUNTIF関数で指定できる条件は1つだけです。複数の条件を指定する場合は、COUNTIFS関数またはDCOUNT関数を使用します。

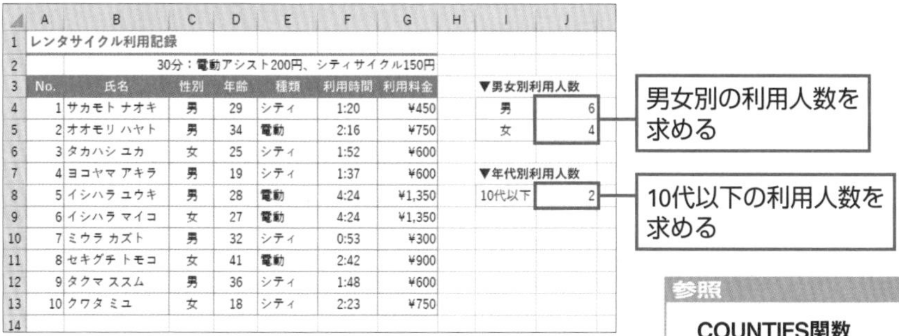

	A	B	C	D	E	F	G	H	I	J
1	レンタサイクル利用記録									
2			30分：電動アシスト200円、シティサイクル150円							
3	No.	氏名	性別	年齢	種類	利用時間	利用料金		▼男女別利用人数	
4	1	サカモト ナオキ	男	29	シティ	1:20	¥450		男	6
5	2	オオモリ ハヤト	男	34	電動	2:16	¥750		女	4
6	3	タカハシ ユカ	女	25	シティ	1:52	¥600			
7	4	ヨコヤマ アキラ	男	19	シティ	1:37	¥600		▼年代別利用人数	
8	5	イシハラ ユウキ	男	28	電動	4:24	¥1,350		10代以下	2
9	6	イシハラ マイコ	女	27	電動	4:24	¥1,350			
10	7	ミウラ カズト	男	32	シティ	0:53	¥300			
11	8	セキグチ トモコ	女	41	電動	2:42	¥900			
12	9	タクマ ススム	男	36	シティ	1:48	¥600			
13	10	クワタ ミユ	女	18	シティ	2:23	¥750			
14										

参照
COUNTIFS関数
この章の14
DCOUNT関数
第4章の10

●COUNTIF関数　［カウントイフ］【統計】

指定された範囲から、検索条件と一致するセルの個数を求める。

書式　**COUNTIF(範囲,検索条件)**

引数　**範囲**：検索するデータが含まれるセル範囲を指定する。

検索条件：個数を求めるセルを特定するための検索条件を数値、セル参照、数式、文字列で指定する（数式や文字列で指定する場合は「"」（ダブルクォーテーション）で囲む）。比較演算子、ワイルドカード文字も使用可。

使用例**=COUNTIF(E4:E13,I4)**

セルE4～E13の範囲からセルI4のデータと一致するセルの個数を求める。

男女別の利用人数を求める

この例では、レンタサイクルの利用記録から男女別の利用人数を求めます。

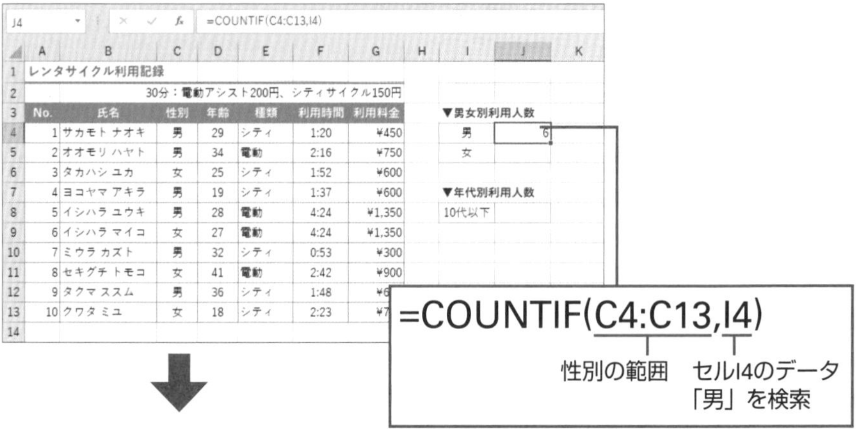

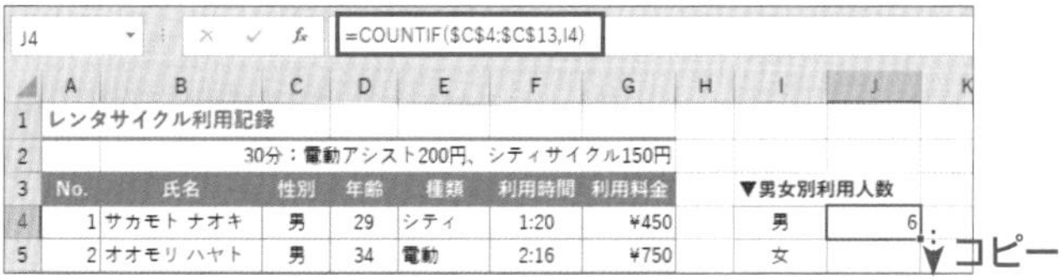

▲男性の利用人数の数式をコピーして女性の利用人数を求める場合は、性別の範囲は絶対参照で指定しておく。

10代以下の利用人数を求める

この例では、利用記録から10代以下の利用人数を求めます。

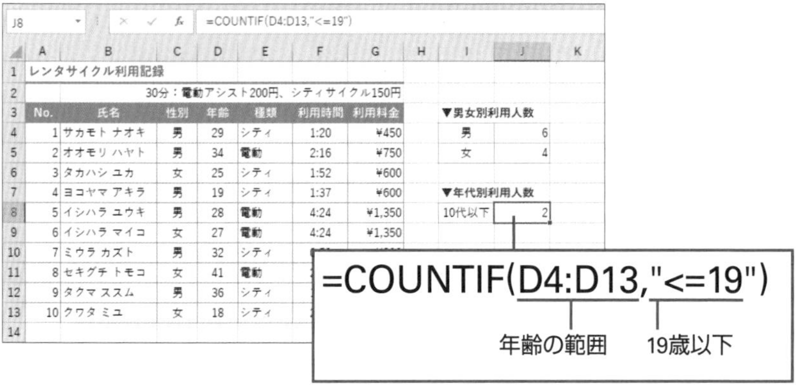

▲年齢が10代以下という条件は「"<=19"」または「"<20"」と指定する。条件を式で指定する場合は文字列と同様に「"」(ダブルクォーテーション)で囲む。一致するデータが見つからなかったときは「0」が表示される。

14 複数の条件を満たす数値の個数を求めるには

365 2019 2016 2013

COUNTIFS関数を使うと、指定された範囲から、複数の検索条件を満たすデータを検索し、その個数を求めることができます。

	A	B	C	D	E	F	G	H	I	J	K	L
1	レンタサイクル利用記録											
2		30分：電動アシスト200円、シティサイクル150円										
3	No.	氏名	性別	年齢	種類	利用時間	利用料金		▼男女別種類利用人数			
4	1	サカモト ナオキ	男	29	シティ	1:20	¥450		男	電動	2	
5	2	オオモリ ハヤト	男	34	電動	2:16	¥750		男	シティ	4	
6	3	タカハシ ユカ	女	25	シティ	1:52	¥600		女	電動	2	
7	4	ヨコヤマ アキラ	男	19	シティ	1:37	¥600		女	シティ	2	
8	5	イシハラ ユウキ	男	28	電動	4:24	¥1,350					
9	6	イシハラ マイコ	女	27	電動	4:24	¥1,350		▼年代別利用人数			
10	7	ミウラ カズト	男	32	シティ	0:53	¥300		10代以下	2		
11	8	セキグチ トモコ	女	41	電動	2:42	¥900		20代	4		
12	9	タクマ ススム	男	36	シティ	1:48	¥600		30代	3		
13	10	クワタ ミユ	女	18	シティ	2:23	¥750		40代	1		
14												

男女別種類別の利用人数を求める

20代の利用人数を求める

参照
COUNTIF関数
この章の13

●COUNTIFS関数

［カウントイフエス］【統計】

指定された範囲から、複数の検索条件をすべて満たすデータを検索し、セルの個数を求める。

書式　**COUNTIFS(検索条件範囲1,検索条件1,[検索条件範囲2,検索条件2],…)**

引数　**検索条件範囲1**：検索するデータが含まれるセル範囲を指定する。

検索条件1：個数を求めるセルを特定するための検索条件を数値、セル参照、数式、文字列で指定する（数式や文字列で指定する場合は「"」（ダブルクォーテーション）で囲む）。比較演算子、ワイルドカード文字も使用可。

使用例**=COUNTIFS(C4:C13,I4,E4:E13,J4)**

セルC4～C13の範囲からセルI4のデータ、セルE4～E13の範囲からセルJ4のデータを検索し、この2つの条件を満たすデータの個数を求める。

■ 検索条件範囲と検索条件の指定

検索条件範囲1で指定されたセル範囲に対する検索条件が**検索条件1**、**検索条件範囲2**に対する検索条件が**検索条件2**というように、**検索条件範囲**と**検索条件**は組み合わせて指定します。最大127組の範囲と条件を指定することができます。

男女別種類別の利用人数を求める

この例では、レンタサイクルの利用記録から男女別種類別の利用人数を求めます。

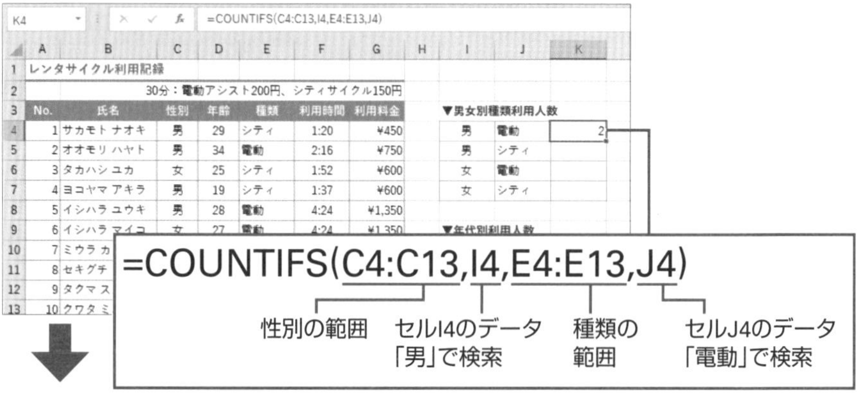

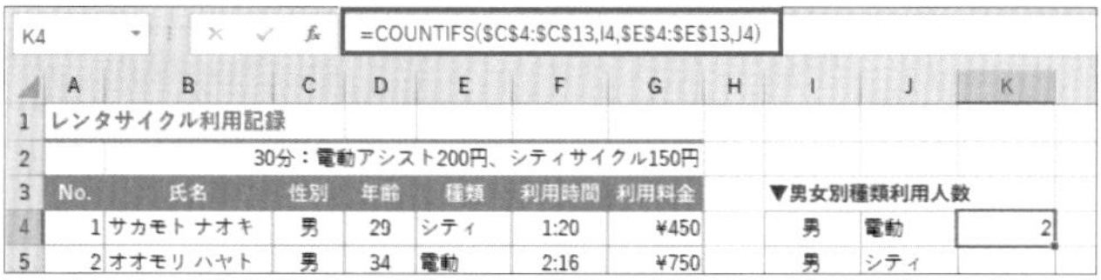

▲男性の利用人数の数式をコピーして女性や他の種類の利用人数を求める場合は、性別の範囲と種類の範囲は絶対参照で指定しておく。

20代の利用人数を求める

この例では、レンタサイクルの利用記録から20代の利用人数を求めます。

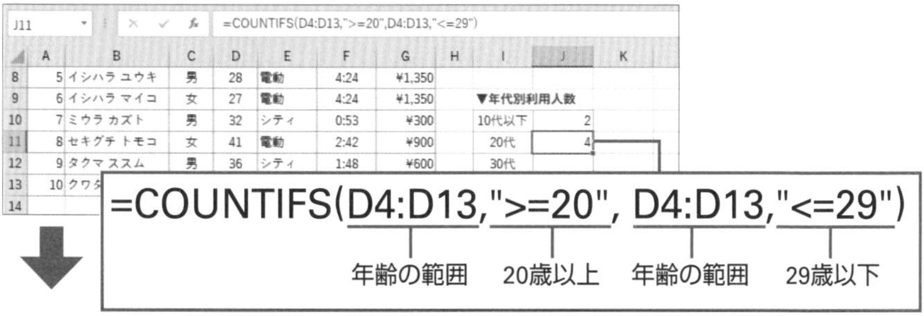

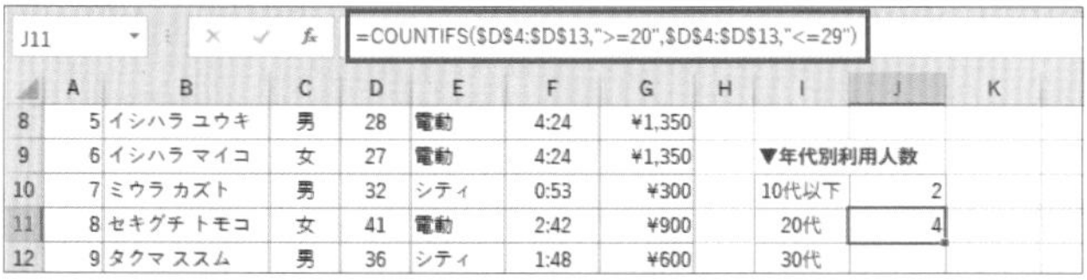

▲20代という条件は、20歳以上「">=20"」と30歳以下「"<=30"」または「"<30"」の2つの条件で指定する。条件を式で指定する場合は文字列と同様に「"」（ダブルクォーテーション）で囲む。同じ年齢の範囲から検索する場合でも、条件ごとに範囲の指定が必要。20代の利用人数の数式をコピーして他の年代の利用人数を求める場合は、年齢の範囲を絶対参照で指定しておく。数式をコピー後に条件の年齢を変更する。

データを検索、抽出する

第4章

ここでは、表の中から条件に合致するデータを取り出したり、集計したりする関数を紹介します。名簿管理や販売管理、収支分析などによく使われる関数です。これらの関数を使うことにより、入力の手間を省いたり、計算ミスを防いだりといったように、効率よくデータを処理することができます。

1 検索値と一致するデータを取り出すには（1）

365 2019 2016 2013

VLOOKUP関数を使うと、表の左端列で値を検索し、同じ行にある指定された列のデータを取り出せます。たとえば、IDから、対応する商品名や氏名などを取得し、自動的に表示できます。VLOOKUP関数の「V」は、縦方向（vertical）を意味し、行方向（縦方向）に入力された表から値を取得することができます。

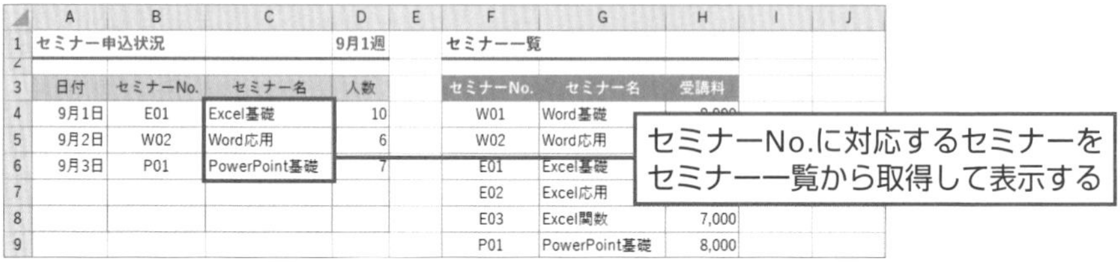

	A	B	C	D	E	F	G	H	I	J
1	セミナー申込状況			9月1週		セミナー一覧				
2										
3	日付	セミナーNo.	セミナー名	人数		セミナーNo.	セミナー名	受講料		
4	9月1日	E01	Excel基礎	10		W01	Word基礎			
5	9月2日	W02	Word応用	6		W02	Word応用			
6	9月3日	P01	PowerPoint基礎	7		E01	Excel基礎			
7						E02	Excel応用			
8						E03	Excel関数	7,000		
9						P01	PowerPoint基礎	8,000		

●VLOOKUP関数

［ブ・イルックアップ］【検索/行列】

指定した値を表の左端列で検索し、該当する行の指定された列の値を返す。

書式 **VLOOKUP(検索値,範囲,列番号,[検索方法])**

引数 **検索値**：**範囲**の左端の列で検索する値を指定する。
範囲：目的のデータが含まれる表のセル範囲を指定する。
列番号：目的のデータが含まれる列を、**範囲**の左端から数えた列の番号（1列目が「1」、2列目が「2」、…）で指定する。
検索方法：論理値（「TRUE」または「FALSE」）を指定する。

使用例 **=VLOOKUP(B4,F4:H10,2,FALSE)**
セルB4の値を、セルF4～H10の表の左端列で検索し、該当する行の2列目のデータを取得して表示する。

■範囲の指定

データを検索する表の範囲を指定します。表の範囲を選択する際は、項目名を含まないように注意します。数式をコピーする必要がある場合は、範囲を固定するため、絶対参照にします（12ページ参照）。

■検索方法の指定

検索値と完全に一致する値だけを検索する場合は「FALSE」を指定するか「0」を入力します。**検索値**の近似値を含めて検索する場合は「TRUE」を指定するか省略します。「TRUE」を指定または省略した場合、正しい値を取得するためには、表の左端列の値は昇順に並べ替えておく必要があります。

セミナーNo.を基にセミナー名を表示する

この例では、入力したセミナーNo.から、セミナー一覧にあるセミナー名を表示します。

▲数式はコピーする前提のため、セミナー一覧の範囲は絶対参照で指定する。VLOOKUP関数の入力時にセミナーNo.が指定されていない場合、エラー値「#N/A」が表示される。その場合でもセミナーNo.を入力した時点で、正しい値が取得される。

ヒント

検索方法の入力

関数を手入力している場合は、数式オートコンプリート機能（6ページ参照）により、列番号の後に「,」（コンマ）を入力すると、検索方法の一覧が表示され、ダブルクリックして入力できます。

活用　セミナーNo.が未入力な場合にエラーを表示させない

セミナー名を表示するVLOOKUP関数の数式をコピーすると、セミナーNo.が未入力の場合にエラー値「#N/A」が表示されます。このエラーが表示されないようにするには、IF関数を使用し、検索値が空白セルの場合には何も表示せず、それ以外はVLOOKUP関数の結果を表示するようにします（171ページ参照）。

参照

IF関数

第3章の1

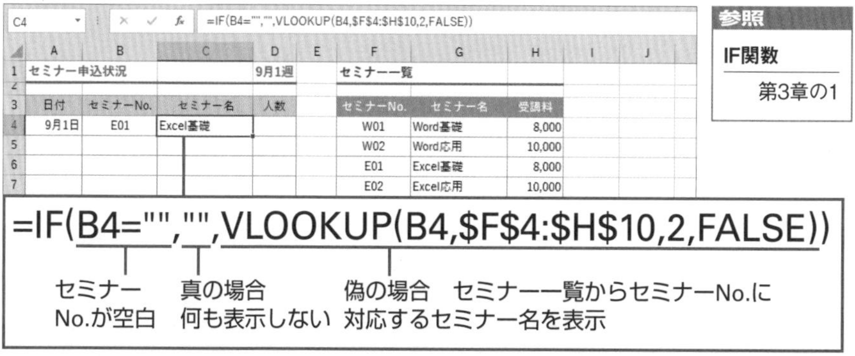

活用 お買上げ金額に応じた無料駐車時間を表示する

VLOOKUP関数の検索方法に「TRUE」を指定すると「〜以上〜未満」という検索が可能になります。ただし、正しい値を取得するためには、表の左端列の値は昇順に並べ替えておく必要があります。

次のような表で、お買上げ金額に応じた無料駐車時間を表示する場合はVLOOKUP関数の検索方法に「TRUE」を指定します。お買上げ金額を超えない最も近い金額に対応する無料駐車時間が表示されます。

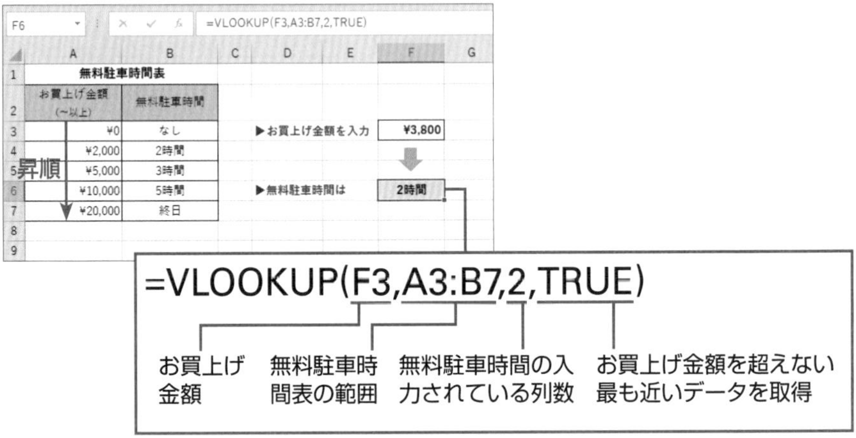

▲お買上げ金額が「¥3,800」の場合、検索する無料駐車時間表に完全に一致する金額がないためVLOOKUP関数の検索方法が「FALSE」だとエラー値「#N/A」が表示される。「TRUE」だと「¥3,800」を超えない最も近い金額「¥2,000」が返されるため、これに対応する無料駐車時間「2時間」が表示される。

2 検索値と一致するデータを取り出すには（2）

365　2019　2016　2013

表の上端行で値を検索し、同じ列にある指定された行のデータを取り出す場合は、HLOOKUP関数を使用します。HLOOKUP関数の「H」は、横方向（horizontal）を意味し、列方向（横方向）にデータが入力された表から値を取得することができます。HLOOKUP関数の引数は、VLOOKUP関数の指定方法とほぼ同じです。

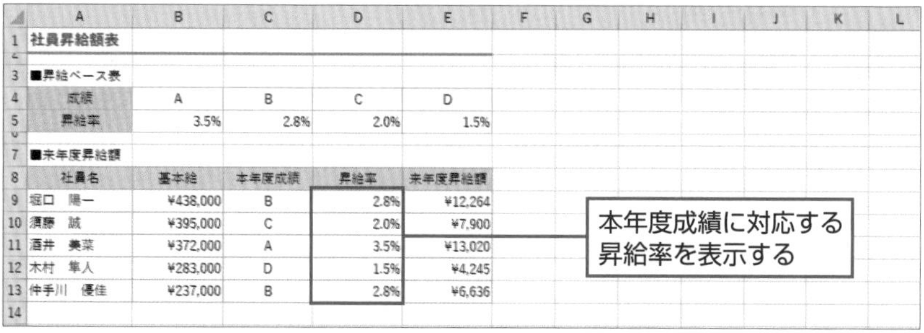

	A	B	C	D	E
1	社員昇給額表				
3	■昇給ベース表				
4	成績	A	B	C	D
5	昇給率	3.5%	2.8%	2.0%	1.5%
7	■来年度昇給額				
8	社員名	基本給	本年度成績	昇給率	来年度昇給額
9	堀口　陽一	¥438,000	B	2.8%	¥12,264
10	須藤　誠	¥395,000	C	2.0%	¥7,900
11	酒井　美菜	¥372,000	A	3.5%	¥13,020
12	木村　隼人	¥283,000	D	1.5%	¥4,245
13	仲手川　優佳	¥237,000	B	2.8%	¥6,636
14					

●HLOOKUP関数

［エイチルックアップ］【検索/行列】

指定した値を表の上端行で検索し、該当する列の指定された行の値を返す。

書式　**HLOOKUP(検索値,範囲,行番号,[検索方法])**

引数　**検索値**：**範囲**の上端の行で検索する値を指定する。

範囲：目的のデータが含まれる表のセル範囲を指定する。

行番号：目的のデータが含まれる行を、**範囲**の上端から数えた行の番号（1行目が「1」、2行目が「2」、…）で指定する。

検索方法：論理値（「TRUE」または「FALSE」）を指定する。

使用例 **=HLOOKUP(C9,B4:E5,2,FALSE)**

セルC9の値を、セルB4~E5の表の上端行で検索し、該当する列の2行目のデータを取得して表示する。

■ 検索方法の指定

検索値と完全に一致する値だけを検索する場合は「FALSE」を指定するか「0」を入力します。**検索値**の近似値を含めて検索する場合は「TRUE」を指定するか省略します。「TRUE」を指定または省略した場合、正しい値を取得するためには、表の上端行の値は昇順に並べ替えておく必要があります。

本年度の成績を基に昇級率を表示する

この例では、本年度の成績を基に、昇給ベース表で決められた昇給率を表示します。

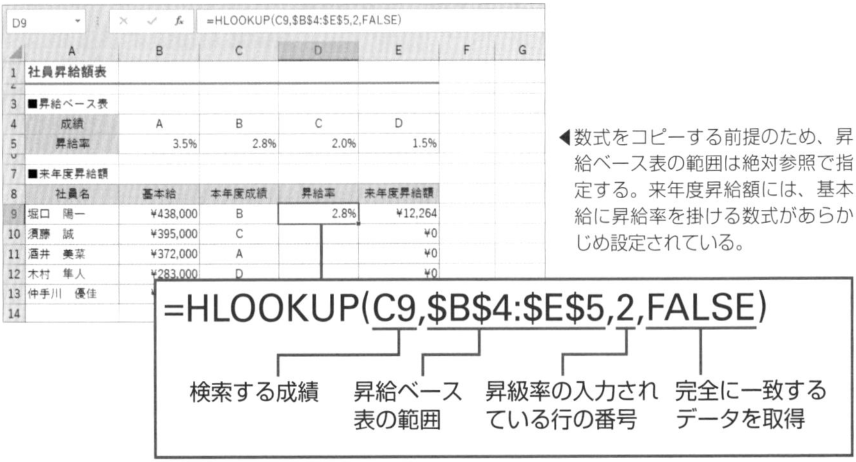

◀数式をコピーする前提のため、昇給ベース表の範囲は絶対参照で指定する。来年度昇給額には、基本給に昇給率を掛ける数式があらかじめ設定されている。

活用 テストの点数に応じたレベルを表示する

HLOOKUP関数の検索方法に「TRUE」を指定すると「～以上～未満」という検索が可能になります。ただし、正しい値を取得するためには、表の上端行の値は昇順に並べ替えておく必要があります。

次のような表で、点数に応じたレベルを検索する場合はHLOOKUP関数の検索方法に「TRUE」を指定します。テストの点数を超えない最も近い点数に対応するレベルが表示されます。

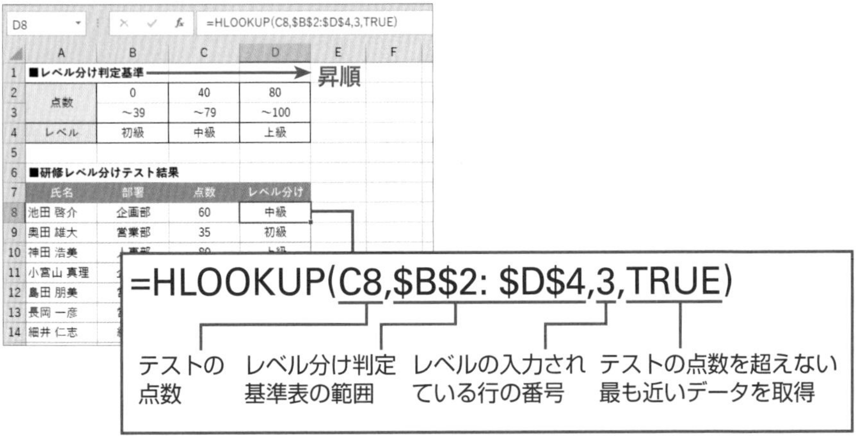

▲テストの点数が「60」の場合、レベル分け判定基準の表に完全に一致する点数がないためHLOOKUP関数の検索方法が「FALSE」だとエラー値「#N/A」が表示される。「TRUE」だと「60」を超えない最も近い点数「40」に対応するレベル「中級」が表示される。

3 検索値と一致するデータを取り出すには（3）

365　2019　2016　2013

Microsoft 365では、VLOOKUP関数、HLOOKUP関数の進化形となるXLOOKUP関数が追加されました。XLOOKUP関数を使うと、値を検索し、指定された範囲から該当する値を取り出すことができます。検索値はVLOOKUP関数では検索する範囲の左端列、HLOOKUP関数では上端行にある必要がありましたが、XLOOKUP関数では、検索範囲を指定することができるため、位置は問いません。また、検索値が見つからない場合に表示する文字列や空白を指定できるので、エラーを回避するためにIFERROR関数などと組み合わせる必要がなくなりました。さらに、近似値を検索する場合に、表を昇順に並べ替えておく必要もなくなりました。

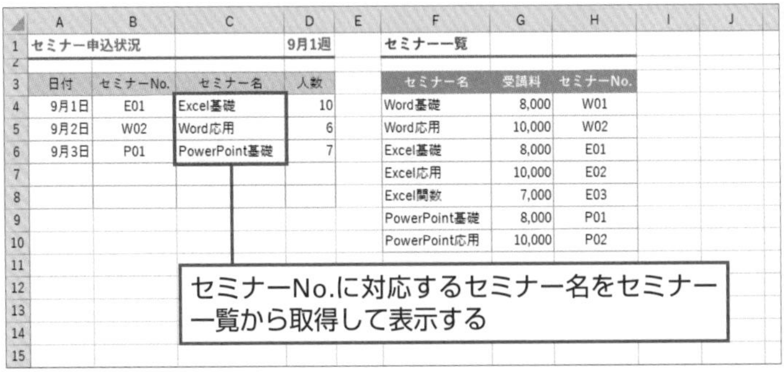

セミナー申込状況　9月1週

日付	セミナーNo.	セミナー名	人数
9月1日	E01	Excel基礎	10
9月2日	W02	Word応用	6
9月3日	P01	PowerPoint基礎	7

セミナー一覧

セミナー名	受講料	セミナーNo.
Word基礎	8,000	W01
Word応用	10,000	W02
Excel基礎	8,000	E01
Excel応用	10,000	E02
Excel関数	7,000	E03
PowerPoint基礎	8,000	P01
PowerPoint応用	10,000	P02

●XLOOKUP関数

［エックスルックアップ］【検索/行列】

値を指定した範囲で検索し、指定された範囲から該当する値を返す。

書式　**=XLOOKUP(検索値,検索範囲,戻り範囲,[見つからない場合],[一致モード],[検索モード])**

引数　**検索値**：**検索範囲**で検索する値を指定する。ワイルドカード文字も使用可。

検索範囲：検索する配列またはセル範囲を指定する。

戻り値範囲：値を取り出す配列またはセル範囲を指定する。

見つからない場合：**検索値**が見つからなかった場合に返される値を指定する（省略可）

一致モード：一致の方法を「0」「-1」、「1」、「2」の数値で指定する。

検索モード：使用する検索モードを「1」、「-1」「2」「-2」の数値で指定する。

■ 一致モードの指定

数値	検索される項目
0または省略	完全一致
-1	完全一致または次に小さい項目
1	完全一致または次に大きい項目
2	ワイルドカート文字との一致

■ 検索モードの指定

数値	検索の方向や方法
1または省略	先頭の項目から検索
-1	末尾の項目から逆方向に検索
2	昇順で並べ替えられた検索範囲を使用してバイナリ検索
-2	降順で並べ替えられた検索範囲を使用してバイナリ検索

ヒント

バイナリ検索

対象が並べ替えられている場合に適用できる高速な検索手法。

セミナーNo.を基にセミナー名を表示する

この例では、入力したセミナーNo.から、セミナー一覧にあるセミナー名を表示します。セミナーNo.が入力されていない場合は、空白を表示します。なお、ここでは、90ページと同様のセミナー一覧表のセミナーNo.を3列目にしています。

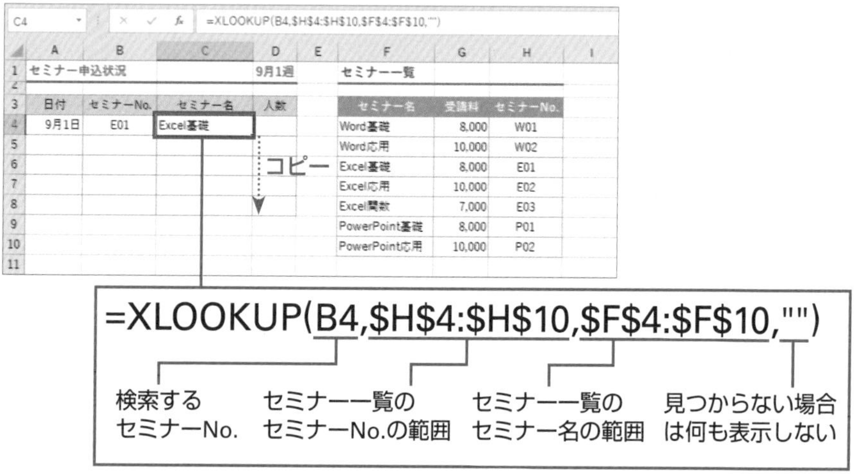

▲数式をコピーする前提のため、セミナー一覧のセミナーNo.およびセミナー名の範囲は絶対参照で指定する。VLOOKUP関数では、セミナー一覧のセミナーNo.は検索する範囲の左端列にある必要があったが、XLOOKUP関数では引数「検索範囲」を指定するため、左端でなくてもかまわない。また、セミナーNo.が未入力の場合にエラー値を表示しないために、引数「見つからない場合」に空白文字列「""」（ダブルクォーテーション2つ）を入力する。

活用 スピル機能を使用して、セミナー名と受講料を一度に求める

Microsoft 365の新機能「スピル」（spill）は、「こぼれる、あふれる」を意味し、数式を入力したセルから結果があふれて隣接するセルにも自動的に表示されます。

スピル機能を使用すると、セミナー名を表示するセルにXLOOKUP関数を入力して、自動的に隣接するセルに受講料を表示することができます。XLOOKUP関数の引数「戻り範囲」にはセミナー一覧のセミナー名と受講料の範囲を指定します。

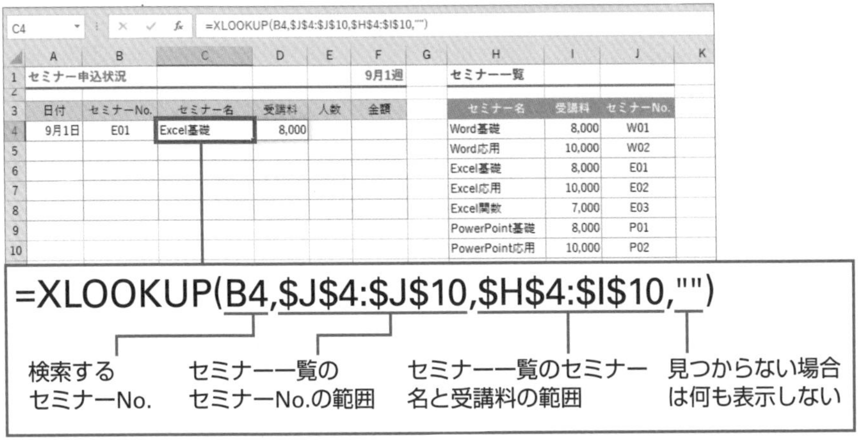

▲引数「戻り値」には、セミナー一覧のセミナー名と受講料の範囲を指定する。Enterキーを押すと、セミナー名と受講料が一度に表示される。

ヒント

スピルされた数式は削除できない

スピルによって自動的に結果が表示されたセルを「ゴースト」と呼びます。受講料のセルをクリックすると、数式バーの数式の色が淡色表示になっていることがわかるはずです。Deleteキーを押して削除しても自動的に復活するため削除できません。また、ゴーストのセルに任意の値を入力すると、元の数式が入力されているセルに「#SPILL!」というエラーが表示されます。ゴーストのセルの数式を削除するには、スピル元のセルの数式を削除します。

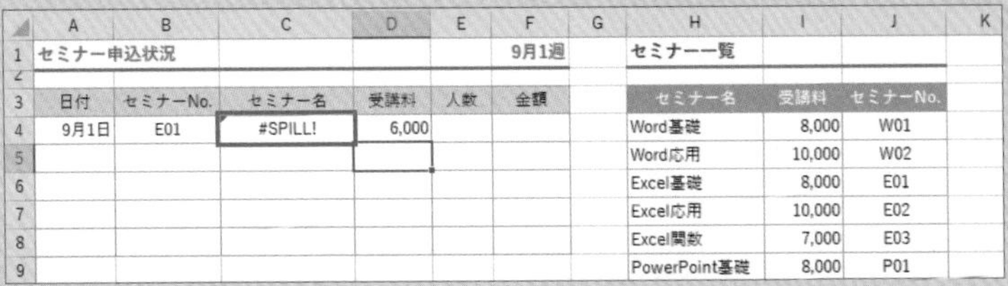

▲受講料のセルD4に任意の値（ここでは「6,000」）を入力すると、セミナー名のセルC4に「#SPILL!」というエラーが表示される。セミナー名のセルC4の数式でセミナー一覧表のセミナー名と受講料を取得して表示する設定になっているのに、セルD4の受講料のセルに値がありスピルできないことから、このエラーが表示される。

活用 お買上げ金額に応じた無料駐車時間を表示する

XLOOKUP関数の一致モードに「-1」を指定すると、完全一致か次に小さい項目が検索され、「以上～未満」の検索が可能になります。VLOOKUP関数の検索方法に「TRUE」を指定した場合と同じ結果ですが、VLOOKUP関数では、検索範囲である表の左端列を昇順にしておく必要があるのに対し、XLOOKUP関数では、並び順に関係なく、検索範囲の完全一致の値または検索値より小さい最も近い値が検索されます。

ここでは、92ページと同様の無料駐車時間表を、無料駐車時間を1列目、お買上金額を2列目、降順にした表を基に、お買上げ金額に応じた無料駐車時間を表示します。

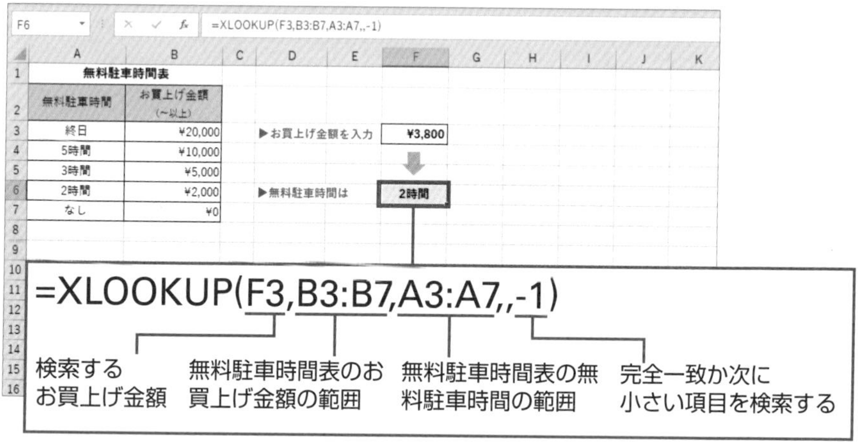

▲VLOOKUP関数では、お買上げ金額は表の左端列にある必要があったが、XLOOKUP関数では引数「検索範囲」を指定するため、左端でなくてもかまわない。引数「見つからない場合」、引数「検索モード」は省略したため、数式には、引数「見つからない場合」を区切る「,」(コンマ)のみを入力する。引数「一致モード」で「-1」を指定すると、完全一致か次に小さい項目が検索されるため、お買上げ金額が「¥3,800」の場合、「¥3,800」より小さい最も近い金額「¥2,000」が返されるため、これに対応する無料駐車時間「2時間」が表示される。

4 行と列が交差する位置にあるデータを取り出すには

365　2019　2016　2013

INDEX関数を使うと、指定した行と列が交差するセルのデータやセル参照を取り出すことができます。

INDEX関数には、行番号や列番号を指定して一度に複数のセルのデータを取り出すことができる「配列形式」と、1つまたは複数のセル範囲から特定の行と列が交差する部分のデータやセル参照を取り出すことができる「セル範囲形式」の2種類があります。

	A	B	C	D	E	F	G	H	I	J	K
1	宅配便料金一覧表										
2		地域1（北海道）	地域2（東北）	地域3（関東）	地域4（中部）	地域5（関西）	地域6（四国）	地域7（九州）	地域8（沖縄）		
3	サイズ1（60）	1,200	800	700	700	800	900	1,100	1,200		
4	サイズ2（80）	1,400	1,000	900	900	1,000	1,100	1,300	1,400		
5	サイズ3（100）	1,600	1,200	1,100	1,100	1,200	1,300	1,500	1,600		
6	サイズ4（120）	1,800	1,400	1,300	1,300	1,400	1,500	1,700	1,800		
7	サイズ5（140）	2,000	1,600	1,500	1,500	1,600	1,700	1,900	2,000		
8	サイズ6（160）	2,200	1,800	1,700	1,700	1,800	1,900	2,100	2,200		
9											
10	サイズを入力→	3		料金	1,200	円					
11	地域を入力→	5									
12											

指定されたサイズと地域の料金を、宅配料金一覧表から取得して表示する

●INDEX関数

［インデックス］【検索/行列】

指定した行と列が交差する位置にあるセルの値を返す。

【配列形式】

書式　**INDEX(配列,行番号,[列番号])**

引数　**配列**：目的のデータが含まれるセル範囲または配列定数を指定する。

行番号：目的のデータが含まれる行を、**配列**の上端から数えた行の番号（1行目が「1」、2行目が「2」、…）で指定する。

列番号：目的のデータが含まれる列を、**配列**の左端から数えた列の番号（1列目が「1」、2列目が「2」、…）で指定する。

使用例**=INDEX(B3:I8,B10,B11)**

セルB3～I8の範囲の、セルB10で指定された行とセルB11で指定された列が交差するセルの値を取得して表示する。

ヒント

配列定数

複数のデータを1つのまとまりとしてとらえたものを「配列」といいます。これを数式内で表現するための方法が「配列定数」です。数値や文字列を列の区切りを示す「,」（コンマ）や行の区切りを示す「;」（セミコロン）で区切り、「{}」（中かっこ）で囲んで入力します。

【セル範囲形式】

書式 **INDEX(参照,行番号,[列番号],[領域番号])**

引数 **参照**：目的のデータが含まれるセル範囲を、1つまたは複数指定する。
行番号：目的のデータが含まれる行を、**参照**の上端から数えた行の番号（1行目が「1」、2行目が「2」、…）で指定する。
列番号：目的のデータが含まれる列を、**参照**の左端から数えた列の番号（1列目が「1」、2列目が「2」、…）で指定する。
領域番号：複数の**参照**を指定したときに、何番目の**参照**から検索するのかを数値で指定する。

使用例**=INDEX((A3:C7,E3:G7,I3:K7),C12,3,C10)**
セルA3〜C7、E3〜G7、I3〜K7の範囲のうち、セルC10の値と一致する範囲の、セルC12の値と一致する行と3列目が交差するセルの値を取得して表示する。

料金一覧表から指定したサイズ、地域の料金を取り出す

この例では、宅配料金一覧表から、指定したサイズの荷物を指定した地域に送る場合の料金を取り出します。「配列形式」のINDEX関数を使用します。

E10 =INDEX(B3:I8,B10,B11)

	A	B	C	D	E	F	G	H	I
1				宅配便料金一覧表					
2		地域1（北海道）	地域2（東北）	地域3（関東）	地域4（中部）	地域5（関西）	地域6（四国）	地域7（九州）	地域8（沖縄）
3	サイズ1（60）	1,200	800	700	700	800	900	1,100	1,200
4	サイズ2（80）	1,400	1,000	900	900	1,000	1,100	1,300	1,400
5	サイズ3（100）	1,600	1,200	1,100	1,100	1,200	1,300	1,500	1,600
6	サイズ4（120）	1,800	1,400	1,300	1,300	1,400	1,500	1,700	1,800
7	サイズ5（140）	2,000	1,600	1,500	1,500	1,600	1,700	1,900	2,000
8	サイズ6（160）	2,200	1,800	1,700	1,700	1,800	1,900	2,100	2,200
9									
10	サイズを入力→	3		料金	1,200	円			
11	地域を入力→	5							
12									

▲料金はサイズと地域の交差する位置のセルから取得する。この表では、サイズ番号と引数「行番号」、地域番号と引数「列番号」が対応しているため、サイズ番号と地域番号を入力することで、目的のセルの位置を指定できる。

5 行と列の番号で指定したセルの値を求めるには

365 2019 2016 2013

INDIRECT関数を使うと、「A3」や「$B$6」のような文字列をセル参照として解釈し、そのセルの値を表示したり計算に使用したりできます。単独のセルだけではなく、セル範囲の参照を取得することもできるので、そのままSUM関数のようなセル範囲を対象とする関数で計算に使用することも可能です。

	A	B	C	D	E	F	G	H	I	J	K
1	上半期支店別売上集計										
2							（単位：万円）				
3	支店	4月	5月	6月	7月	8月	9月			大阪	
4	東京	7,800	6,900	6,200	6,800	5,900	7,100		売上合計：	29,800	
5	名古屋	3,800	3,500	3,900	4,200	3,400	4,100		売上平均：	4,967	
6	大阪	5,800	5,200	4,200	5,000	4,300	5,300		最大売上：	5,800	
7	札幌	3,200	2,700	2,400	3,100	2,500	3,400		最小売上：	4,200	
8	福岡	4,300	4,900	4,600	3,900	3,400	3,800				
9											

指定した支店の売上合計を求める

●INDIRECT関数

［インダイレクト］【検索/行列】

セル参照を表す文字列から、そのセル参照を返す。

書式　**INDIRECT(参照文字列,参照形式)**

引数　**参照文字列**：A1形式またはR1C1形式のセル参照として解釈できる文字列、または定義された名前を表す文字列を指定する。

参照形式：参照文字列がA1形式の場合は「TRUE」または省略、R1C1形式の場合は「FALSE」を指定する。

使用例**=INDIRECT(I3)**

セルI3に入力されている文字列をセル参照として解釈する。

指定した支店の売上合計を求める

「選択範囲から名前を作成」の機能（次ページの「ヒント」参照）を使って、上半期支店別売上集計表の支店ごとのセル範囲に、それぞれの支店名を名前として設定しています。セルJ3に入力した支店名に応じて、その支店の売上合計を求めます。

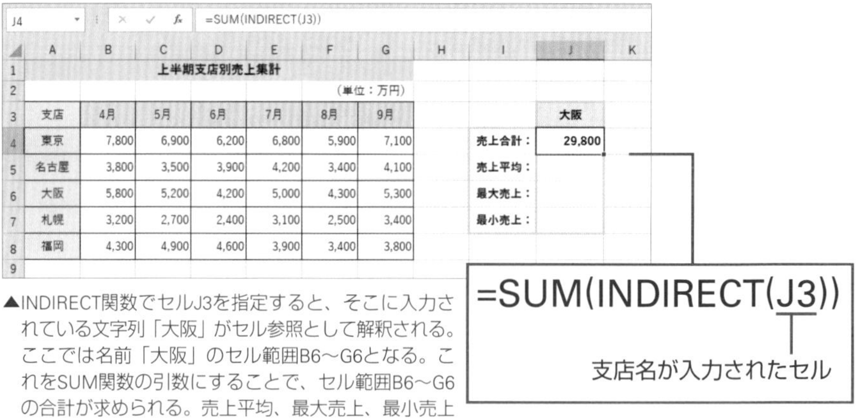

支店	4月	5月	6月	7月	8月	9月
東京	7,800	6,900	6,200	6,800	5,900	7,100
名古屋	3,800	3,500	3,900	4,200	3,400	4,100
大阪	5,800	5,200	4,200	5,000	4,300	5,300
札幌	3,200	2,700	2,400	3,100	2,500	3,400
福岡	4,300	4,900	4,600	3,900	3,400	3,800

▲INDIRECT関数でセルJ3を指定すると、そこに入力されている文字列「大阪」がセル参照として解釈される。ここでは名前「大阪」のセル範囲B6～G6となる。これをSUM関数の引数にすることで、セル範囲B6～G6の合計が求められる。売上平均、最大売上、最小売上も、同様に「INDIRECT（J3)」を、AVERAGE関数、MAX関数、MIN関数の引数にすることで求められる。

ヒント

「名前」機能の活用

Excelでは、セルやセル範囲に「名前」を付け、数式の中でセル参照の代わりにその名前を使用することができます。名前を付ける最も簡単な方法は、目的のセル（範囲）を選択している状態で、数式バーの左側の［名前ボックス］に付けたい名前を入力し、Enterキーを押すことです。

また、行見出しや列見出しが設定されている表では、その見出しが表しているデータが入力されたセル（範囲）に対し、まとめて名前を付けることができます。ここで例に使った表の場合、セルA4～G8を選択し、［数式］タブの 選択範囲から作成 ［選択範囲から作成］ボタンをクリックします。［選択範囲から名前を作成］ダイアログが表示されるので、［以下に含まれる値から名前を作成］の、［左端列］のチェックを入れ、［OK］をクリックします。これで、支店名の文字列が、その行で売上金額が入力されたセル範囲の名前になります。

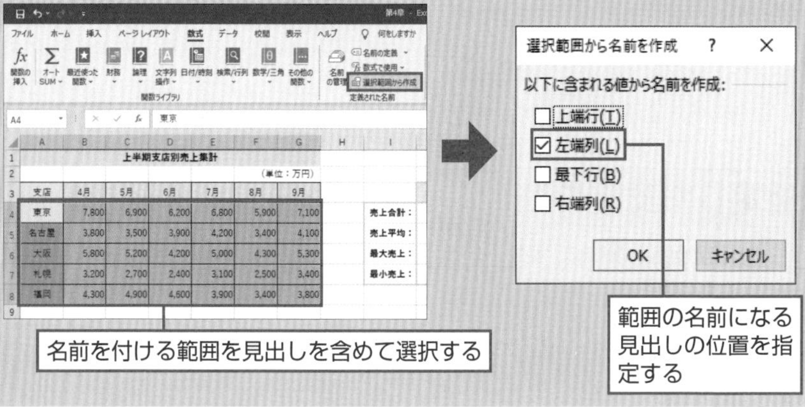

6 検索値が指定した範囲内の何番目にあるか求めるには

365　2019　2016　2013

MATCH関数を使うと、指定された範囲内でデータを検索し、見つかったデータが範囲のどの位置にあるかを求めることができます。

照合の種類を指定することにより、完全に一致するデータを検索したり、完全に一致するデータがない場合には検索値に最も近い値を検索したりすることも可能です。

	A	B	C	D	E	F	G	H	I
1		上越新幹線料金表							
2		東京駅発の乗車券＋特別料金							
3		駅名	料金		↓駅名を入力				
4		上野	1,020		本庄早稲田	は、東京駅から	4	駅目です。	
5		大宮	1,620						
6		熊谷	3,710						
7		本庄早稲田	4,060						
8		高崎	4,930						
9		上毛高原	5,910						
10		越後湯沢	6,670						
11		浦佐	8,200						
12		長岡	8,950						
13		燕三条	9,280						
14		新潟	10,570						
15									
16									
17									

入力された駅名が、上越新幹線料金表の何番目にあるかを取得して表示する

●MATCH関数

［マッチ］【検索/行列】

指定された範囲から値を検索し、値が範囲内の何番目に位置するかを数値で返す。

書式　**MATCH(検査値,検査範囲,[照合の種類])**

引数　**検査値**：検索する値を数値、文字列、論理値やセル参照で指定する。
検査範囲：目的のデータが含まれるセル範囲を指定する。
照合の種類：検索する方法を「1」、「0」、「-1」の数値で指定する。

使用例 **=MATCH(E4,B4:B14,0)**
セルE4の値がセルB4～B14の範囲の何番目に位置するかを求める。

■照合の種類の指定

照合の種類には、一致するものがない場合、**検査値**以下の最大の値を検索する「1」、完全に一致する値を検索する「0」、一致するものがない場合、**検査値**以上の最小の値を検索する「-1」の3種類があります。

正しい値を取得するために、「1」を指定する場合は昇順に、「-1」を指定する場合は降順に、**検査範囲**のデータを並べ替えておく必要があります。

料金表から、目的の駅名が何番目にあるかを取得する

この例では、入力された駅名が、上越新幹線料金表の何番目にあるかを取得します。

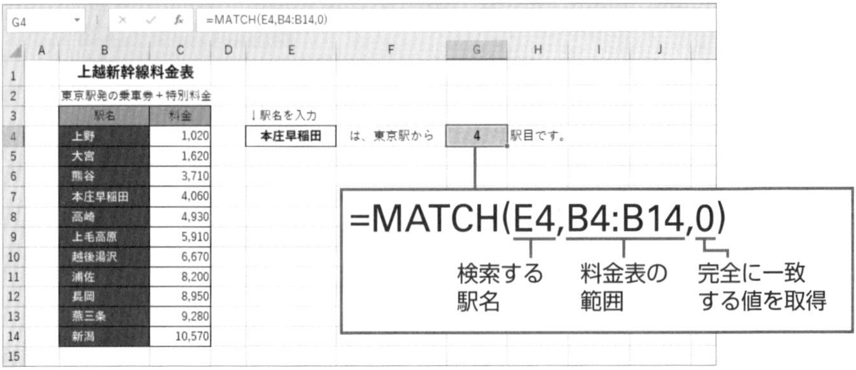

▲検索値には検索範囲と完全に一致する文字列を入力する。検索値に一致するデータが検索範囲にない場合は、エラー値「#N/A」が表示される。

活用 「上」で始まる東京駅から遠い駅が何番目にあるかを取得する

Microsoft 365で追加されたXMATCH関数を使うと、ワイルドカード文字を使用した検索や範囲の下から何番目という検索ができます。

XMATCH関数は、MATCH関数の進化形で、引数「照合の種類」の代わりに、引数「一致モード」、引数「検索モード」を数値で指定します。指定する数値はXLOOKUP関数と同様です（96ページ参照）。

書式：XMATCH(検索値,検索範囲,一致モード,検索モード)

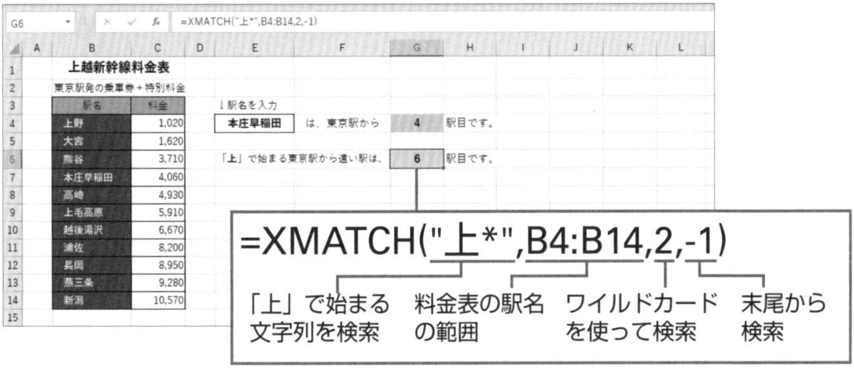

▲XMATCH関数では、引数「一致モード」、引数「検索モード」が指定できる。ワイルドカード文字を使用した検索を行う場合は、引数「一致モード」を「2」にする。末尾の項目から逆方向に検索する場合は引数「検索モード」を「-1」にする。

7 並べ替えた結果を表示するには

365　2019　2016　2013

Microsoft 365で新たに追加されたSORT関数およびSORTBY関数を使うとデータを並べ替えた結果を別の位置に表示することができます。

たとえば、氏名の昇順で並んでいるテスト結果の一覧を、点数の高い順に並べ替えて別の表として表示することが可能です。スピル機能（97ページ参照）に対応しているので、先頭のセルに数式を入力するだけで、他の項目も表示されます。

	A	B	C	D	E	F	G	H	I	J	K	L	M
1	■Excel技能テスト結果			※五十音順			★点数順						
2	氏名	部署コード	部署	点数	ランク		順位	氏名	順位	部署	点数	ランク	
3	飯塚 浩紀	1	総務部	75	B		1	近藤 和樹	2	経理部	100	A	
4	柏木 ふみ	3	営業部	70	B		2	佐々木 雄二	3	営業部	85	A	
5	今 康文	3	営業部	40	C		3	町田 絵梨	3	営業部	80	A	
6	近藤 和樹	2	経理部	100	A		4	飯塚 浩紀	1	総務部	75	B	
7	佐々木 雄二	3	営業部	85	A		5	緑川 陽介	2	経理部	75	B	
8	二宮 翔太	2	経理部	50	B		6	柏木 ふみ	3	営業部	70	B	
9	広瀬 瑠衣	3	営業部	40	C		7	二宮 翔太	2	経理部	50	B	
10	町田 絵梨	3	営業部	80	A		8	今 康文	3	営業部	40	C	
11	緑川 陽介	2	経理部	75	B		9	広瀬 瑠衣	3	営業部	40	C	
12	本山 麻衣子	1	総務部	30	C		10	本山 麻衣子	1	総務部	30	C	
13													

点数の降順でデータを並べ替えて別の位置に表示する

●SORT関数

［ソート］【検索/行列】

データを並べ替えた結果を返す。

書式　**SORT(配列,[並べ替えインデックス],[並べ替え順序],[並べ替え基準])**

引数　**配列**：並べ替える元となる範囲または配列を指定する。

並べ替えインデックス：並べ替えの基準となる列または行を**配列**の先頭から数えた数値で指定する。省略時は「1」とみなされる。

並べ替え順序：昇順の場合は「1」または省略、降順の場合は「-1」を指定する。

並べ替え基準：行で並べ替える場合は「FALSE」または省略、列で並べ替える場合は「TRUE」を指定する。

使用例**=SORT(A3:D10,3,-1)**

セルA3～D10の表を、3列目を基準に降順で並べ替えて表示する

●SORTBY関数 ［ソートバイ］【検索/行列】

複数の基準でデータを並べ替えた結果を返す。

書式　**SORTBY(配列,基準配列1,[並べ替え順序1],[基準配列2,並べ替え順序2],…)**

引数　**配列**：並べ替える元となる範囲または配列を指定する。
基準配列：並べ替えの基準となるセル範囲や配列を指定する。
並べ替え順序：昇順の場合は「1」または省略、降順の場合は「-1」を指定する。

使用例**=SORTBY(A3:E12,B3:B12,1,D3:D12,-1)**
セルA3～E12の表を、セルB3～B12を基準に昇順で並べ替える、さらにセルD3～D12を基準に降順で並べ替えて表示する。

■ 基準配列と並べ替え順序の指定

基準配列1で指定された範囲に対する並べ替えが**並べ替え順序1**、**基準配列2**で指定された範囲に対する並べ替えが**並べ替え順序2**というように、基準配列と並べ替え順序は組み合わせて指定します。

点数の降順で表を並べ替えて表示する

この例では、SORT関数を使ってテスト結果の表を点数の降順（高い順）で並べ替えて、別の位置に表示します。

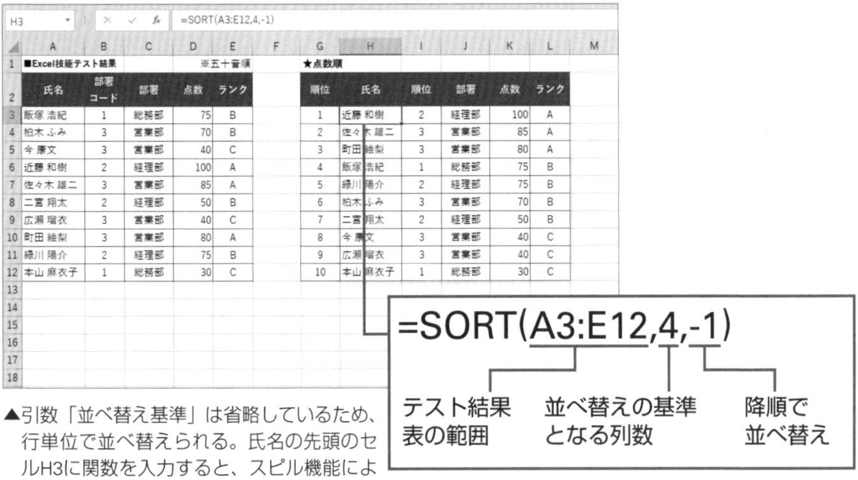
H3　=SORT(A3:E12,4,-1)

	A	B	C	D	E	F	G	H	I	J	K	L
1	■Excel技能テスト結果			※五十音順			★点数順					
2	氏名	部署コード	部署	点数	ランク		順位	氏名	順位	部署	点数	ランク
3	飯塚 浩紀	1	総務部	75	B		1	近藤 和樹	2	経理部	100	A
4	柏木 ふみ	3	営業部	70	B		2	佐々木 雄二	3	営業部	85	A
5	今 康文	3	営業部	40	C		3	町田 絵梨	3	営業部	80	A
6	近藤 和樹	2	経理部	100	A		4	飯塚 浩紀	1	総務部	75	B
7	佐々木 雄二	3	営業部	85	A		5	緑川 陽介	2	経理部	75	B
8	二宮 翔太	2	経理部	50	B		6	柏木 ふみ	3	営業部	70	B
9	広瀬 瑠衣	3	営業部	40	C		7	二宮 翔太	2	経理部	50	B
10	町田 絵梨	3	営業部	80	A		8	今 康文	3	営業部	40	C
11	緑川 陽介	2	経理部	75	B		9	広瀬 瑠衣	3	営業部	40	C
12	本山 麻衣子	1	総務部	30	C		10	本山 麻衣子	1	総務部	30	C

▲引数「並べ替え基準」は省略しているため、行単位で並べ替えられる。氏名の先頭のセルH3に関数を入力すると、スピル機能により、自動的に他の項目が表示され、全員のデータを並べ替えた表が完成する。

活用 部署コード順、点数の降順でデータを並べ替えて表示する

この例では、テスト結果の表を、部署コードの昇順、部署コードが同じ場合は、点数の降順（高い順）で並べ替えて、別の位置に表示します。部署コード、点数という複数の基準で並べ替える場合は、SORTBY関数を使います。

G3　=SORTBY(A3:E12,B3:B12,1,D3:D12,-1)

	A	B	C	D	E	F	G	H	I	J	K	L
1	■Excel技能テスト結果				※五十音順		★部署コード順、点数順					
2	氏名	部署コード	部署	点数	ランク		氏名	部署コード	部署	点数	ランク	
3	飯塚 浩紀	1	総務部	75	B		飯塚 浩紀	1	総務部	75	B	
4	柏木 ふみ	3	営業部	70	B		本山 麻衣子	1	総務部	30	C	
5	今 康文	3	営業部	40	C		近藤 和樹	2	経理部	100	A	
6	近藤 和樹	2	経理部	100	A		緑川 陽介	2	経理部	75	B	
7	佐々木 雄二	3	営業部	85	A		二宮 翔太	2	経理部	50	B	
8	二宮 翔太	2	経理部	50	B		佐々木 雄二	3	営業部	85	A	
9	広瀬 瑠衣	3	営業部	40	C		町田 絵梨	3	営業部	80	A	
10	町田 絵梨	3	営業部	80	A		柏木 ふみ	3	営業部	70	B	
11	緑川 陽介	2	経理部	75	B		今 康文	3	営業部	40	C	
12	本山 麻衣子	1	総務部	30	C		広瀬 瑠衣	3	営業部	40	C	
13												

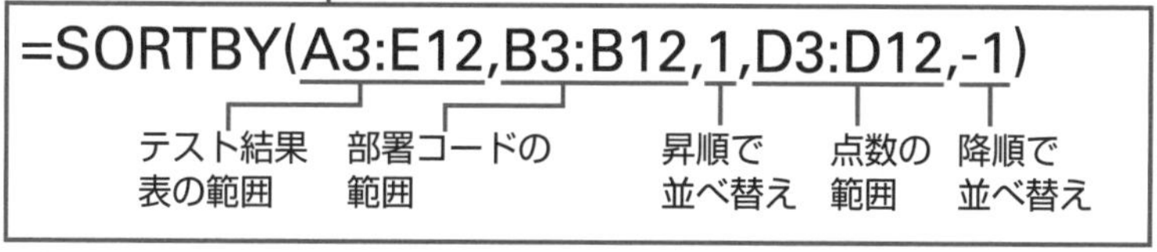

▲並べ替えはデータを「まとめる」ときにも利用できるので、部署コードで並べ替えることによって同じ部署のデータがまとまる。部署が同じ場合はさらに点数の高い順に並べ替える。

8 抽出した結果を表示するには

365 2019 2016 2013

Microsoft 365で新たに追加されたFILTER関数を使うとデータを抽出した結果を別の位置に表示することができます。

	A	B	C	D	E	F	G	H	I	J	K
1	■Excel技能テスト結果			※五十音順			◆Aランク◆				
2	氏名	部署コード	部署	点数	ランク		氏名	部署コード	部署	点数	
3	飯塚 浩紀	1	総務部	75	B		近藤 和樹	2	経理部	100	
4	柏木 ふみ	3	営業部	70	B		佐々木 雄二	3	営業部	85	
5	今 康文	3	営業部	40	C		町田 絵梨	3	営業部	80	
6	近藤 和樹	2	経理部	100	A						
7	佐々木 雄二	3	営業部	85	A						
8	二宮 翔太	2	経理部	50	B						
9	広瀬 瑠衣	3	営業部	40	C						
10	町田 絵梨	3	営業部	80	A						
11	緑川 陽介	2	経理部	75	B						
12	本山 麻衣子	1	総務部	30	C						
13											

ランクが「A」の人を抽出して表示する

●FILTER関数

［フィルター］【検索/行列】

データを抽出した結果を返す。

書式 **FILTER(配列,含む,[空の場合])**

引数 **配列**：抽出する元となる範囲または配列を指定する。
含む：抽出条件を**配列**と同じ行数または列数の配列で指定する。
空の場合：抽出結果が存在しない場合に表示する値を指定する。

使用例 **=FILTER(A3:D12,E3:E12="A")**
セルA3～D12の表の、セルE3～E12に文字列「A」を含むデータを抽出して表示する

ランクが「A」の人を抽出して表示する

この例では、テスト結果の表からランクが「A」の人を抽出して、別の位置に表示します。

G3　=FILTER(A3:D12,E3:E12="A")

	A	B	C	D	E	F	G	H	I	J	K
1	■Excel技能テスト結果				※五十音順		◆Aランク◆				
2	氏名	部署コード	部署	点数	ランク		氏名	部署コード	部署	点数	
3	飯塚 浩紀	1	総務部	75	B		近藤 和樹	2	経理部	100	
4	柏木 ふみ	3	営業部	70	B		佐々木 雄二	3	営業部	85	
5	今 康文	3	営業部	40	C		町田 絵梨	3	営業部	80	
6	近藤 和樹	2	経理部	100	A						
7	佐々木 雄二	3	営業部	85	A						
8	二宮 翔太	2	経理部	50	B						
9	広瀬 瑠衣	3	営業部	40	C						
10	町田 絵梨	3	営業部	80	A						
11	緑川 陽介	2	経理部	75	B						
12	本山 麻衣子	1	総務部	30	C						
13											

=FILTER(A3:D12,E3:E12="A")

A3:D12：テスト結果表の範囲

E3:E12="A"：ランクの範囲で「A」を含む

▲引数「空の場合」は省略している。氏名の先頭のセルG3に関数を入力すると、スピル機能により、自動的に他の項目が表示され、ランクが「A」のデータを抽出した表が完成する。なお、この例では引数「配列」で、ランク列を除いたセル範囲を指定しているため、抽出先の表にランクは表示されない。

ヒント

抽出先のデータは自動的に更新される

抽出元のデータを変更すると、抽出先のデータも自動的に更新されます。この例では、50点以上80点未満がランク「B」、80点以上がランク「A」です。テスト結果表のセルD3の点数を「75」から「80」に変更すると、セルE3のランクが「A」に変わります。するとFILTER関数で抽出している表に、テスト結果表の3行目の「飯塚 浩紀」のデータが自動的に追加されます。

	A	B	C	D	E	F	G	H	I	J	K
1	■Excel技能テスト結果				※五十音順		◆Aランク◆				
2	氏名	部署コード	部署	点数	ランク		氏名	部署コード	部署	点数	
3	飯塚 浩紀	1	総務部	80	A		飯塚 浩紀	1	総務部	80	
4	柏木 ふみ	3	営業部	70	B		近藤 和樹	2	経理部	100	
5	今 康文	3	営業部	40	C		佐々木 雄二	3	営業部	85	
6	近藤 和樹	2	経理部	100	A		町田 絵梨	3	営業部	80	
7	佐々木 雄二	3	営業部	85	A						
8	二宮 翔太	2	経理部	50	B						
9	広瀬 瑠衣	3	営業部	40	C						
10	町田 絵梨	3	営業部	80	A						
11	緑川 陽介	2	経理部	75	B						
12	本山 麻衣子	1	総務部	30	C						
13											

▲スピル機能によって、抽出元の範囲を再度取得するため、元の表の順序に基づき、「飯塚 浩紀」のデータは一番上に追加される。

9 条件を満たすレコードの合計を求めるには

365 2019 2016 2013

DSUM関数を使うと、データベース（112ページ参照）から検索条件と一致するレコード（行）を検索し、指定したフィールド（列）にある数値の合計を求めることができます。

「食費」かつ「カード」という複数の条件をすべてを満たす（AND条件）データを合計するSUMIFS関数に対し、DSUM関数は「食費」または「カード」や、「食費」または「交通費」という複数の条件のいずれかを満たす（OR条件）データの合計もできます。

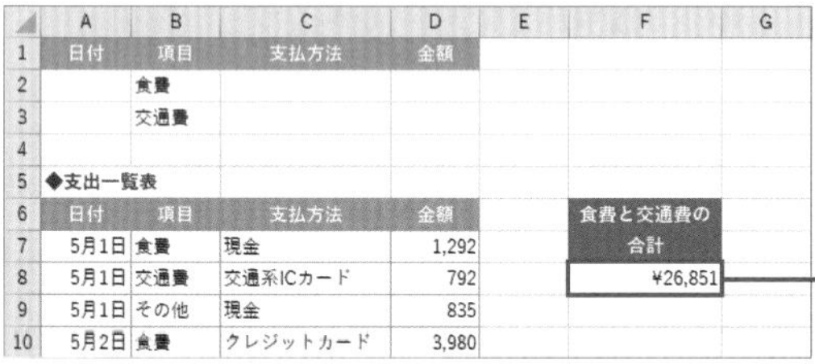

	A	B	C	D	E	F	G
1	日付	項目	支払方法	金額			
2		食費					
3		交通費					
4							
5	◆支出一覧表						
6	日付	項目	支払方法	金額		食費と交通費の合計	
7	5月1日	食費	現金	1,292			
8	5月1日	交通費	交通系ICカード	792		¥26,851	
9	5月1日	その他	現金	835			
10	5月2日	食費	クレジットカード	3,980			

食費と交通費の合計金額を求める

参照
SUMIFS関数
第3章の9

●DSUM関数

［ディーサム］【データベース】

データベースから検索条件と一致するレコード（行）を検索し、指定したフィールド（列）のデータの合計を求める。

書式 **DSUM(データベース,フィールド,条件)**

引数 **データベース**：データベースのフィールド名（列見出し）も含めた全範囲を指定する。

フィールド：合計するフィールドのフィールド名か、**データベース**の左端から数えた列の番号（1列目が「1」、2列目が「2」、…）を指定する。

条件：検索条件が入力されているセル範囲をフィールド名も含めて指定する。

使用例 **=DSUM(A6:D19,D6,B1:B3)**

セルA6～D19のデータベースから、セルB1～B3で設定された条件と一致するレコードの、セルD6のフィールドにある値の合計を求める。

ヒント

データベース関数は［関数ライブラリ］グループのボタンにない

データベース関数は［数式］タブの［関数ライブラリ］グループの関数を分類したボタン（9ページの「ヒント」参照）にありません。数式バーや［数式］タブの［関数の挿入］ボタンをクリックして表示される［関数の挿入］ダイアログの［関数の分類］ボックスの▼をクリックし、一覧から［データベース］を選択するか、セルや数式バーに関数式を直接入力します。

■ 条件の指定

検索条件は、検索するデータベースとは別のセル範囲に入力します。フィールド名（列見出し）は、データベースと同じにする必要があります。**条件**では、検索条件のセル範囲をフィールド名を含めて指定します。

検索条件は、AND条件またはOR条件で指定することができ、どちらの方法で検索するかは、条件の入力の仕方によって決まります。

■ AND条件

項目が「食費」かつ支払方法が「カード」

	A	B	C	D	E
1	日付	項目	支払方法	金額	
2		食費	*カード		
3					

同じ行に入力

▲この例では「カード」に「交通系ICカード」と「クレジットカード」があるので、検索条件にはワイルドカード文字（60ページ参照）を使用して「*カード」（文字列が「カード」で終わる）を入力する

■ OR条件

項目が「食費」または支払方法が「カード」

	A	B	C	D	E
1	日付	項目	支払方法	金額	
2		食費			
3			*カード		
4					

別の行に入力

食費と交通費の合計金額を求める

この例では、支出一覧表から、食費と交通費の合計金額を求めます。

F8　=DSUM(A6:D19,D6,B1:B3)

	A	B	C	D	E	F	G	H
1	日付	項目	支払方法	金額				
2		食費						
3		交通費						
4								
5	◆支出一覧表							
6	日付	項目	支払方法	金額		食費と交通費の合計		
7	5月1日	食費	現金	1,292				
8	5月1日	交通費	交通系ICカード	792		¥26,851		
9	5月1日	その他	現金	835				
10	5月2日	食費	クレジットカード	3,980				
11	5月2日	その他	クレジットカード	5,964				
12	5月3日	交通費	交通系ICカード	6,056				

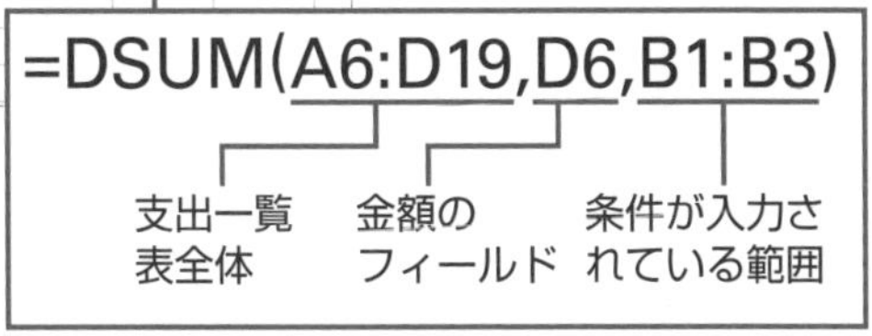

▲引数「フィールド」は、検索範囲に指定したデータベースのフィールド名を「"」（ダブルクォーテーション）で囲んで「"金額"」と入力したり、左端から数えた列の番号「4」で指定したりすることも可能。

ヒント

DAVERAGE関数

表の中から条件と一致するレコード（行）を検索し、指定したフィールド（列）のデータの平均値を求めるときはDAVERAGE関数を使います。引数はDSUM関数と同じです。

書式：DAVERAGE(データベース,フィールド,条件)

コラム

データベース

データベースとは、一定のルールで整理されたデータの集まりです。Excelには、データベースから目的のデータを検索、抽出するためのざまざまな機能が用意されています。またデータベースを対象に計算や処理を行うデータベース関数もあります。

Excelでデータベース機能を利用するには、下画面のようなルールで、データベース機能に有効な形式の表を作成します。なお、データベース形式の表を「テーブル」に設定する（13ページ参照）と、見やすい書式に整えるだけでなく、数式を作成する際に、様々な関数の引数を表の名前やフィールド名（列見出し）などで指定できたり、数式が同じ列に自動的に設定されたりして便利です。

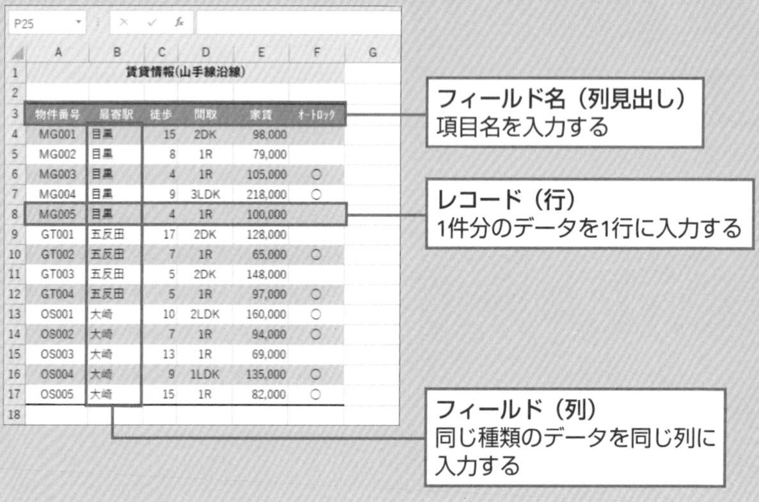
P25

	A	B	C	D	E	F
1	賃貸情報(山手線沿線)					
2						
3	物件番号	最寄駅	徒歩	間取	家賃	ｵｰﾄﾛｯｸ
4	MG001	目黒	15	2DK	98,000	
5	MG002	目黒	8	1R	79,000	
6	MG003	目黒	4	1R	105,000	○
7	MG004	目黒	9	3LDK	218,000	○
8	MG005	目黒	4	1R	100,000	
9	GT001	五反田	17	2DK	128,000	
10	GT002	五反田	7	1R	65,000	○
11	GT003	五反田	5	2DK	148,000	
12	GT004	五反田	5	1R	97,000	○
13	OS001	大崎	10	2LDK	160,000	○
14	OS002	大崎	7	1R	94,000	○
15	OS003	大崎	13	1R	69,000	
16	OS004	大崎	9	1LDK	135,000	○
17	OS005	大崎	15	1R	82,000	○
18						

10 条件を満たすレコードの個数を求めるには

365　2019　2016　2013

DCOUNT関数を使うと、データベースから検索条件と一致するレコード（行）を検索し、指定したフィールド（列）の数値が入力されているセルの個数を求めることができます。「最寄り駅が目黒」かつ「徒歩10分以内」という複数の条件をすべてを満たす（AND条件）データの数値のセルの個数を求めるCOUNTIFS関数に対し、DCOUNT関数は「最寄り駅が目黒」または「徒歩10分以内」という複数の条件のいずれかを満たす（OR条件）データの数値のセルの個数を求めることもできます。

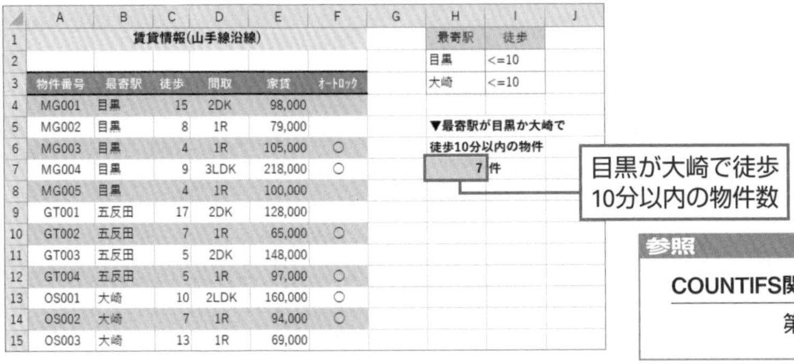

	A	B	C	D	E	F	G	H	I	J
1	賃貸情報(山手線沿線)							最寄駅	徒歩	
2								目黒	<=10	
3	物件番号	最寄駅	徒歩	間取	家賃	オートロック		大崎	<=10	
4	MG001	目黒	15	2DK	98,000					
5	MG002	目黒	8	1R	79,000			▼最寄駅が目黒か大崎で		
6	MG003	目黒	4	1R	105,000	○		徒歩10分以内の物件		
7	MG004	目黒	9	3LDK	218,000	○		7	件	
8	MG005	目黒	4	1R	100,000					
9	GT001	五反田	17	2DK	128,000					
10	GT002	五反田	7	1R	65,000	○				
11	GT003	五反田	5	2DK	148,000					
12	GT004	五反田	5	1R	97,000	○				
13	OS001	大崎	10	2LDK	160,000	○				
14	OS002	大崎	7	1R	94,000	○				
15	OS003	大崎	13	1R	69,000					

参照
COUNTIFS関数
第3章の14

●DCOUNT関数

［ディーカウント］【データベース】

データベースから検索条件と一致するレコード（行）を検索し、指定したフィールド（列）の数値が入力されたセルの個数を求める。

書式　**DCOUNT（データベース,フィールド,条件）**

引数　**データベース**：データベースのフィールド名（列見出し）も含めた全範囲を指定する。

フィールド：個数を求めるフィールドのフィールド名か、データベースの左端から数えた列の番号（1列目が「1」、2列目が「2」、…）を指定する。

条件：検索条件が入力されているセル範囲をフィールド名も含めて指定する。

使用例**=DCOUNT(A3:F17,E3,H1:I3)**

セルA7～F17のデータベースから、セルH1～I3で指定された条件と一致するレコードの、セルE3のフィールドにある数値が入力されたセルの個数を求める。

■ フィールドの指定

フィールドは、省略することができます。省略した場合は、データベース全体から条件と一致するデータの個数が検索されます。

■ 条件の指定

DSUM関数と同様です。111ページを参照してください。

目黒か大崎で駅から徒歩10分以内の物件数を求める

この例では、賃貸情報表から、最寄り駅が目黒か大崎で徒歩10分以内の物件数を求めます。

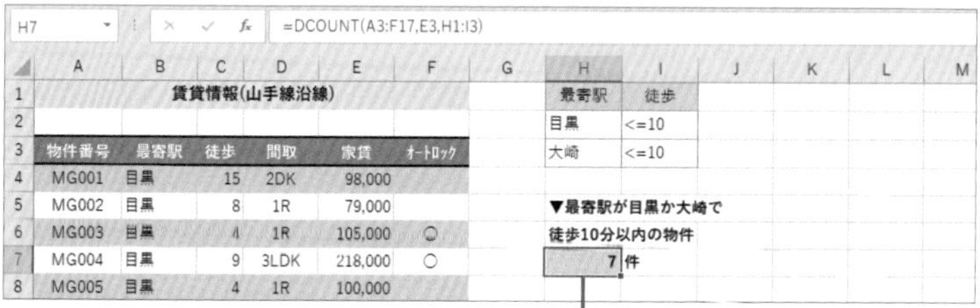
H7 =DCOUNT(A3:F17,E3,H1:I3)

	A	B	C	D	E	F	G	H	I
1	賃貸情報(山手線沿線)							最寄駅	徒歩
2								目黒	<=10
3	物件番号	最寄駅	徒歩	間取	家賃	オートロック		大崎	<=10
4	MG001	目黒	15	2DK	98,000				
5	MG002	目黒	8	1R	79,000			▼最寄駅が目黒か大崎で	
6	MG003	目黒	4	1R	105,000	○		徒歩10分以内の物件	
7	MG004	目黒	9	3LDK	218,000	○		7	件
8	MG005	目黒	4	1R	100,000				

▲最寄り駅が目黒または大崎という条件は、OR条件なので、別の行に入力する。徒歩10分以内という条件は比較演算子（58ページ参照）を使用して「<=10」（10以下）と指定し、目黒と大崎の両方の行に入力する。

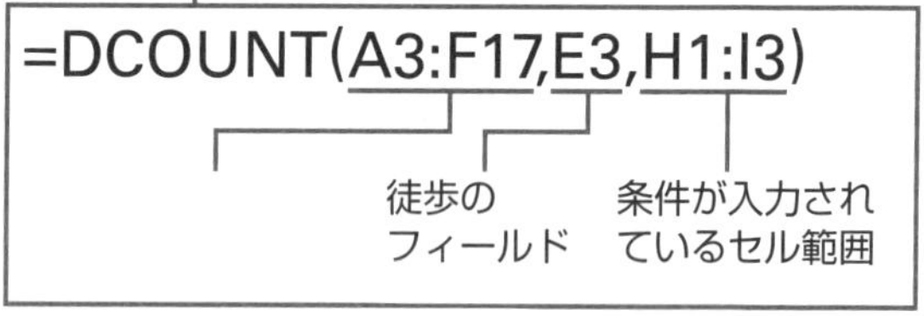

活用 目黒か大崎で家賃が10万円台の物件数を求める

家賃が10万円台という条件は、家賃が10万円以上かつ20万円未満と指定します。AND条件なので同じ行に入力しなければなりません。そういう場合は検索条件に家賃のフィールドを2つ作ります。

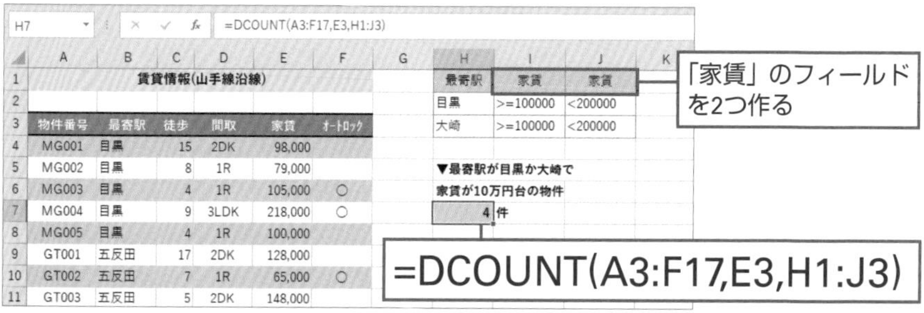

H7 =DCOUNT(A3:F17,E3,H1:J3)

	A	B	C	D	E	F	G	H	I	J
1	賃貸情報(山手線沿線)							最寄駅	家賃	家賃
2								目黒	>=100000	<200000
3	物件番号	最寄駅	徒歩	間取	家賃	オートロック		大崎	>=100000	<200000
4	MG001	目黒	15	2DK	98,000					
5	MG002	目黒	8	1R	79,000			▼最寄駅が目黒か大崎で		
6	MG003	目黒	4	1R	105,000	○		家賃が10万円台の物件		
7	MG004	目黒	9	3LDK	218,000	○		4	件	
8	MG005	目黒	4	1R	100,000					
9	GT001	五反田	17	2DK	128,000					
10	GT002	五反田	7	1R	65,000	○				
11	GT003	五反田	5	2DK	148,000					

▲検索条件は必要に応じて同じフィールドを複数作る。また、検索に必要なフィールドだけあれば、データベースの表のすべての項目がなくてもよい。

11 条件を満たすデータを取り出すには

365 2019 2016 2013

DGET関数を使うと、データベースから検索条件と一致するレコード（行）を検索し、指定したフィールド（列）のデータを取り出すことができます。

DGET関数は、条件を満たすデータが1つだけの場合に有効な関数です。条件を満たすデータが複数あったり、条件を満たすデータがない場合には、エラーが返されます。

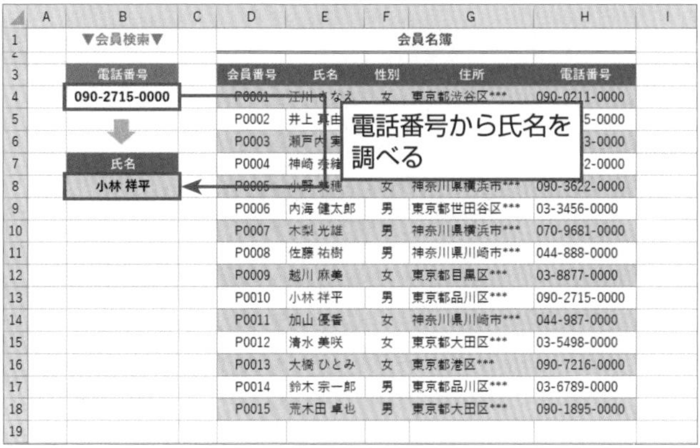

	A	B	C	D	E	F	G	H	I
1		▼会員検索▼		会員名簿					
2									
3		電話番号		会員番号	氏名	性別	住所	電話番号	
4		090-2715-0000		P0001	江川 さなえ	女	東京都渋谷区***	090-0211-0000	
5				P0002	井上 真由			5-0000	
6				P0003	瀬戸内 実			3-0000	
7		氏名		P0004	神崎 奈緒			2-0000	
8		小林 祥平		P0005	小野 美穂	女	神奈川県横浜市***	090-3622-0000	
9				P0006	内海 健太郎	男	東京都世田谷区***	03-3456-0000	
10				P0007	木梨 光雄	男	神奈川県横浜市***	070-9681-0000	
11				P0008	佐藤 祐樹	男	神奈川県川崎市***	044-888-0000	
12				P0009	越川 麻美	女	東京都目黒区***	03-8877-0000	
13				P0010	小林 祥平	男	東京都品川区***	090-2715-0000	
14				P0011	加山 優香	女	神奈川県川崎市***	044-987-0000	
15				P0012	清水 美咲	女	東京都大田区***	03-5498-0000	
16				P0013	大橋 ひとみ	女	東京都港区***	090-7216-0000	
17				P0014	鈴木 宗一郎	男	東京都品川区***	03-6789-0000	
18				P0015	荒木田 卓也	男	東京都大田区***	090-1895-0000	
19									

●DGET関数　[ディーゲット]【データベース】

データベースから検索条件と一致するレコード（行）を検索し、指定したフィールド（列）のデータを取得する。

書式　**DGET（データベース,フィールド,条件）**

引数　**データベース**：データベースのフィールド名（列見出し）も含めた全範囲を指定する。

フィールド：データを取得するフィールドのフィールド名か、データベースの左端から数えた列の番号（1列目が「1」、2列目が「2」、…）を指定する。

条件：検索条件が入力されているセル範囲をフィールド名も含めて指定する。

使用例**=DGET(D3:H18,E3,B3:B4)**

セルD3～H18のデータベースからセルB3～B4で指定された条件と一致するレコードの、セルE3のフィールドにあるデータを取得して表示する。

■ 条件の指定

DSUM関数と同様です。111ページを参照してください。

電話番号を入力して、氏名を調べる

この例では、会員名簿から、電話番号を基に氏名を取得します。

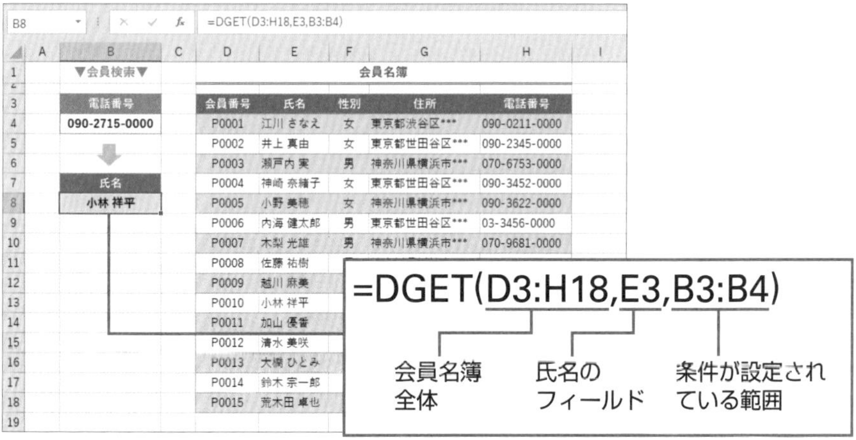

会員番号	氏名	性別	住所	電話番号
P0001	江川 さなえ	女	東京都渋谷区***	090-0211-0000
P0002	井上 真由	女	東京都世田谷区***	090-2345-0000
P0003	瀬戸内 実	男	神奈川県横浜市***	070-6753-0000
P0004	神崎 奈緒子	女	東京都世田谷区***	090-3452-0000
P0005	小野 美穂	女	神奈川県横浜市***	090-3622-0000
P0006	内海 健太郎	男	東京都世田谷区***	03-3456-0000
P0007	木梨 光雄	男	神奈川県横浜市***	070-9681-0000
P0008	佐藤 祐樹			
P0009	越川 麻美			
P0010	小林 祥平			
P0011	加山 優香			
P0012	清水 美咲			
P0013	大槻 ひとみ			
P0014	鈴木 宗一郎			
P0015	荒木田 卓也			

▲DGET関数の実行結果として、条件を満たすデータが複数存在する場合は、エラー値「#NUM!」が表示され、条件を満たすデータが存在しない場合は、エラー値「#VALUE!」が表示される。

日付や時刻を計算、処理する

第5章

Excelは日付や時刻のデータを扱うとき、シリアル値という固有の数値を使います。ここでは、シリアル値の概念と表示形式について解説し、日常よく使う日付と時刻の関数とその使い方を紹介します。

1 シリアル値を理解するには

365 2019 2016 2013

Excelは、数値を使ってセル内の数式やセル間の計算を行います。日付/時刻関数の場合も同様です。画面上では日付や時刻を表示していても、日時の差などを求める計算には固有の数値を使っています。この数値を「シリアル値」といいます。

■ 日付と時刻のシリアル値

日付と時刻のシリアル値には、以下の値が使われます。

・日付のシリアル値：

1900年1月1日～9999年12月31日までを、1～2958465の数値で1日に1ずつ加算していきます。

・時刻のシリアル値：

0時から23時59分59秒までを、0～0.999988426の数値で表します。

シリアル値を使って日時を計算した結果は、既定の設定では日付または時刻の形式で表示されます。

■ シリアル値の表示

シリアル値を確認するには、日付や時刻が入力されているセルをクリックし、[ホーム] タブの [数値の書式] ボックスの▼をクリックして [標準] を選択します。

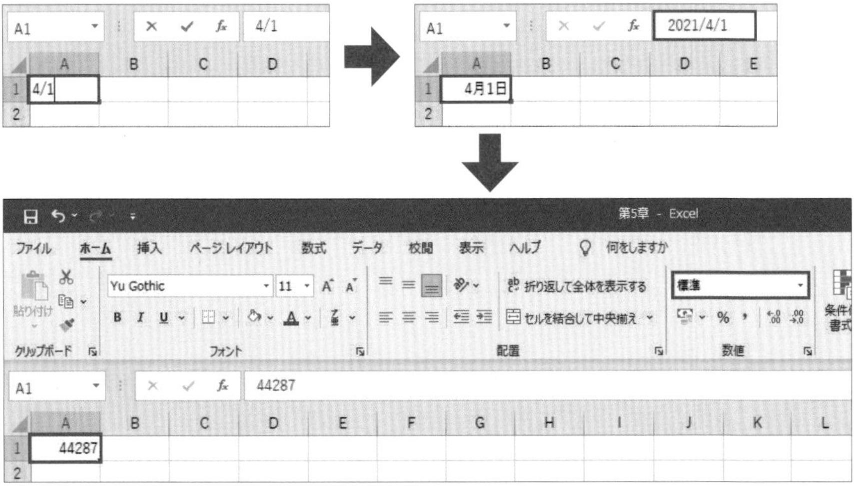

▲「4/1」と入力すると、自動的に「4月1日」という日付の形式で表示される。「/」（スラッシュ）や「-」（ハイフン）が含まれた数値を入力すると、Excelが今年の日付と認識するからだ。表示形式を［標準］に変えると、シリアル値が表示される。

■ 日付を計算する

日付は、シリアル値に変更することで計算が可能になります。例えば、2020年12月31日から2021年6月30日まで何日あるかといったときには、両方の日付のシリアル値を求めて引き算をします。具体的には、次のようになります。

（2021年6月30日）－（2020年12日31日）

日付関数を使って日付をシリアル値にして計算します。

DATE関数を使うと、次のようになります。

=DATE(2021,6,30)-DATE(2020,12,31)

DATEDIF関数を使うと、次のようになります。

=DATEDIF("2020/12/31","2021/6/30","D")

いずれも、「181」という答えが返ってきます。

参照

DATE関数
この章の2

DATEDIF関数
この章の8

■ 時刻を計算する

時刻の場合も、同じように計算できます。例えば、10時54分から3時37分を引き算するには、次のようになります。

（10時54分）－（3時37分）

時刻関数を使って時刻をシリアル値にします。

TIME関数を使うと、次のようになります。

=TIME(10,54,0)-TIME(3,37,0)

答えは、「7時間と17分」です。

参照

TIME関数
この章の5

このように、日付/時刻関数には日付や時刻をシリアル値に変換する関数もあれば、シリアル値を日付や時刻に変換する関数もあります。

ヒント

Macintosh版との違い

Macintosh版のExcelは、シリアル値の始まりがWindowsとは異なり1904年1月2日を1にしています。そこで、Windows版のExcelでMacintosh版のExcelのブックを利用する場合は、ブックを開いた状態で、［ファイル］タブをクリックし、［その他］をクリックして［オプション］をクリックします（［その他］がない場合は［オプション］をクリックします）。［Excelのオプション］ダイアログが表示されるので、［詳細設定］カテゴリの［次のブックを計算するとき］の［1904年から計算する］のチェックを入れます。

2 年、月、日からシリアル値を求めるには

365 2019 2016 2013

DATE関数を使うと、日付（年、月、日）からシリアル値を求められます。表を作成するときは、年、月、日を個別のセルに入力することがよくあります。そのような場合は、DATE関数を使うことで日付表示にすることができます。

	A	B	C	D	E	F
1	納品一覧			2021	年	
2				11	月納品分	
3	日付	顧客名	品名	金額	納品日	
4	5	あけぼの商店	はがき印刷	29,500	2021/11/5	
5	8	リオン工業	ポスター印刷	62,400	2021/11/8	
6	10	スーパー三日月	チラシ印刷	123,000	2021/11/10	
7	17	カトレア薬局	DM発送	94,000	2021/11/17	
8	24	青山家具	チラシ印刷	85,200	2021/11/24	
9						

納品日を表示する

●DATE関数

［デイト］【日付/時刻】

日付を、シリアル値に変換する。

書式 **DATE(年,月,日)**

引数 **年**：1～4桁の数値で年を指定する。
月：1～12の月を表す数値を指定する。
日：1～31の日を表す数値を指定する。

使用例**=DATE(D1,D2,A4)**
セルD1の年、セルD2の月、セルA4の日の数値から、日付のシリアル値を表示する。

年、月、日の数値から日付を表示する

この例では、納品日を入力した年、月、日の個別のセルの数値から、日付の欄に「20xx/xx/xx」形式の日付を表示します。

ヒント

年の数値

年の数値が1900～9999の場合は、その値が実際の年になります（例 2021→2021年）。0～29の場合は、2000を加えた値が実際の年になります（例21→2021年）。30～99の場合は、1900を加えた値が実際の年になります（例 30→1930年）。なお、1900年より前の日付は扱うことができません。

◀数式をコピーして他の案件の納品日を求める場合は、年と月のセルは絶対参照で指定する。DATE関数を入力すると、自動的にセルの表示形式が［日付］になるため、計算結果はシリアル値でなく、「20xx/xx/xx」で表示される。

ヒント

日付の表示形式を変更するには

DATE関数は標準で、日付を「20xx/xx/xx」形式で表示します。この表示形式を変えたい場合は、セルをクリックし、［ホーム］タブの［数値の書式］ボックスの▼をクリックし、［長い日付形式］を選択すると、「20xx年xx月xx日」形式になります。［その他の表示形式］を選択すると、［セルの書式設定］ダイアログの［表示形式］タブが表示され、［分類］が［日付］の［種類］ボックスの一覧から「03/14/12」や「14-Mar-12」などさまざまな種類の形式を選択できます。

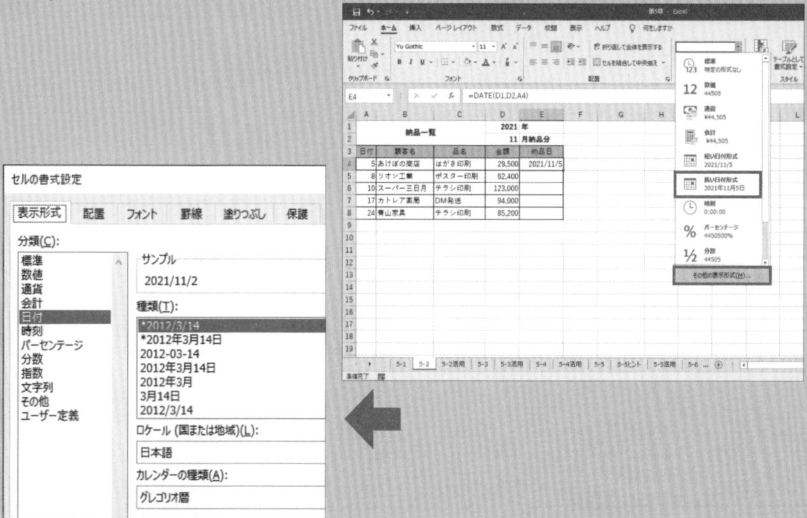

活用 支払サイト月数の経過後の日付を求める

この例では、特定のセル（E2）に入力されている「11」を納品月として、それぞれの顧客ごとの「支払サイト（月数）」が経過した後の日付を「支払期限」として求めます。いずれも月を表す数値なので、単に合計してDATE関数の「月」に指定するだけです。月は本来12までしかありませんが、それを超える値を指定した場合、その分だけ翌年以降に繰り越した日付が求められます。逆に、0以下の値を指定した場合は、その分だけ前年以前に遡った日付が求められます。

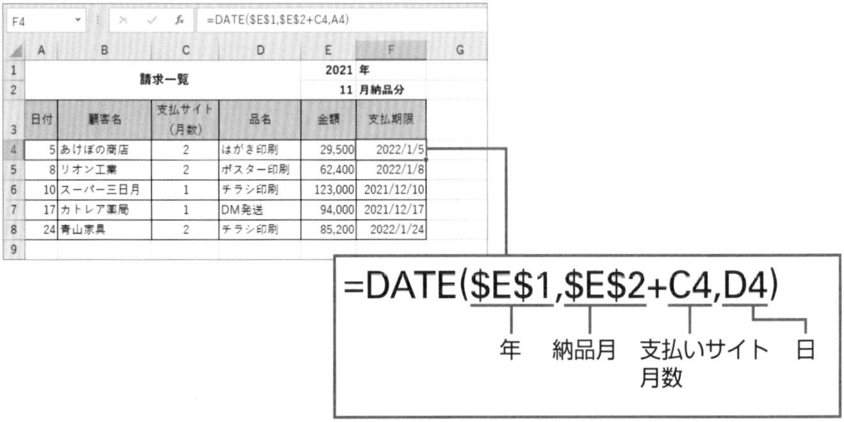

	A	B	C	D	E	F	G
1	請求一覧				2021	年	
2					11	月納品分	
3	日付	顧客名	支払サイト（月数）	品名	金額	支払期限	
4	5	あけぼの商店	2	はがき印刷	29,500	2022/1/5	
5	8	リオン工業	2	ポスター印刷	62,400	2022/1/8	
6	10	スーパー三日月	1	チラシ印刷	123,000	2021/12/10	
7	17	カトレア薬局	1	DM発送	94,000	2021/12/17	
8	24	青山家具	2	チラシ印刷	85,200	2022/1/24	
9							

▲セルF4では、11＋2で「13」がDATE関数の「月」に指定される。「年」には「2021」が指定されているが、1カ月分を翌年に繰り越すので、「2021年13月」は自動的に「2021年1月」に処理される。

3 日付から年、月、日を取り出すには

365　2019　2016　2013

YEAR、MONTH、DAY関数を使うと、日付データのシリアル値から、年、月、日をそれぞれ取り出すことができます。

	A	B	C	D	E	F	G
1	顧客生年月日一覧						
2	顧客No.	氏名	生年月日	年	月	日	
3	20001	一ノ瀬理奈	1984/10/16	1984	10	16	
4	20002	斎藤康孝	1990/6/8	1990	6	8	
5	20003	杉浦はるか	1976/3/21	1976	3	21	
6	20004	原口亜衣	2000/11/10	2000	11	10	
7	20005	前園慶介	1987/8/17	1987	8	17	
8							

年、月、日を個別に表示する

●YEAR関数

［イヤー］【日付/時刻】

日付データのシリアル値から、年を求める。

書式　**YEAR(シリアル値)**

引数　**シリアル値**：日付データを指定する。

使用例**=YEAR(C3)**

セルC3の日付から年を表示する。

●MONTH関数

［マンス］【日付/時刻】

日付データのシリアル値から、月を求める。

書式　**MONTH(シリアル値)**

引数　**シリアル値**：日付データを指定する。

使用例**=MONTH(C3)**

セルC3の日付から月を表示する。

●DAY関数

［デイ］【日付/時刻】

日付データのシリアル値から、日を求める。

書式　**DAY(シリアル値)**

引数　**シリアル値**：日付データを指定する。

使用例**=DAY(C3)**

セルC3の日付から日を表示する。

生年月日から年、月、日を表示する

この例では、「20xx/xx/xx」形式の生年月日から、年、月、日を個別に表示します。

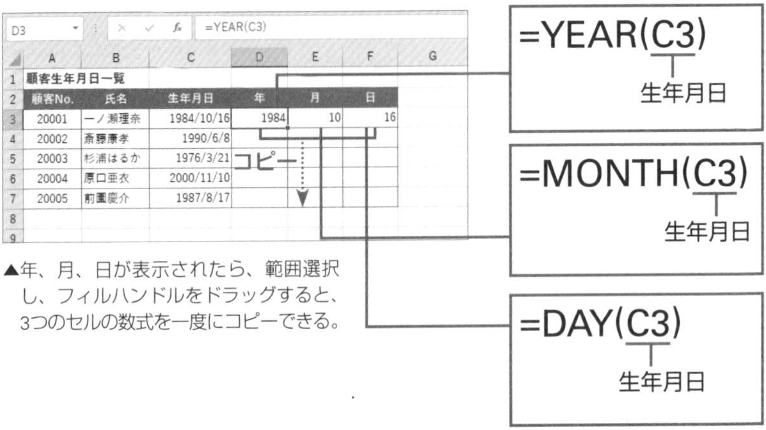

▲年、月、日が表示されたら、範囲選択し、フィルハンドルをドラッグすると、3つのセルの数式を一度にコピーできる。

ヒント

「年」を付けて表示するには

取り出した年に「年」という文字列を付けて表示するには、「=YEAR(C3)&"年"」のように文字列演算子「&」(アンパサンド)を入力し、後ろに表示する文字列を「"」(ダブルクォーテーション)で囲んで入力します。

活用 別々に取り出した年、月、日を組み合わせる

現在の日付から「年」を、生年月日から「月」と「日」を表す数値を取り出し、組み合わせてDATE関数の引数にすることで、「今年の誕生日の日付」を求めることができます。

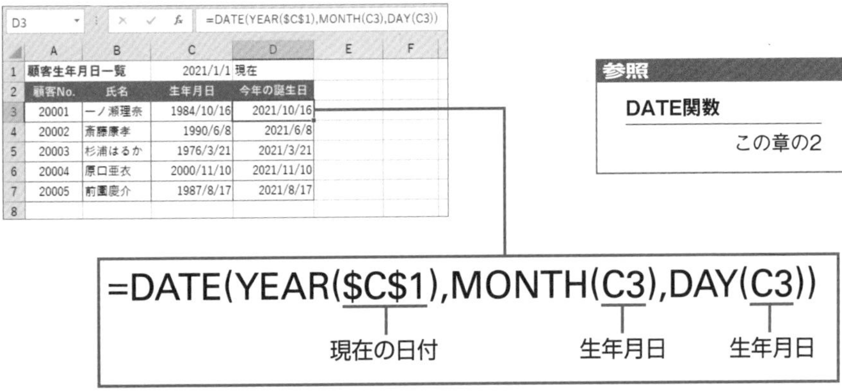

参照
DATE関数
この章の2

▲セルC1の「2021/1/1」という日付から「年」を表す「2021」を、生年月日のセルの「1984/10/16」から「月」として「10」を、「日」として「16」を取り出し、改めてDATE関数で日付にしている。

4 日付から曜日を表す数値を求めるには

365　2019　2016　2013

WEEKDAY関数を使うと、セルに入力された日付が何曜日なのかを判定することができます。引数の指定によって、1～7または0～6のいずれかの整数を返します。IF関数（58ページ参照）などと組み合わせて、日付の曜日に応じて異なる計算を行いたい場合などに利用すると便利です。

	A	B	C	D	E	F
1	顧客生年月日一覧		2021/1/1	現在		
2	顧客No.	氏名	生年月日	今年の誕生日	曜日	
3	20001	一ノ瀬理奈	1984/10/16	2021/10/16	6	
4	20002	斎藤康孝	1990/6/8	2021/6/8	2	
5	20003	杉浦はるか	1976/3/21	2021/3/21	7	
6	20004	原口亜衣	2000/11/10	2021/11/10	3	
7	20005	前園慶介	1987/8/17	2021/8/17	2	
8						

曜日を表す数値を表示する

●WEEKDAY関数　［ウィークデイ］【日付/時刻】

日付が何曜日かを表す整数を返す

書式　**WEEKDAY(シリアル値,種類)**

引数　**シリアル値**：日付データを指定する。
種類：戻り値の種類を指定する。

使用例**=WEEKDAY(D3,2)**
セルD3に入力された日付が何曜日かを表す1（月曜）～7（日曜）の整数を返す。

■ 種類の指定

戻り値の種類を1～3または11～17のいずれかの整数で指定します。

種類	戻り値
1または省略	1（日曜）～7（土曜）
2	1（月曜）～7（日曜）
3	0（月曜）～6（日曜）
11	1（月曜）～7（日曜）
12	1（火曜）～7（月曜）

種類	戻り値
13	1（水曜）～7（火曜）
14	1（木曜）～7（水曜）
15	1（金曜）～7（木曜）
16	1（土曜）～7（金曜）
17	1（日曜）～7（土曜）

今年の誕生日の曜日を調べる

ここでは、生年月日の一覧から、今年の誕生日の曜日を1（月曜）～7（日曜）の数字で表します。

E3 =WEEKDAY(D3,2)

	A	B	C	D	E
1	顧客生年月日一覧		2021/1/1	現在	
2	顧客No.	氏名	生年月日	今年の誕生日	曜日
3	20001	一ノ瀬理奈	1984/10/16	2021/10/16	6
4	20002	斎藤康孝	1990/6/8	2021/6/8	
5	20003	杉浦はるか	1976/3/21	2021/3/21	
6	20004	原口亜衣	2000/11/10	2021/11/10	
7	20005	前園慶介	1987/8/17	2021/8/17	
8					

コピー

=WEEKDAY(D3,2)

D3：今年の誕生日が入力されたセル
2：月～日を1～7の数字で返す

▲月曜日～日曜日を1～7の数字で表すので、WEEKDAY関数の引数「種類」は「2」を指定する。セルE3の値は「6」なので土曜日ということになる。なお、今年の誕生日のセルD3には、「=DATE(YEAR($C$1),MONTH(C3),DAY(C3))」という数式が入力されていて（124ページ参照）、セルC1の日付をもとに自動的に表示される。

活用 誕生日が土日かどうかを調べる

あるショップでは、会員の今年の誕生日が土曜日または日曜日の場合、当日来店したらプレゼントを贈呈するものとします。IF（イフ）関数と組み合わせて、「種類」に「2」を指定したWEEKDAY関数の戻り値が6以上であれば「贈呈」、そうでなければ「－」と表示します。

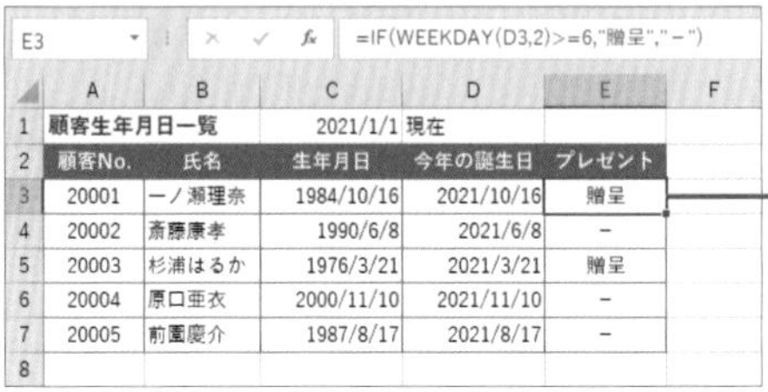
E3 =IF(WEEKDAY(D3,2)>=6,"贈呈","－")

	A	B	C	D	E
1	顧客生年月日一覧		2021/1/1	現在	
2	顧客No.	氏名	生年月日	今年の誕生日	プレゼント
3	20001	一ノ瀬理奈	1984/10/16	2021/10/16	贈呈
4	20002	斎藤康孝	1990/6/8	2021/6/8	－
5	20003	杉浦はるか	1976/3/21	2021/3/21	贈呈
6	20004	原口亜衣	2000/11/10	2021/11/10	－
7	20005	前園慶介	1987/8/17	2021/8/17	－
8					

参照
IF関数
第3章の1

=IF(WEEKDAY(D3,2)>=6,"贈呈","－")

D3：今年の誕生日

▲WEEKDAY関数で各会員の誕生日の曜日を調べる。「種類」を「2」にすると、土曜日は「6」、日曜日は「7」になる。したがって土日は6以上で指定できる。IF関数と組み合わせて、6以上のときは「贈呈」、そうでなければ「－」と表示する。

5 時、分、秒からシリアル値を求めるには

365　2019　2016　2013

TIME関数を使うと、時刻（時、分、秒）からシリアル値を求められます。時、分、秒が個別のセルに入力された表から、時刻を表示することができます。

	A	B	C	D	E	F	G
1		ステージプログラム					
2		出演	ジャンル	時	分	開始時刻	
3	1	緑町室内合奏団	音楽	10	0	10:00 AM	
4	2	朗読サークル「ひまわり」	朗読	10	50	10:50 AM	
5	3	緑町中学校合唱部	音楽	13	30	1:30 PM	
6	4	Mahaloフラダンスチーム	ダンス	14	20	2:20 PM	
7	5	劇団「アラモード」	演劇	15	10	3:10 PM	
8							

時刻を表示する

●TIME関数

［タイム］【日付/時刻】

時刻を、シリアル値に変換する。

書式　**TIME(時,分,秒)**

引数　**時**：0～23の時数を指定する。
　　　分：0～59の分数を指定する。
　　　秒：0～59の秒数を指定する。

使用例**=TIME(D3,E3,0)**
セルD3の時、セルE3の分、秒は0とし、時刻のシリアル値を表示する。

開始時刻を時間表示にする

この例では、ステージプログラムの開始時刻を指定された時、分、秒は0で表示します。

F3　=TIME(D3,E3,0)

	A	B	C	D	E	F
1		ステージプログラム				
2		出演	ジャンル	時	分	開始時刻
3	1	緑町室内合奏団	音楽	10	0	10:00 AM
4	2	朗読サークル「ひまわり」	朗読	10	50	
5	3	緑町中学校合唱部	音楽	13	30	
6	4	Mahaloフラダンスチーム	ダンス	14	20	
7	5	劇団「アラモード」	演劇	15	10	
8						

コピー

=TIME(D3,E3,0)
時　分　秒

▲TIME関数の結果は、［ユーザー定義］の「h:mm AM/PM」の形式で表示されるため、目的に応じて表示形式を変える。

ヒント

時刻の表示形式を変更するには

TIME関数は、時刻を「h:mm AM/PM」形式で表示します。この表示形式を変えたい場合は、セルをクリックし、[ホーム] タブの [数値の書式] ボックスの▼をクリックし、[時刻] を選択すると、「h:mm:ss」形式になります。[その他の表示形式] を選択すると、[セルの書式設定] ダイアログの [表示形式] タブが表示され、[分類] が [時刻] の [種類] ボックスの一覧から「13:30」や「13時30分55秒」などさまざまな種類の形式を選択できます。

TIMEVALUE関数

文字列の時刻をシリアル値に変換する場合は、TIMEVALUE(タイムバリュー) 関数を使用します。

書式：TIMEVALUE(時刻文字列)

引数には、時刻を表す文字列を、「"10時0分"」や「"10:00 AM"」などのように「"」ダブルクォーテーションで囲んで指定します。セル参照を指定する場合には、「D3&E3」のように文字列演算子「&」(アンパサンド) で結合して指定します。結果は、0時から23時59分59秒までが0～0.999988426の数値で表示されるので、書式を時刻の表示形式に変更します。

F3 =TIMEVALUE(D3&E3)

	A	B	C	D	E	F
1		ステージプログラム				
2		出演	ジャンル	時	分	開始時刻
3	1	緑町室内合奏団	音楽	10時	0分	0.41666667
4	2	朗読サークル「ひまわり」	朗読	10時	50分	
5	3	緑町中学校合唱部	音楽	13時	30分	

F3 =TIMEVALUE(D3&E3)

	A	B	C	D	E	F
1		ステージプログラム				
2		出演	ジャンル	時	分	開始時刻
3	1	緑町室内合奏団	音楽	10時	0分	10:00:00
4	2	朗読サークル「ひまわり」	朗読	10時	50分	
5	3	緑町中学校合唱部	音楽	13時	30分	

=TIMEVALUE(D3&E3)
D3：時
E3：分

活用 分単位の時間を加算して時刻を表示する

ステージの演目に遅延が発生した場合、それを分単位で加算して各プログラムの開始時刻を表示します。これには、本来予定していた「分」の数値に、遅延した「分」を表す数値を加算して、TIME関数の「分」に指定します。合計した結果が60以上になった場合は、それだけ次の「時」に繰り越した時刻が自動的に求められます。

G3 =TIME(D3,E3+F3,0)

	A	B	C	D	E	F	G	H
1		ステージプログラム						
2		出演	ジャンル	時	分	遅延（分）	開始時刻	
3	1	緑町室内合奏団	音楽	10	0	7	10:07 AM	
4	2	朗読サークル「ひまわり」	朗読	10	50	15	11:05 AM	
5	3	緑町中学校合唱部	音楽	13	30	0	1:30 PM	
6	4	Mahaloフラダンスチーム	ダンス	14	20	10	2:30 PM	
7	5	劇団「アラモード」	演劇	15	10	12	3:22 PM	

▲セルG4では、本来の「50」に「15」を加算し、「65」がTIME関数の「分」に指定される。「時」には「10」が指定されているが、繰り越されて11時05分が時刻として求められる。

=TIME(D3,E3+F3,0)
E3：分
F3：遅延

6 時刻から時、分、秒を取り出すには

365　2019　2016　2013

HOUR、MINITUE、SECOND関数を使うと、時刻のシリアル値から時、分、秒をそれぞれ取り出すことができます。「10：30：05」のような時刻表示から、「10」「30」「05」のように時、分、秒を個別に取り出して表示するときに使います。

	A	B	C	D	E	F	G
1	トライアスロン順位表						
2	順位	選手名	記録	時	分	秒	
3	1	上野 拓哉	1:57:03	1	57	3	
4	2	清原 栄斗	1:59:25	1	59	25	
5	3	森 正弘	2:04:41	2	4	41	
6	4	後藤 涼介	2:08:13	2	8	13	
7	5	菊池 隆太郎	2:12:39	2	12	39	
8							

時、分、秒を個別に表示する

●HOUR関数

［アワー］【日付/時刻】

シリアル値から、時を求める。

書式　**HOUR(シリアル値)**

引数　**シリアル値**：時刻データを指定する。

使用例**=HOUR(C3)**
セルC3の時刻から時を表示する。

●MINUTE関数

［ミニッツ］【日付/時刻】

シリアル値から、分を求める。

書式　**MINUTE(シリアル値)**

引数　**シリアル値**：時刻データを指定する。

使用例**=MINUTE(C3)**
セルC3の時刻から分を表示する。

●SECOND関数

［セコンド］【日付/時刻】

シリアル値から、秒を求める。

書式　**SECOND(シリアル値)**

引数　**シリアル値**：時刻データを指定する。

使用例**SECOND(C3)**
セルC3の時刻から秒を表示する。

記録時間から時、分、秒を表示する

この例では、トライアスロンの記録時間から、時、分、秒を個別に取り出して表示します。

D3 =HOUR(C3)

トライアスロン順位表

順位	選手名	記録	時	分	秒
1	上野 拓哉	1:57:03	1	57	3
2	清原 栄斗	1:59:25			
3	森 正弘	2:04:41			
4	後藤 涼介	2:08:13			
5	菊池 隆太郎	2:12:39			

コピー

▲時、分、秒が表示されたら、範囲選択し、フィルハンドルをドラッグすると、3つのセルの数式を一度にコピーできる。

=HOUR(C3)
記録時間

=MINUTE(C3)
記録時間

=SECOND(C3)
記録時間

活用 時刻に分単位の時間を加算する

128ページと同様のステージプログラムの時刻が、「時」「分」「秒」の数値ではなくシリアル値だった場合を例に、ステージの演目に遅延が発生した場合の開始時刻を表示します。時刻のデータに、「分」単位で指定された遅延時間を加算して、改めて時刻データとして求めたい場合は、まず元の時刻から「時」と「分」を表す数値をそれぞれ取り出します。この「分」に遅延時間の数値を加算して、TIME関数で改めて時刻データを求めます。

F3 =TIME(HOUR(D3),MINUTE(D3)+E3,0)

ステージプログラム

	出演	ジャンル	時	遅延（分）	開始時刻
1	緑町室内合奏団	音楽	10:00 AM	7	10:07 AM
2	朗読サークル「ひまわり」	朗読	10:50 AM	15	11:05 AM
3	緑町中学校合唱部	音楽	1:30 PM	0	1:30 PM
4	Mahaloフラダンスチーム	ダンス	2:20 PM	10	2:30 PM
5	劇団「アラモード」	演劇	3:10 PM	12	3:22 PM

参照
TIME関数
この章の5

=TIME(HOUR(D3),MINUTE(D3)+E3,0)
予定時刻 予定時刻 遅延

▲それぞれの演目の開始予定時刻がシリアル値で入力されている。シリアル値と数値（遅延）は直接演算できないので、この時刻から「時」と「分」を表す数値を取り出し、「分」に遅延の数値を加算して、改めてTIME関数で時刻データにしている。

7 現在の日付と時刻を求めるには

365 2019 2016 2013

TODAY関数を使うと、今日の日付を、シリアル値に変換することができます。ファイルを開いたときに自動的に更新されるので、報告書などの書類を作成する際の日付欄によく使います。なお、今日の日付を時刻まで含めて表示するときは、NOW関数を使います。

	A	B	C	D	E
1		ステージプログラム			
2	日付：	2021年8月17日			
3	現在：	11:12 AM			
4		出演	ジャンル	開始時刻	
5	1	緑町室内合奏団	音楽	10:00 AM	
6	2	朗読サークル「ひまわり」	朗読	10:50 AM	
7		昼休憩		12:00 PM	
8	3	緑町中学校合唱部	音楽	1:30 PM	
9	4	Mahaloフラダンスチーム	ダンス	2:20 PM	
10	5	劇団「アラモード」	演劇	3:10 PM	
11		ステージ終了		4:30 PM	
12					

今日の日付を表示する

現在の時刻を表示する

●TODAY関数

［トゥデイ］【日付/時刻】

今日の日付を、シリアル値に変換する。

書式　**TODAY()**

引数　**なし**

使用例 **=TODAY()**

今日の日付を表示する。

●NOW関数

［ナウ］【日付/時刻】

現在の日付と時刻を、シリアル値に変換する。

書式　**NOW()**

引数　**なし**

使用例 **=NOW()**

現在の日付と時刻を表示する。

今日の日付と現在の時刻を表示する

この例では、今日の日付と現在の時刻を求めます。

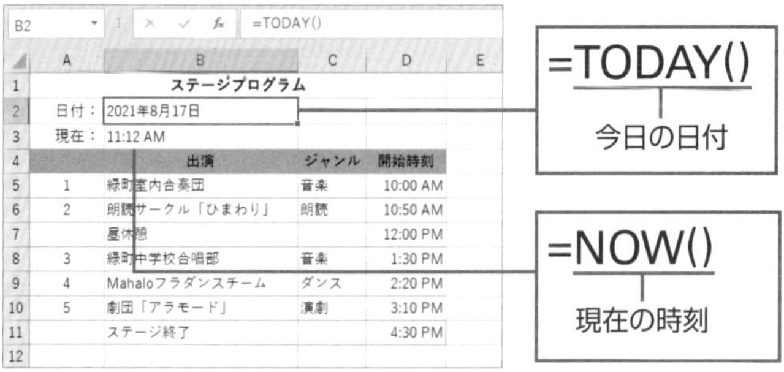

▲セルB3にNOW関数を入力すると、コンピュータのシステム時計を基に、今日の日付と現在の時刻が表示される。この例では時刻の表示形式「1:30 PM」を設定して、現在の時刻だけを表示させている（128ページの「ヒント」参照）。

ヒント

日付と時刻を更新するには

NOW関数で表示した日付と時刻はファイルを開くと自動的に更新されます。ただし、時計のように自動で時間を刻んで表示することはありません。関数を再実行するには、F9キーを押します。

活用 現在行われている公演の出演者を表示する

Microsoft 365で追加されたXLOOKUP関数を使うと、現在の時刻を基に、公演中のプログラムの出演者を表示することができます。また、現在の時刻が開始時刻より前の場合に何も表示しないようにすることも可能です。

ただし、NOW関数だけの数式では日付のデータ（シリアル値の整数部分）も含まれてしまうため、時刻のデータ（シリアル値の小数部分）だけのセルD6～D12を対象として、適切な検索は行えません。そこで、NOW関数の戻り値からTODAY関数の戻り値を引くことで、日付データを取り除き、時刻データだけにしています。

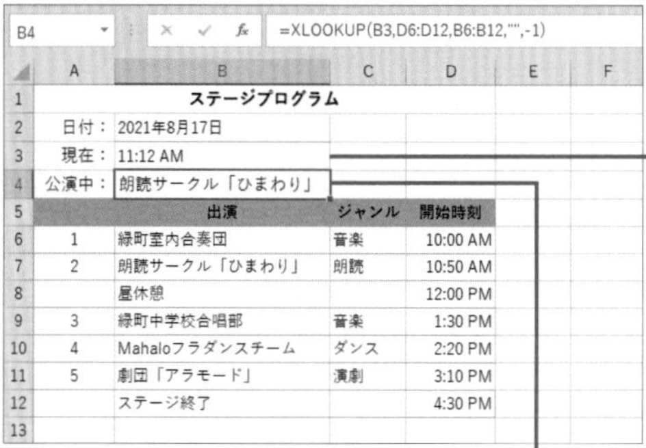
B4　=XLOOKUP(B3,D6:D12,B6:B12,"",-1)

	A	B	C	D	E	F
1		ステージプログラム				
2	日付：	2021年8月17日				
3	現在：	11:12 AM				
4	公演中：	朗読サークル「ひまわり」				
5		出演	ジャンル	開始時刻		
6	1	緑町室内合奏団	音楽	10:00 AM		
7	2	朗読サークル「ひまわり」	朗読	10:50 AM		
8		昼休憩		12:00 PM		
9	3	緑町中学校合唱部	音楽	1:30 PM		
10	4	Mahaloフラダンスチーム	ダンス	2:20 PM		
11	5	劇団「アラモード」	演劇	3:10 PM		
12		ステージ終了		4:30 PM		
13						

=NOW()-TODAY()

NOW()：今日の日付＋現在の時刻
TODAY()：今日の日付

参照
XLOOKUP関数
第4章の3

=XLOOKUP(B3,D6:D12,B6:B12,"",-1)

B3：現在の時刻
D6:D12：開始時刻の範囲
B6:B12：出演の範囲
""：見つからない場合は何も表示しない
-1：完全一致または次に小さい項目を検索

▲セルB3では、NOW関数の戻り値からTODAY関数の戻り値を引いて、時刻だけのデータを求めている。セルB4ではその値をセルD6～D12の範囲で検索し、見つかったセルに対応するセルB6～B12の値を表示している。現在の時刻が最初のプログラムの開始時刻の10:00より前の場合は、セルには何も表示しない。

以前の Excel からの変更点

XLOOKUP関数が使えない場合は、LOOKUP（ルックアップ）関数を使います。

書式1：LOOKUP(検査値,検査範囲,[対応範囲])
書式2：LOOKUP(検査値,配列)

昇順に並んでいる1列の引数「検索範囲」の中で、引数「検査値」以下の最大値を検索し、該当する行と相対的に同じ位置にある引数「対応範囲」のセルの値を取り出すことができます。

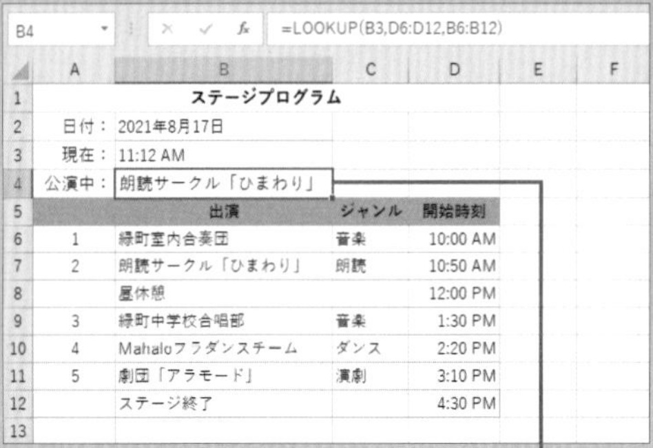

B4 =LOOKUP(B3,D6:D12,B6:B12)

	A	B	C	D	E	F
1		ステージプログラム				
2	日付：	2021年8月17日				
3	現在：	11:12 AM				
4	公演中：	朗読サークル「ひまわり」				
5		出演	ジャンル	開始時刻		
6	1	緑町室内合奏団	音楽	10:00 AM		
7	2	朗読サークル「ひまわり」	朗読	10:50 AM		
8		昼休憩		12:00 PM		
9	3	緑町中学校合唱部	音楽	1:30 PM		
10	4	Mahaloフラダンスチーム	ダンス	2:20 PM		
11	5	劇団「アラモード」	演劇	3:10 PM		
12		ステージ終了		4:30 PM		
13						

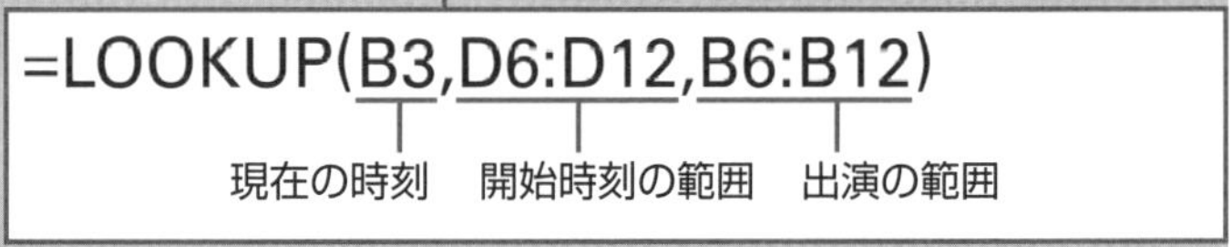

▲LOOKUP関数で近似値を含めて検索する場合は、引数「検索範囲」が昇順で並んでいる必要がある。なお、LOOKUP関数では検索値が見つからない場合の指定はできない。

8 開始日から終了日までの期間を求めるには

365　2019　2016　2013

DATEDIF関数を使うと、開始日と終了日で指定された期間を、年数、月数、日数に換算して表示することができます。2つの日付の差を求めるときに使います。

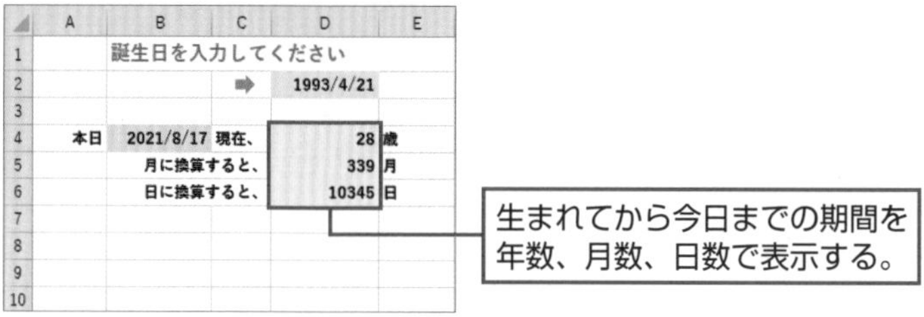

●DATEDIF関数

［デイトディフ］【日付/時刻】

開始日と終了日で指定した期間を、年数、月数、日数に換算して表示する。

書式　**DATEDIF(開始日,終了日,単位)**

引数　**開始日**：期間の開始日となる日付を指定する。
終了日：期間の終了日となる日付を指定する。
単位：日付の差の単位、Y/M/D/YM/YD/MDを指定する。

使用例**=DATEDIF(D2,B4,"Y")**
セルD2の日付とセルB4の日付の差を、年数で表示する。

■ 単位の指定

単位には、満の年数、月数、日数を表示させるものと、それに満たない月数、日数を表示させるものがあります。

単位	表示される値
"Y"	期間内の満の年数
"M"	期間内の満の月数
"D"	期間内の日数
"YM"	1年に満たない月数。日と年は考慮されない。
"YD"	1年に満たない日数。年は考慮されない。
"MD"	1か月に満たない日数。月と年は考慮されない。

生まれてから今日までの期間を計算する

この例では、生まれてから今日までの期間を年、月、日の単位で表示します。

ヒント

DATEDIF関数では数式オートコンプリートは使えない

DATEDIF関数は他の表計算ソフトと互換性を持たせるために用意された関数です。このため、数式オートコンプリートや［関数の挿入］ダイアログに登録されていません。セルや数式バーに関数式を直接入力します。数式内の英字は大文字でも小文字でもかまいません。

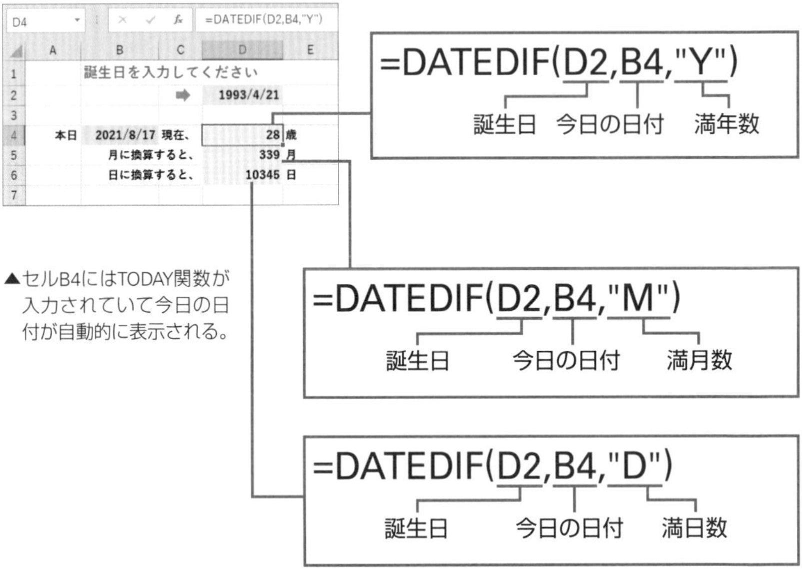

▲セルB4にはTODAY関数が入力されていて今日の日付が自動的に表示される。

参照

TODAY関数

この章の7

9 土日祭日を除いた稼働日を求めるには

365 2019 2016 2013

NETWORKDAYS.INTL関数を使うと、開始日と終了日で指定した期間内の、週末や祭日を除いた稼働日数を求めることができます。

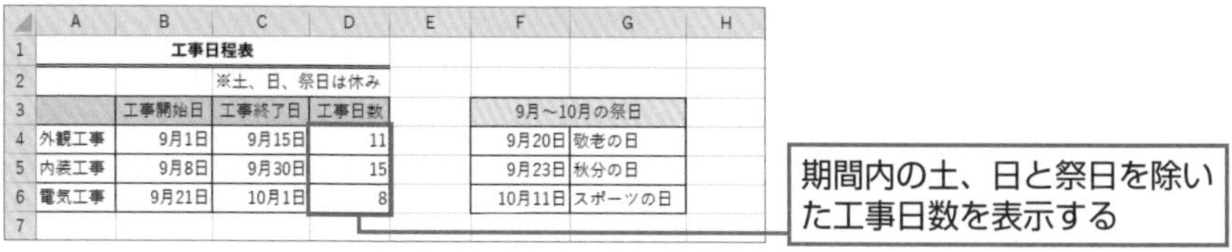

	A	B	C	D	E	F	G	H
1	工事日程表							
2			※土、日、祭日は休み					
3		工事開始日	工事終了日	工事日数		9月～10月の祭日		
4	外観工事	9月1日	9月15日	11		9月20日	敬老の日	
5	内装工事	9月8日	9月30日	15		9月23日	秋分の日	
6	電気工事	9月21日	10月1日	8		10月11日	スポーツの日	
7								

●NETWORKDAYS.INTL関数　［ネットワークデイズ.インターナショナル］【日付/時刻】

指定した開始日と終了日の期間の稼働日数を表示する。週末と祭日の指定ができる。

書式　**NETWORKDAYS.INTL(開始日,終了日,[週末],[祭日])**

引数　**開始日**：期間の開始日となる日付を指定する。
終了日：期間の終了日となる日付を指定する。
週末：パラメーターでどの曜日を週末（休日）にするかを指定する。省略すると土曜日と日曜日になる
祭日：祭日を指定する。

使用例**= NETWORKDAYS.INTL(B4,C4,1,F4:F6)**
セルB4の開始日とセルC4の終了日、週末（休日）を週末番号「1」（土曜日と日曜日が休み）、祭日をセルF4～F6に指定して、期間中の稼働日数を表示する。

■週末の指定

週末の指定は、週末番号または文字列を使います。

・週末番号

番号	曜日
1または省略	土曜日と日曜日
2	日曜日と月曜日
3	月曜日と火曜日
4	火曜日と水曜日
5	水曜日と木曜日
6	木曜日と金曜日
7	金曜日と土曜日

番号	曜日
11	日曜日のみ
12	月曜日のみ
13	火曜日のみ
14	水曜日のみ
15	木曜日のみ
16	金曜日のみ
17	土曜日のみ

ヒント

週末番号の入力

関数を手入力している場合は、数式オートコンプリート機能（6ページ参照）により、終了日を指定した後に「,」（コンマ）を入力すると、週末番号の一覧が表示されます。いずれかをダブルクリックして入力できます。

・文字列

文字列による指定は、0（稼働日）と1（非稼働日）を使い、月曜日から日曜日までの7文字で表現します。ただし、1111111を指定すると、関数の結果として「0」が返されます。

例）月曜日と水曜日を週末にする⇒1010000

■ 祭日の指定

祭日は、日付を含んでいるセル範囲または日付を表すシリアル値の配列定数で指定します。日付の指定順序は問いません。

例）2021年の9月20日と23日を祭日に指定する⇒ {"2021/9/20","2021/9/23"}

以前の Excel からの変更点

NETWORKDAYS.INTLは、Excel 2007のNETWORKDAYS関数に、Excel 2010で引数の[週末] が新たに加わり、土日以外の週末が指定できるようになったものです。

書式：NETWORKDAYS.INTL(開始日,終了日,[週末],[祭日])
書式：NETWORKDAYS(開始日,終了日,[祭日])

工事期間内の工事日数を求める

この例では、指定した工事期間の休日（土、日）と祭日を除いた工事日数を求めます。

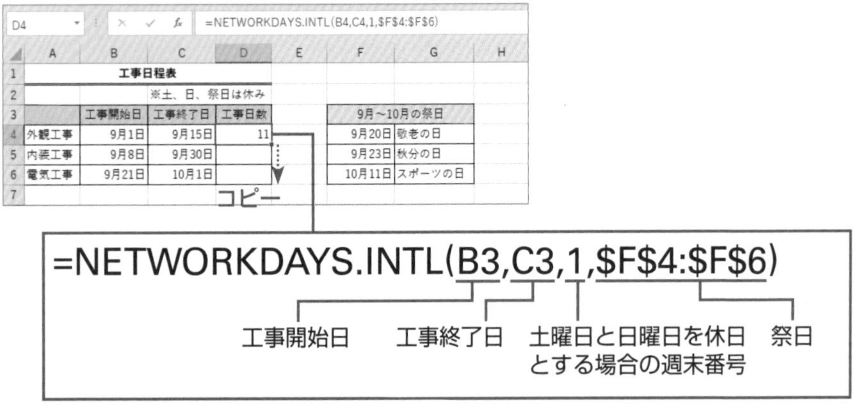

▲数式をコピーする前提のため、祭日は絶対参照で指定する。引数「週末番号」の「1」は既定値のため省略してもよい。ただし引数を区切る「,」（コンマ）は必要。

10 土日祭日を除いた営業日を計算するには

365 2019 2016 2013

WORKDAY.INTL関数を使うと、開始日から指定した稼働日数が経過した後の日付のシリアル値を表示できます。週末と祭日を除くことができるので、営業日の計算などに便利です。

	A	B	C	D	E	F
1	注文受付表		注文受付から5日以内に発送			
2			※定休日（月曜）と特別休業日11/7、11/30を除く			
3						
4	注文番号	受注日	商品名	数量	発送期限	
5	211101	2021/11/2	瓶プリンセット	1	2021/11/9	
6	211102	2021/11/5	手作りジャムセット	1	2021/11/12	
7	211103	2021/11/9	乳製品セット	2	2021/11/14	
8	211104	2021/11/16	手造りバターセット	3	2021/11/21	
9	211105	2021/11/25	瓶プリンセット	1	2021/12/2	
10	211106	2021/11/28	乳製品セット	2	2021/12/5	
11						

発送期限日を表示する

●WORKDAY.INTL関数

［ワークデイ.インターナショナル］【日付/時刻】

開始日から指定した稼働日数が経過した後の日付のシリアル値を表示する。週末と祭日の指定ができる。

書式　**WORKDAY.INTL(開始日,日数,[週末],[祭日])**

引数　**開始日**：期間の開始日となる日付を指定する。
日数：稼働日数を指定する。負の日数も可。
週末：パラメーターでどの曜日を週末にするかを指定する。省略すると土曜日と日曜日になる。
祭日：祭日を指定する。

使用例**= WORKDAY.INTL(B5,5,12,{"2021/11/7","2021/11/30"})**
セルB5の開始日から5日後、週末（休日）を週末番号「12」（月曜日のみ休み）、祭日を2021/11/7と2021/11/30に指定して、日付のシリアル値を表示する。

■ 週末の指定

週末の指定は、週末番号または文字列を使います。

・週末番号

番号	曜日
1または省略	土曜日と日曜日
2	日曜日と月曜日
3	月曜日と火曜日
4	火曜日と水曜日
5	水曜日と木曜日
6	木曜日と金曜日
7	金曜日と土曜日

番号	曜日
11	日曜日のみ
12	月曜日のみ
13	火曜日のみ
14	水曜日のみ
15	木曜日のみ
16	金曜日のみ
17	土曜日のみ

ヒント

週末番号の入力

関数を手入力している場合は、数式オートコンプリート機能（6ページ参照）により、日数を指定した後に「,」（コンマ）を入力すると、週末番号の一覧が表示されます。いずれかをダブルクリックして入力できます。

・文字列

文字列による指定は、0（稼働日）と1（非稼働日）を使い、月曜日から日曜日までの7文字で表します。1111111を指定すると、関数の結果として「0」が返されます。

例）月曜日と水曜日を週末にする⇒1010000

■ 祭日の指定

祭日は、日付を含んでいるセル範囲または日付を表すシリアル値の配列定数で指定します。日付の指定順序は問いません。

例）2021年の11月7日と30日を祭日に指定する⇒ {"2021/11/7","2021/11/30"}

以前の Excel からの変更点

WORKDAY.INTLは、Excel 2007のWORKDAY関数に引数の［週末］がExcel 2010で新たに加わり、土日以外の週末が指定できるようになったものです。

書式：WORKDAY.INTL(開始日,日数,[週末],[祭日])
書式：WORKDAY(開始日,日数,[祭日])

発送期限日を表示する

受注日から5営業日以内に商品を発送するため、その期限を求めます。定休日は月曜日、2021/11/7と2021/11/30は特別休業日として、営業日に含めないものとします。

=WORKDAY.INTL(B5,5,12,{"2021/11/7","2021/11/30"})

- B5：受注日
- 5：日数
- 12：月曜日を休日とする場合の週末番号
- {"2021/11/7","2021/11/30"}：祭日（特別休業日）

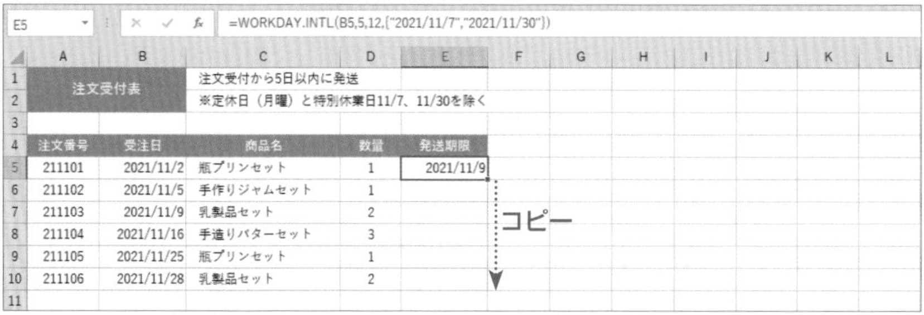

▲引数「日数」は、直接数式の中に「5」と指定する。また、定休日（月曜日）を週末と見なして引数「週末」に「12」を指定し、特別休業日は引数「祭日」として日付を配列定数で指定する。結果は「44509」というシリアル値で表示されるので、［ホーム］タブの［数値の書式］ボックスの▼をクリックし、日付の表示形式に変更する。

活用 休業日も含めて5日以内に発送する

受注日から、休業日も含めて5日以内に商品を発送する場合について考えてみます。特定の日付の「○日後」の日付を求めるには、単に○の数値を加算するだけです。ただし、その当日が休業日だった場合は発送作業自体が行えないため、実際には、その直前の営業日までが実質的な発送期限となります。

特定の日付が休業日だったときに、その直前の営業日を求める場合にも、WORKDAY.INTL関数が利用できます。具体的には、引数「開始日」に本来の目的の日の1日後の日付を、引数「日数」に「-1」を指定します。この例の場合は、受付日の6日後の日付を引数「開始日」に指定します。そして、引数「日数」に「-1」を指定することで、5日後が営業日であればその日付が、休業日であればその直前の営業日が求められます。

E5 =WORKDAY.INTL(B5+6,-1,12,{"2021/11/7","2021/11/30"})

	A	B	C	D	E	F	G
1	注文受付表		注文受付から5日以内に発送				
2			※定休日（月曜）と特別休業日11/7、11/30を除く				
3							
4	注文番号	受注日	商品名	数量	発送期限		
5	211101	2021/11/2	瓶プリンセット	1	2021/11/6		
6	211102	2021/11/5	手作りジャムセット	1	2021/11/10		
7	211103	2021/11/9	乳製品セット	2	2021/11/14		
8	211104	2021/11/16	手造りバターセット	3	2021/11/21		
9	211105	2021/11/25	瓶プリンセット	1	2021/11/28		
10	211106	2021/11/28	乳製品セット	2	2021/12/3		
11							

=WORKDAY.INTL(B5+6,-1,12,{"2021/11/7","2021/11/30"})

- B5：受付日
- 6：発送期限の1日後
- -1：1日前の営業日
- 12：月曜日を休日とする場合の週末番号
- {"2021/11/7","2021/11/30"}：祭日（特別休業日）

▲受注日に「6」を加算した値を引数「開始日」に指定するのが、ここでのワザ。期限が「5」日後であるのに、さらに「1」を加える。そうしておいて引数「日数」に「-1」を指定することで、その直前の営業日を求めている。これにより、「5日後」が定休日になる場合でも、その前日を発送期限にできる。また、引数「週末」には「12」（月曜日のみ休み）を指定し、引数「祭日」は配列定数で指定している。結果はシリアル値で表示されるので、日付の表示形式に変更する（前ページ参照）。

第6章

文字列を操作して表示を整える

この章では、文字列操作関数や情報関数を使って、文字の種類の変換や、文字列の取り出し、結合などを行う方法を説明します。文字の種類の変換でデータの整形が簡単に行えるようになります。また、セル内の文字列を自在に取り出せると、必要なデータをまとめたいときに便利です。

1 全角文字と半角文字を変換するには

365 2019 2016 2013

ASC関数を使うと、全角文字を半角文字に、JIS関数を使うと、半角文字を全角文字に変換することができます。いずれの関数も、引数で指定された既に入力されている文字列を変換します。全角、半角が入り混じって入力されている表の文字列を統一するときなどに便利です。

	A	B	C	D	E	F	G	H	I
1	●住所録								
2	氏名	住所	番地	番地（半角）	建物名	建物名（全角）	部屋番号		
3	大木 淳也	新宿区大久保	２－1-0	2-1-0	大久保ﾋﾞｭｰﾃﾗｽ	大久保ビューテラス	502		
4	村主 奈美恵	港区白金	1－3－0	1-3-0	RIONマンション	ＲＩＯＮマンション	401		
5	須藤 真	練馬区大泉学園	７－5-0	7-5-0	大泉パークﾊｲﾂ	大泉パークハイツ	103		
6	仲手川 由紀	大田区鵜の木	１-１３-0	1-13-0					
7	長浜 泰久	品川区大崎	１－１－０	1-1-0	ｻﾞ・大崎レジデンス	ザ・大崎レジデンス	1101		
8	増田 慎吾	中央区月島	２－４－０	2-4-0	ハイムつきしま	ハイムつきしま	305		
9	三好 玲奈	江東区豊洲	4－５－０	4-5-0	ﾀﾜｰ豊洲	タワー豊洲	1307		
10	森山 翔太	新宿区西新宿	6-20－0	6-20-0	新宿スカイﾊｲﾂ	新宿スカイハイツ	412		
11									

半角に変換　全角に変換

●ASC関数

［アスキー］【文字列操作】

全角文字を半角文字に変換する。

書式 **ASC(文字列)**

引数 **文字列**：文字列または文字列を含むセル参照を指定する。

使用例**=ASC(C3)**

セルC3の文字列を半角に変換する。

●JIS関数

［ジス］【文字列操作】

半角文字を全角文字に変換する。

書式 **JIS(文字列)**

引数 **文字列**：文字列または文字列を含むセル参照を指定する。

使用例**=JIS(E3)**

セルE3の文字列を全角に変換する。

番地を半角に変換する

この例では、全角と半角の混在した番地を半角文字に変換します。

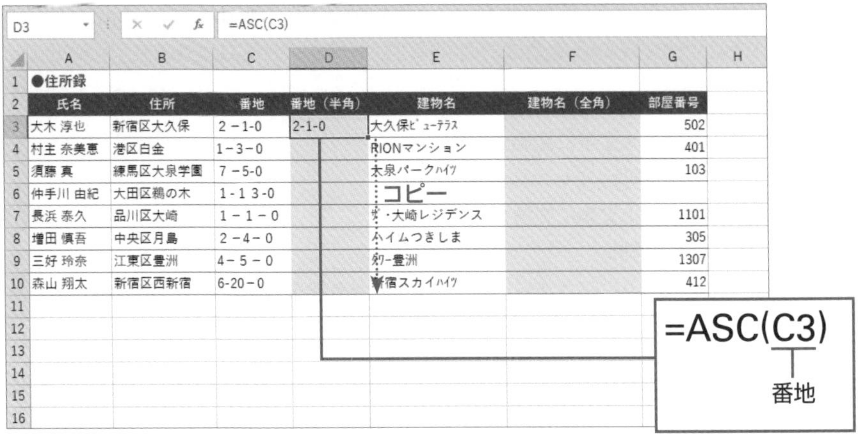

	A	B	C	D	E	F	G	H
1	●住所録							
2	氏名	住所	番地	番地（半角）	建物名	建物名（全角）	部屋番号	
3	大木 淳也	新宿区大久保	２－1-0	2-1-0	大久保ﾋﾞｭｰﾃﾗｽ		502	
4	村主 奈美恵	港区白金	1－3－0		RIONマンション		401	
5	須藤 真	練馬区大泉学園	７－5-0		大泉パークﾊｲﾂ		103	
6	仲手川 由紀	大田区鵜の木	１-１３-0					
7	長浜 泰久	品川区大崎	１－１－０		ｻﾞ・大崎レジデンス		1101	
8	増田 慎吾	中央区月島	２－4－０		ハイムつきしま		305	
9	三好 玲奈	江東区豊洲	4－５－０		ﾀﾜｰ豊洲		1307	
10	森山 翔太	新宿区西新宿	6-20－0		新宿スカイﾊｲﾂ		412	
11								
12								
13								
14								
15								
16								

▲全角の数字や「-」（ハイフン）が半角に変換される。なお、指定された文字列が半角文字の場合は、そのまま半角で表示される。

建物名を全角に変換する

この例では、全角と半角の混在した建物名を全角に変換します。

	A	B	C	D	E	F	G	H
1	●住所録							
2	氏名	住所	番地	番地（半角）	建物名	建物名（全角）	部屋番号	
3	大木 淳也	新宿区大久保	２－1-0	2-1-0	大久保ﾋﾞｭｰﾃﾗｽ	大久保ビューテラス	502	
4	村主 奈美恵	港区白金	1－3－0	1-3-0	RIONマンション		401	
5	須藤 真	練馬区大泉学園	７－5-0	7-5-0	大泉パークﾊｲﾂ		103	
6	仲手川 由紀	大田区鵜の木	１-１３-0	1-13-0				
7	長浜 泰久	品川区大崎	１－１－０	1-1-0	ｻﾞ・大崎レジデンス		1101	
8	増田 慎吾	中央区月島	２－4－０	2-4-0	ハイムつきしま		305	
9	三好 玲奈	江東区豊洲	4－５－０	4-5-0	ﾀﾜｰ豊洲		1307	
10	森山 翔太	新宿区西新宿	6-20－0	6-20-0	新宿スカイﾊｲﾂ		412	
11								

▲建物名がすべて全角文字に変換される。なお、指定された文字列が全角文字の場合は、そのまま全角で表示される。

活用 英字の大文字と小文字を変換する

文字の種類を変換する関数は他にもあります。たとえば文字列内の英字を、大文字、小文字、先頭文字だけ大文字に変換することが可能です。引数で指定された文字列に英字以外の文字が含まれている場合は、英字だけが変換され、それ以外の文字列はそのまま表示されます。

・文字列内の英字を大文字に変換する
書式：UPPER(文字列)
・文字列内の英字を小文字に変換する
書式：LOWER(文字列)
・文字列内の英単語の先頭文字だけを大文字に、2文字目以降を小文字に変換する
書式：PROPER(文字列)

これらの関数は、引数の英字が全角の場合は全角、半角の場合は半角で表示しますが、ASC関数またはJIS関数と組み合わせることで、半角、全角を統一することができます。

	A	B	C	D	E
1	◆Swimming Lesson Member List				
2	No.	No.（整形後）	Name	Name（整形後）	
3	fa0645f	FA0645F	Ｒ Ｕ Ｉ　YAMAGTA		
4	st0132m	ST0132M	JUN Kaneko		
5	Ge0438m	GE0438M	MICHAeL Brown		
6	Ge0751f	GE0751F	ＳＡＫＩ ＭＩＳＡＷＡ		
7	ST0173F	ST0173F	nanami suzuki		
8	GE0563f	GE0563F	Laura Harris		
9	Fa0327M	FA0327M	Ito KEITA		
10					

▲英字がすべて大文字に変換される。

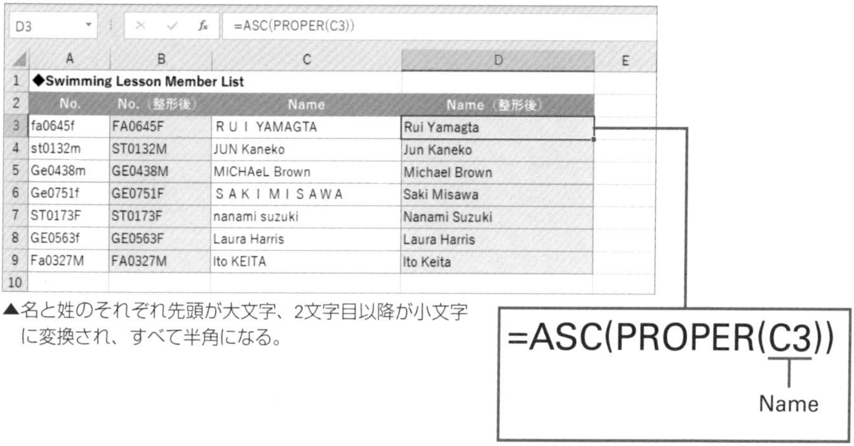

	A	B	C	D	E
1	◆Swimming Lesson Member List				
2	No.	No.（整形後）	Name	Name（整形後）	
3	fa0645f	FA0645F	Ｒ Ｕ Ｉ　YAMAGTA	Rui Yamagta	
4	st0132m	ST0132M	JUN Kaneko	Jun Kaneko	
5	Ge0438m	GE0438M	MICHAeL Brown	Michael Brown	
6	Ge0751f	GE0751F	ＳＡＫＩ ＭＩＳＡＷＡ	Saki Misawa	
7	ST0173F	ST0173F	nanami suzuki	Nanami Suzuki	
8	GE0563f	GE0563F	Laura Harris	Laura Harris	
9	Fa0327M	FA0327M	Ito KEITA	Ito Keita	
10					

▲名と姓のそれぞれ先頭が大文字、2文字目以降が小文字に変換され、すべて半角になる。

活用　変換後の文字列に差し替える

ASC関数やJIS関数で変換された文字列は、あくまでも関数処理の結果です。変換前の文字列を変換後の文字列に差し替えたい場合は、変換後の文字列を値として貼り付けます。

❶ 変換後の文字列のセル範囲を選択する。

❷［ホーム］タブの［コピー］ボタンをクリックする。

❸ 変換前の文字列のセル範囲の一番上のセルをクリックする。

❹［ホーム］タブの［貼り付け］ボタンの▼をクリックし、［値の貼り付け］の［値］をクリックする。

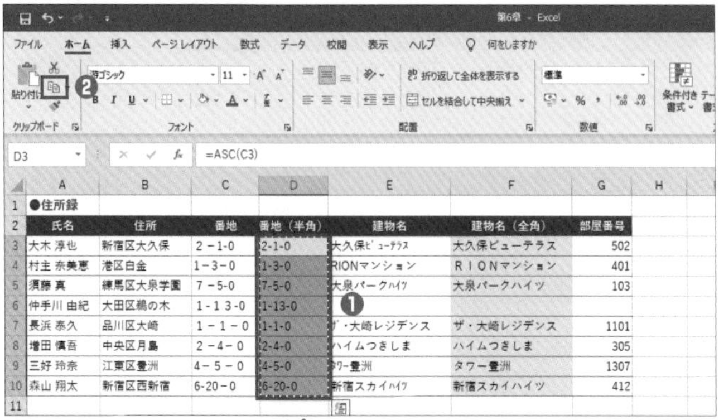

コピー

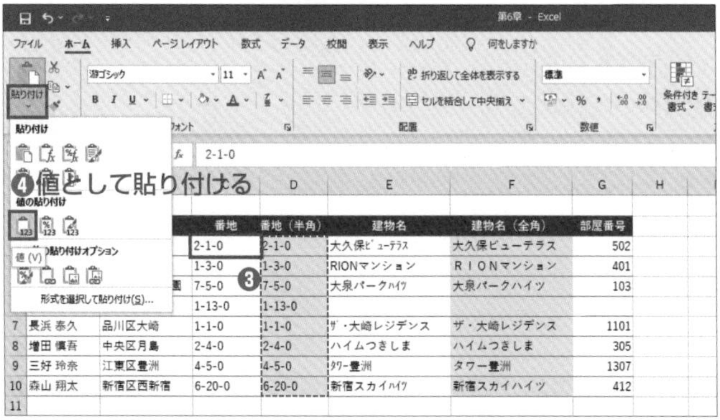

▲このような手順を踏まず、先に変換前の文字列を削除してしまうと、参照元の文字列がなくなるため、変換結果は空白セルになる。

2 文字列からふりがなを取り出すには

365 2019 2016 2013

PHONETIC関数を使うと、文字の入力情報を取得し、ふりがなとして表示することができます。初期設定では、ふりがなは全角のカタカナで表示されますが、ひらがなや半角カタカナでの表示も可能です。

	A	B	C	D	E	F
1	●住所録					
2	氏名	ふりがな	住所	番地	建物名	部屋
3	大木 淳也	おおき じゅんや	新宿区大久保	2-1-0	大久保ビューテラス	502
4	村主 奈美恵	すぐり なみえ	港区白金	1-3-0	ＲＩＯＮマンション	401
5	須藤 真	すどう まこと	練馬区大泉学園	7-5-0	大泉パークハイツ	103
6	仲手川 由紀	なかてがわ ゆき	大田区鵜の木	1-13-0		
7	長浜 泰久	ながはま やすひさ	品川区大崎	1-1-0	ザ・大崎レジデンス	1101
8	増田 慎吾	ますだ しんご	中央区月島	2-4-0	ハイムつきしま	305
9	三好 玲奈	みよし れいな	江東区豊洲	4-5-0	タワー豊洲	1307
10	森山 翔太	もりやま しょうた	新宿区西新宿	6-20-0	新宿スカイハイツ	412
11						

●PHONETIC関数

［フォネティック］【文字列操作】

文字列からふりがなを取り出す。

書式 **PHONETIC(参照)**

引数 **参照**：文字列を含むセル参照を指定する。

使用例**=PHONETIC(A3)**

セルA3の文字列からふりがなを取り出す。

■参照の指定

参照では、ふりがなを取得する文字列を含む1つまたは複数のセル参照を指定します。複数のセル参照を指定した場合は、すべてのふりがなが結合された状態で表示されます。

なお、参照に直接文字列を指定することはできません。

ヒント

ふりがなの取得

ふりがなは、Excelで漢字を入力した際の読みの情報です。他のアプリで入力したり、CSVファイルやWebブラウザーから取り込んだりした文字は、ふりがな情報がないため、ふりがなを表示できません。その場合は、1つずつのセルで、次ページのふりがなの編集の操作を行うと、自動的にふりがなが付きます。確認して正しいふりがなに修正します。

氏名からふりがなを取り出して表示する

この例では、漢字の氏名からふりがなを取り出して表示します。

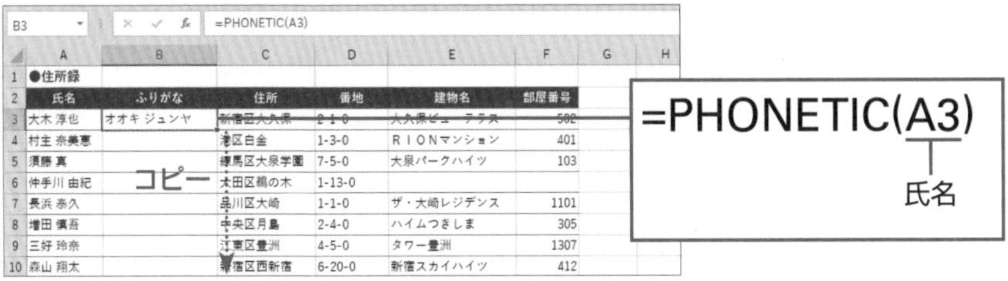

▲PHONETIC関数では、文字の入力情報から取得したふりがなを全角のカタカナで表示する。

表示されたふりがなを編集する

この例では、実際の読みと異なるふりがなを、正しい読みに変更します。

❶ ふりがなの参照先の氏名のセル（セルA4）を選択する。

❷［ホーム］タブの［ふりがなの表示/非表示］ボタンの▼をクリックし、［ふりがなの編集］を選択する。

❸ 氏名の上にふりがなが表示されるので、クリックして修正する。

❹ 他のセルをクリックする。

❺ 氏名の上のふりがなが消え、PHONETIC関数の入力されているセル（B4）のふりがなが変更される。

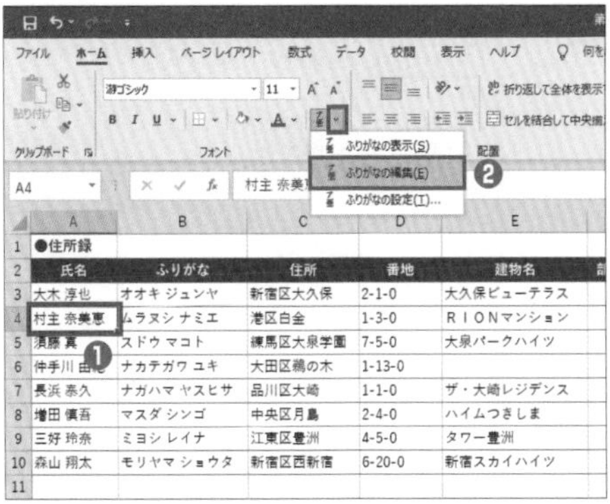

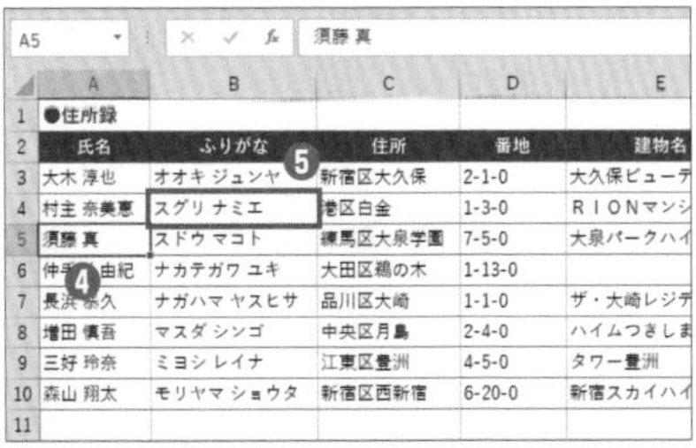

◀PHONETIC関数の参照先の文字のふりがなを編集すれば、関数の結果として表示されるふりがなも変更される。

ふりがなをひらがなで表示する

この例では、PHONETIC関数で表示されたふりがなを、ひらがなに変更します。

❶ ふりがなの参照先の氏名のセル範囲（セルA3〜A10）を選択する。

❷［ホーム］タブの［ふりがなの表示/非表示］ボタンの▼をクリックし、［ふりがなの設定］を選択する。

❸［ふりがなの設定］ダイアログが表示されるので、［種類］の［ひらがな］を選択する。

❹［OK］をクリックする。

❺ ふりがながひらがなに変更される。

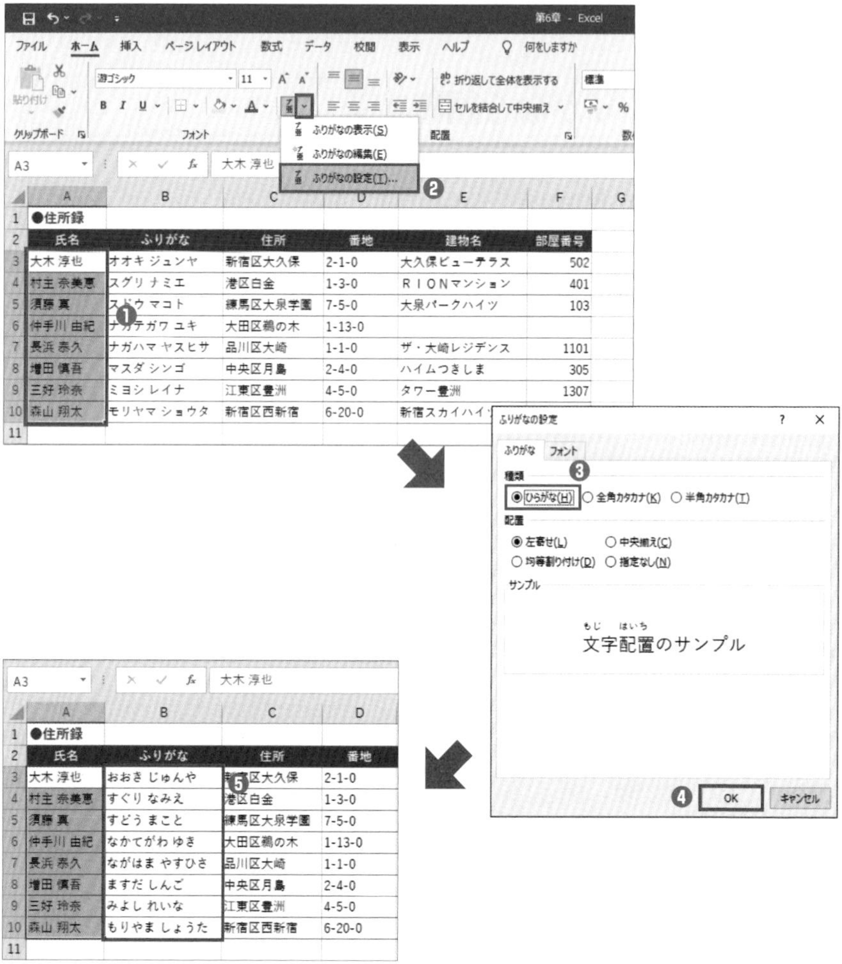

▲ふりがなの設定の変更は、ふりがなの参照先の氏名が入力されているセルを選択してから行う。［ふりがなの設定］ダイアログで［半角カタカナ］を選択すれば、半角カタカナでの表示も可能だ。

活用 住所から郵便番号を表示する

Windowsに付属している日本語入力システムMicrosoft IMEの郵便番号辞書を利用すると、郵便番号を入力して住所に変換することができます。

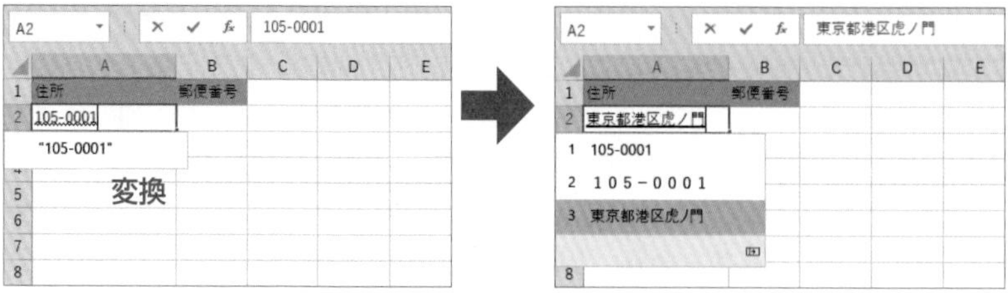

▲日本語入力モードがオンの状態で、郵便番号を「105-0001」のように「-」（ハイフン）を含んで入力して変換すると、該当する住所が変換候補の一覧に表示され選択できる。

この機能を使用して入力されている住所は、PHONETIC関数を使用してふりがなを表示すると、郵便番号が全角で表示されます。ASC関数を組み合わせれば、半角にすることができます。

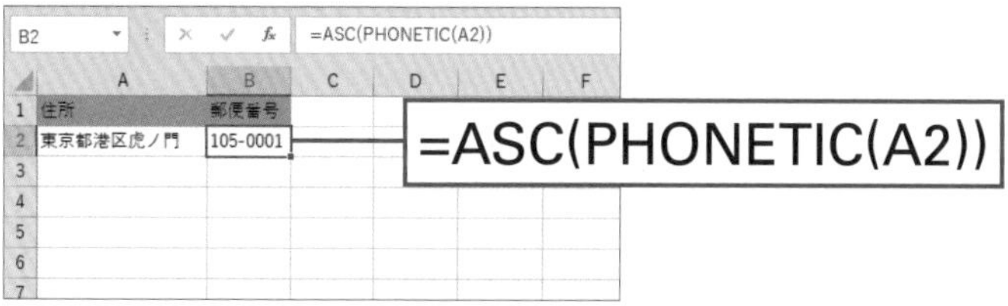

▲PHONETIC関数で住所のふりがなである郵便番号を表示し、それをASC関数で半角にする。

参照
ASC関数
この章の1

3 セルに入力されている文字列の文字数を求めるには

365 2019 2016 2013

セル内の文字列の文字数を数えるには、LEN関数を使用します。LEN関数では、文字の全角、半角にかかわらず、すべての文字が1文字として扱われます。文字列のバイト数を数えるには、LENB関数を使用します。LENB関数では、全角が2文字（バイト）、半角が1文字（バイト）として扱われます。これらの関数を使うと、セル内の文字列が正しい桁数で入力されているか、全角、半角が誤って入力されていないかなどを調べることができます。

	A	B	C	D	E	F	G	H	I
1	注文管理			注文番号チェック					
2	注文日	注文番号		文字数	バイト				
3	5月6日	ＭＯ１０４２０９		8	16				
4	5月10日	SS5320190		9	9				
5	5月14日	RR431230		8	8				
6	5月17日	ＥＴ２３１４５３		8	16				
7	5月18日	ＱＡ0321208		9	11				
8	5月21日	SS563421		8	8				
9	5月24日	ＦＳ２１３４０７		8	16				
10	5月31日	DF056239		8	8				
11									

注文番号の文字数とバイト数を調べる

●LEN関数

［レン］【文字列操作】

文字列の文字数を取得する。

書式 **LEN(文字列)**

引数 **文字列**：文字列または文字列を含むセル参照を指定する。

使用例**=LEN(B3)**

セルB3の文字列の文字数を求める。

●LENB関数

［レンビー］【文字列操作】

文字列のバイト数を取得する。

書式 **LENB(文字列)**

引数 **文字列**：文字列または文字列を含むセル参照を指定する。

使用例**=LENB(B3)**

セルB3の文字列のバイト数を求める。

注文番号の文字数とバイト数を求める

この例では、入力が間違っていないかを調べるために、注文番号の文字数とバイト数を求めます。

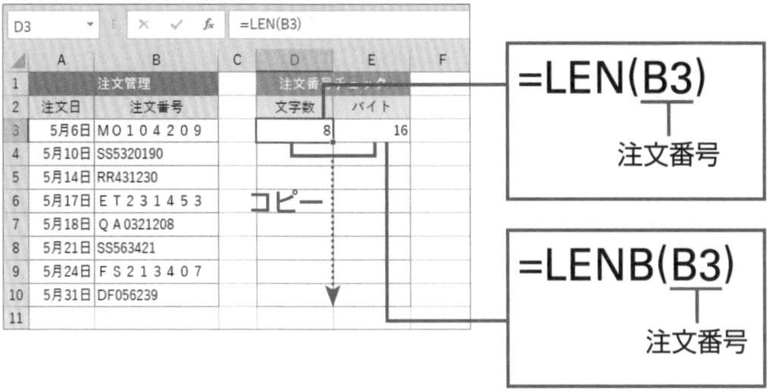

▲セルB3の注文番号はすべて全角で入力されている。LEN関数では、全角、半角の区別なく文字数を数えるので「8」と表示される。LENB関数では全角は2文字に数えるので「16」になる。文字数とバイト数のセルを範囲選択してフィルハンドルをドラッグすれば、2つの数式を一度にコピーできる。

活用 注文番号が正しく入力されているか調べる

この例の場合、注文番号は半角で8文字なのが原則のため、LEN関数で返される値、LENB関数で返される値の両方が8になれば、正しく入力されていることになります。IF関数、AND関数、LEN関数、LENB関数を組み合わせれば、正しく入力されているときに「OK」、違っているときに「NG」という文字列を表示できます。

参照

IF関数　第3章の1
AND関数　第3章の4

▲LEN関数、LENB関数で返される値の両方が8という条件をAND関数で作り、これをIF関数の引数「論理式」として、真の場合は「OK」、偽の場合は「NG」という文字列を表示する。

4 文字列から指定された文字数の文字を取り出すには

365 2019 2016 2013

LEFT関数、RIGHT関数、MID関数を使うと、文字列の先頭、末尾、指定した位置から文字を取り出すことができます。どの関数も全角、半角に関係なく、すべての文字を1文字と数えます。

	A	B	C	D	E	F
1	◆スイミングレッスン参加者リスト					
2	会員番号	種別記号	性別	個人番号	名前	
3	FA0645F	FA	F	0645	山形　瑠衣	
4	ST0132M	ST	M	0132	金子　淳	
5	GE0438M	GE	M	0438	Michael Brown	
6	GE0751F	GE	F	0751	三沢　沙紀	
7	ST0173F	ST	F	0173	鈴木　七海	
8	GE0563F	GE	F	0563	Laura Harris	
9	FA0327M	FA	M	0327	伊藤　圭太	
10						

会員番号の末尾から1文字を取り出す

会員番号の先頭から2文字を取り出す

会員番号の3文字目から4文字を取り出す

●LEFT関数

［レフト］【文字列操作】

文字列の先頭（左端）から、指定された数の文字を取り出す。

書式　**LEFT(文字列,[文字数])**

引数　**文字列**：文字列または文字列を含むセル参照を指定する。
　　　文字数：取り出す文字数（文字列の先頭からの文字数）を指定する。省略時は「1」とみなされる。

使用例**=LEFT(A3,2)**
　セルA3の文字列の先頭から2文字を取り出す。

●RIGHT関数

［ライト］【文字列操作】

文字列の末尾（右端）から、指定された数の文字を取り出す。

書式　**RIGHT(文字列,[文字数])**

引数　**文字列**：文字列または文字列を含むセル参照を指定する。
　　　文字数：取り出す文字数（文字列の末尾からの文字数）を指定する。省略時は「1」とみなされる。

使用例**=RIGHT(A3,1)**
　セルA3の文字列の末尾から1文字を取り出す。

●MID関数　［ミッド］【文字列操作】

文字列の指定された位置から、指定された数の文字を取り出す。

書式　**MID(文字列,開始位置,文字数)**

引数　**文字列**：文字列または文字列を含むセル参照を指定する。
開始位置：文字列から取り出す先頭文字の位置（文字列の先頭からの文字数）を数値で指定する。
文字数：取り出す文字数を数値で指定する。省略はできない。

使用例**=MID(A3,3,4)**
セルA3の文字列の3文字目から4文字を取り出す。

ヒント

バイト数で指定して文字を取り出すには

バイト数で指定して文字を取り出すには、それぞれ関数名の後に「B」を付けた関数、LEFTB、RIGHTB、MIDB関数を使います。文字数を指定するときは、全角の文字を2、半角の文字を1と数えます。

書式：LEFTB(文字列,[バイト数])
書式：RIGHTB(文字列,[バイト数])
書式：MIDB(文字列,開始位置,バイト数)

会員番号の先頭から2文字を取り出す

この例では、会員番号の先頭から2文字を取り出して、種別記号として表示します。

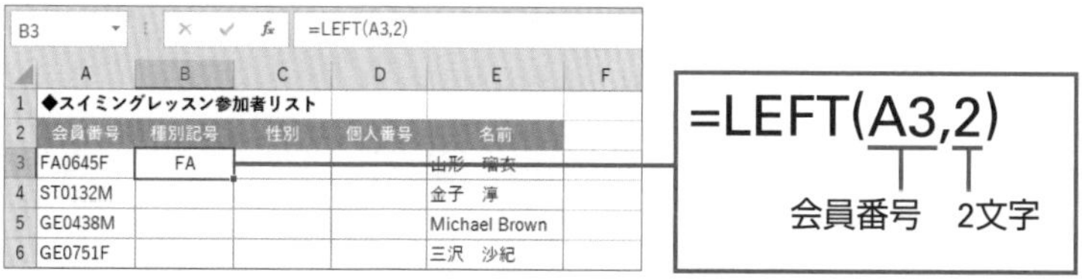

▲会員番号の先頭の英字2文字が表示される。

会員番号の末尾から1文字を取り出す

この例では、会員番号の末尾から1文字を取り出して、性別として表示します。

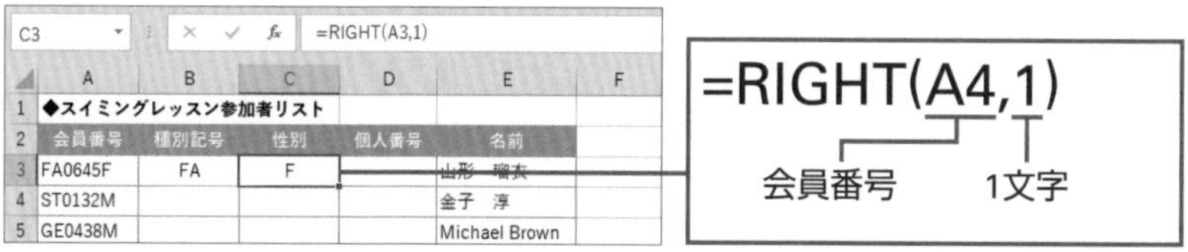

▲会員番号の末尾の英字1文字が表示される。引数「文字数」の「1」は省略してもかまわない。

会員番号の3文字目から4文字を取り出す

この例では、会員番号の3文字目から4文字を取り出して、個人番号として表示します。

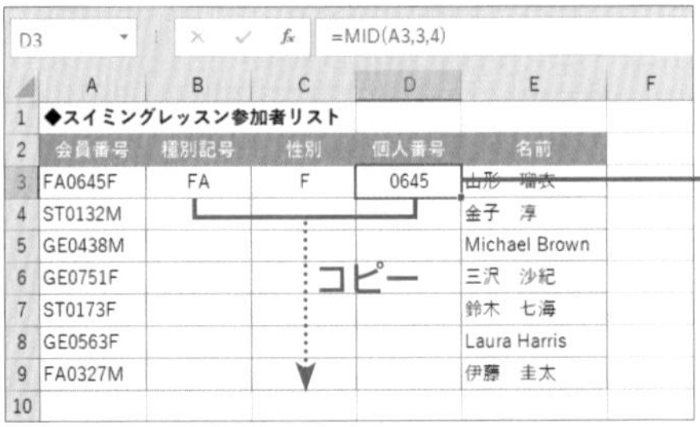

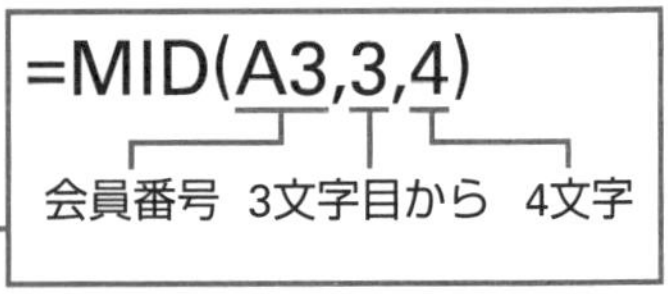

◀会員番号の3文字目からの数字4文字が表示される。種別番号、性別、個人番号のセルを範囲選択してフィルハンドルをドラッグすれば、3つの数式を一度にコピーできる。

活用 会員番号から種別と性別を表示する

種別記号と種別の対応表があれば、VLOOKUP関数とLEFT関数を組み合わせて、会員番号から種別名を表示できます。

また、性別の「F」は「女性」、「M」は「男性」を表しています。IF関数とRIGHT関数を組み合わせて会員番号から「男」「女」を表示できます。

参照
VLOOKUP関数
第4章の1
IF関数
第3章の1

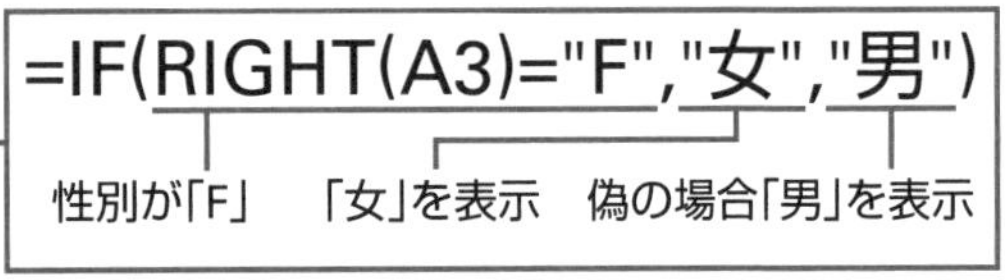

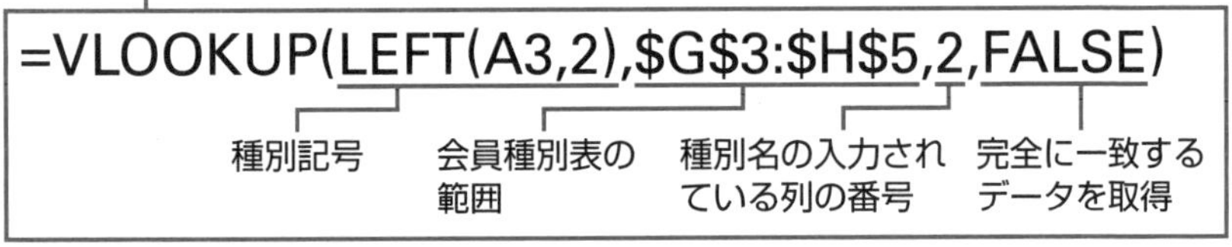

▲種別番号は、会員番号の先頭の2文字なので、LEFT関数で先頭から2文字を取り出し、VLOOKUP関数の引数「検索値」として利用する。性別は、会員番号の末尾の1文字で、「F」が女性、「M」が男性を表しているので、IF関数で「F」の場合は「女」と表示し、それ以外は「男」と表示する。逆の考え方で作った数式「=IF(RIGHT(A3)="M","男","女")でも可。

コラム　フラッシュフィル

Excelには、入力したデータから規則性を認識し、入力したデータと同じ規則の文字列を自動的に入力する「フラッシュフィル」という機能があります。この機能を使うと、関数を使用せずに、別のセルの特定の位置のデータを取り出すことができます。

フラッシュフィルを実行するには、[ホーム] タブの [フィル] ボタンを使う方法と、[オートフィルオプション] ボタンを使う方法があります。

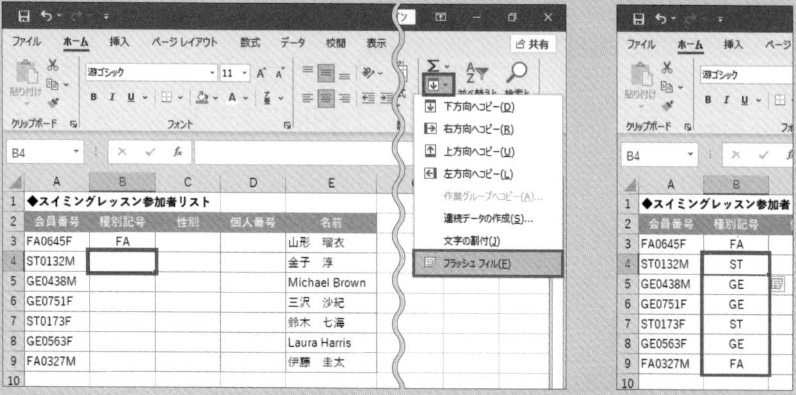

▲サンプルとなるデータを入力後に、同じ規則で入力したいセルをアクティブにし、[ホーム] タブの [フィル] ボタンをクリックし、一覧から [フラッシュフィル] を選択します。この例の場合、セルB3に「FA」と入力したので、隣のセルA2の先頭2文字を取り出すと認識され、セルB4～B9に、同じ行のA列のデータの先頭2文字が表示される。

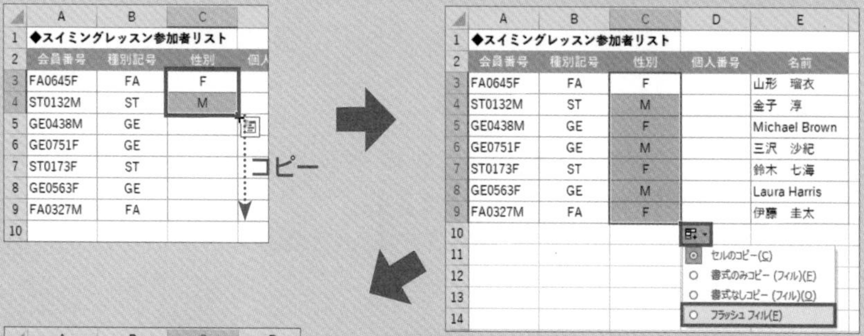

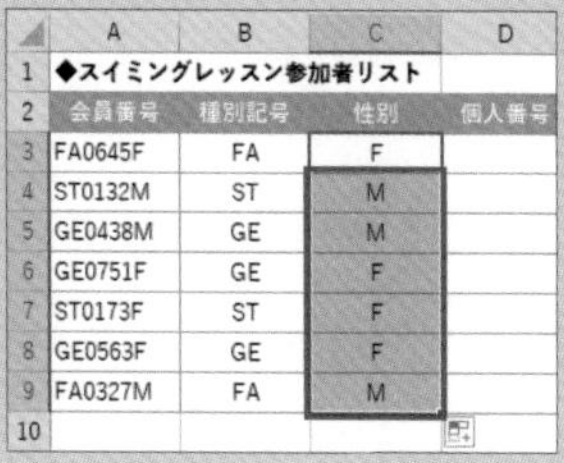

▲オートフィル機能を使用してデータを入力後に表示される [オートフィルオプション] ボタンの一覧にある [フラッシュフィル] をクリックする。なお、この例ではセルC3に「F」と入力しただけでは、取り出しているのがセルA3の先頭の「F」なのか末尾の「F」なのか判断できないため、セルC4にも「M」と入力し、セルC3～C4を範囲選択することにより、A列のセルの末尾を取り出す規則であることを認識させる。

5 複数の文字列を結合するには

365 2019 2016 2013

CONCAT関数を使うと、文字列を連結することができます。数値も扱えるので、数値と数値や、数値と文字列を結合したり、計算結果を結合したりすることも可能です。ただし、CONCAT関数で結合された結果は文字列として返されるため、この値で計算を行うことはできません。

	A	B	C	D	E	F
1	新入社員メールアドレス取得表					
2	ID	氏名	LastName	FirstName	メールアドレス	
3	21001	浅尾 柚花	asao	yuzuka	asao21001@bpxx.co.jp	
4	21002	磯貝 匠	isogai	takumi	isogai21002@bpxx.co.jp	
5	21003	沢村 ひな乃	sawamura	hinano	sawamura21003@bpxx.co.jp	
6	21004	田上 美穂	tanoue	miho	tanoue21004@bpxx.co.jp	
7	21005	西島 徹	nishijima	toru	nishijima21005@bpxx.co.jp	
8	21006	萩野 和彦	hagino	kazuhiko	hagino21006@bpxx.co.jp	
9	21007	矢野 成美	yano	narumi	yano21007@bpxx.co.jp	
10	21008	渡部 隆太	watabe	ryuta	watabe21008@bpxx.co.jp	
11						

LastName、ID、「@bpxx.co.jp」の順に文字列を結合して、メールアドレスを作成する

●CONCAT関数　［コンカット］【文字列操作】

複数の文字列を結合して1つの文字列にまとめる。

書式　**CONCAT(テキスト1,[テキスト2],・・・)**

引数　**テキスト**：文字列または文字列を含むセル参照を指定する。

使用例**=CONCAT(C3,A3,"@bpxx.co.jp")**

セルC3、セルA3、「@bpxx.co.jp」の文字列を結合する。

■ テキストの指定

テキストでは、結合対象となる文字列、数値、セル参照を指定します。**テキスト**は、1つ以上、最大254個まで指定することができます。

結合する文字と文字の間に文字やスペースを挿入する場合は、「"」（ダブルクォーテーション）で囲んで指定します。

以前の Excel からの変更点

CONCAT関数は、Microsoft 365およびExcel 2019で、Excel 2016以前のCONCATENATE（コンカティネイト）関数が名称変更されたものです。
なお、以前のバージョンとの互換性を保つために、現行バージョンでもCONCATENATE関数を使用することができます。

LastName、ID、文字列を結合する

この例では、LastName、ID、「@bpxx.co.jp」の順に文字列を結合して、メールアドレスを作成します。

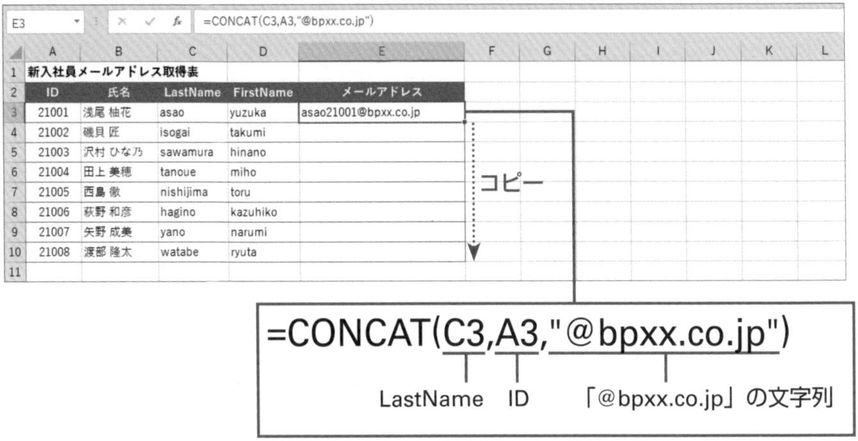

	A	B	C	D	E
1	新入社員メールアドレス取得表				
2	ID	氏名	LastName	FirstName	メールアドレス
3	21001	浅尾 柚花	asao	yuzuka	asao21001@bpxx.co.jp
4	21002	磯貝 匠	isogai	takumi	
5	21003	沢村 ひな乃	sawamura	hinano	
6	21004	田上 美穂	tanoue	miho	
7	21005	西島 徹	nishijima	toru	
8	21006	萩野 和彦	hagino	kazuhiko	
9	21007	矢野 成美	yano	narumi	
10	21008	渡部 隆太	watabe	ryuta	
11					

▲CONCATの引数に文字列を指定する場合は「"」（ダブルクォーテーション）で囲む。

活用 文字列演算子を使用して文字列を結合する

CONCAT関数と同じように文字列を結合する方法として、文字列演算子「&」（アンパサンド）を使用する方法があります。どちらの方法でも、同じ結果が得られます。

	A	B	C	D	E
1	新入社員メールアドレス取得表				
2	ID	氏名	LastName	FirstName	メールアドレス
3	21001	浅尾 柚花	asao	yuzuka	asao21001@bpxx.co.jp
4	21002	磯貝 匠	isogai	takumi	isogai21002@bpxx.co.jp
5	21003	沢村 ひな乃	sawamura	hinano	sawamura21003@bpxx.co.jp
6	21004	田上 美穂	tanoue	miho	tanoue21004@bpxx.co.jp
7	21005	西島 徹	nishijima	toru	nishijima21005@bpxx.co.jp
8	21006	萩野 和彦	hagino	kazuhiko	hagino21006@bpxx.co.jp
9	21007	矢野 成美	yano	narumi	yano21007@bpxx.co.jp
10	21008	渡部 隆太	watabe	ryuta	watabe21008@bpxx.co.jp
11					

6 範囲内の文字列を結合するには

365 2019 2016 2013

Microsoft 365およびExcel 2019では、新たにTEXTJOIN関数が追加され、各項目間に「-」（ハイフン）や「,」（コンマ）などの区切り記号を指定して、セル範囲の文字列を結合することができるようになりました。

	A	B	C	D	E	F	G
1			伝票番号管理台帳				
2							
3	部署コード	担当者コード	顧客コード	注文番号		伝票番号	
4	E1	S0023	K043	2108001		E1-S0023-K043-2108001	
5	E2	A0019	F245	2108002		E2-A0019-F245-2108002	
6	E2	S0076	Q159	2108003		E2-S0076-Q159-2108003	
7	E3	S0058	F202	2108004		E3-S0058-F202-2108004	
8	E1	S0023	K068	2108005		E1-S0023-K068-2108005	
9	E1	A0034	Q521	2108006		E1-A0034-Q521-2108006	
10	E3	S0064	B409	2108007		E3-S0064-B409-2108007	
11							

部署コード、担当者コード、顧客コード、注文番号を「-」で区切って結合する

●TEXTJOIN関数

［テキストジョイン］【文字列操作】

区切り文字を使用してテキスト文字列の一覧または範囲を連結する

書式 **TEXTJOIN(区切り文字,空のセルは無視,テキスト1,[テキスト2],…)**

引数 **区切り文字**：各**テキスト**間に挿入する文字または文字列を指定する。
空のセルは無視：論理値（「TRUE」または「FALSE」）を指定する。
テキスト1：結合するテキスト文字列または範囲を指定する。

使用例**=TEXTJOIN("-",TRUE,A4:D4)**
セルA4～D4の文字列を区切り文字「-」で区切って結合する。

■区切り文字の指定

区切り文字は、「"」（ダブルクォーテーション）で囲んで指定します。**区切り文字**を指定しない場合は空にすると、範囲が連結されます。

■空のセルは無視

「TRUE」を指定すると、空のセルは無視されます。「FALSE」を指定すると、空のセル分の区切り文字も表示されます。

■ テキストの指定

テキストでは、結合対象となる、文字列、数値、セル参照、セル範囲を指定します。テキストは、1つ以上、最大252個まで指定することができます。

各コードと注文番号を「-」で区切って結合する

この例では、部署コード、担当者コード、顧客コード、注文番号を「-」で区切って結合し、伝票番号として表示します。

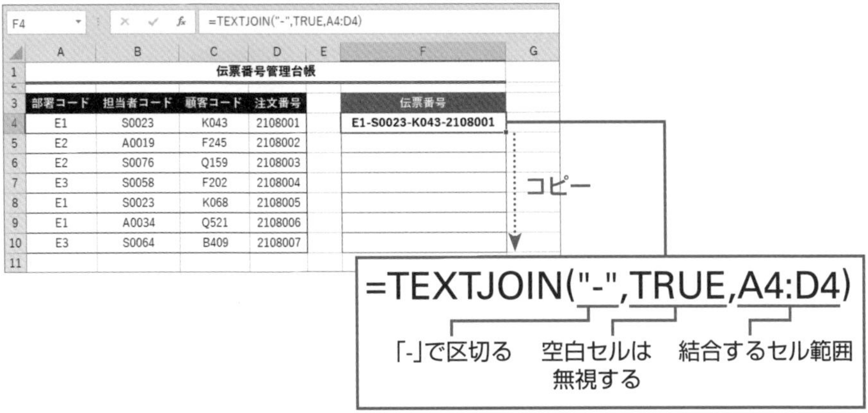

	A	B	C	D	E	F
3	部署コード	担当者コード	顧客コード	注文番号		伝票番号
4	E1	S0023	K043	2108001		E1-S0023-K043-2108001
5	E2	A0019	F245	2108002		
6	E2	S0076	Q159	2108003		
7	E3	S0058	F202	2108004		
8	E1	S0023	K068	2108005		
9	E1	A0034	Q521	2108006		
10	E3	S0064	B409	2108007		

▲この例では区切り文字として「-」（ハイフン）を指定している。区切り文字を指定しない場合は「=TEXTJOIN(,TRUE,A4:D4)」となり、区切り文字は入力しなくてよいが、引数の区切りの「,」（コンマ）は必要。

ヒント

CONCAT関数との違い

CONCAT関数（CONCATENATE関数）では単一のセル参照しか指定できないのに対して、TEXTJOIN関数ではセル範囲を指定できます。
たとえば、セル範囲A4～D4の文字列を区切り文字「-」で結合する場合、CONCAT関数では、下図のように各セル参照を指定し、それぞれの区切り記号を繰り返し入力する必要がありました。

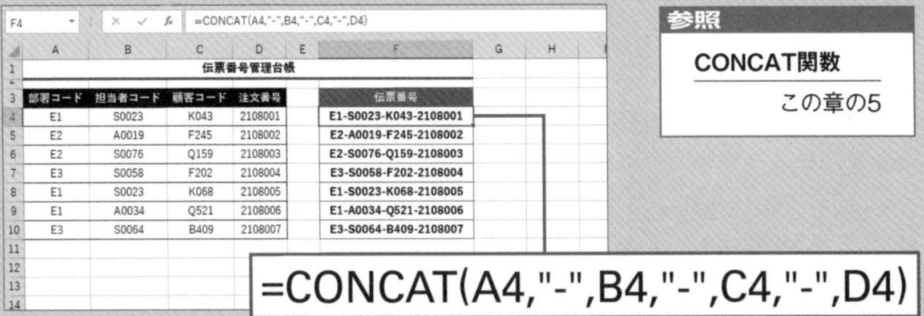

	A	B	C	D	E	F
3	部署コード	担当者コード	顧客コード	注文番号		伝票番号
4	E1	S0023	K043	2108001		E1-S0023-K043-2108001
5	E2	A0019	F245	2108002		E2-A0019-F245-2108002
6	E2	S0076	Q159	2108003		E2-S0076-Q159-2108003
7	E3	S0058	F202	2108004		E3-S0058-F202-2108004
8	E1	S0023	K068	2108005		E1-S0023-K068-2108005
9	E1	A0034	Q521	2108006		E1-A0034-Q521-2108006
10	E3	S0064	B409	2108007		E3-S0064-B409-2108007

参照
CONCAT関数
この章の5

TEXTJOIN関数では、上図のように区切り文字は一度指定するだけです。
なお､TEXTJOIN関数､CONCAT関数が使えない場合は､「CONCAT」部分を「CONCATENATE」に変えた数式を入力します。

7 指定された文字の開始位置を求めるには

365 2019 2016 2013

FIND関数を使うと、指定された文字列を他の文字列の中で検索し、その文字列の開始位置を求めることができます。検索結果は左端から数えた文字数で返します。FIND関数では、大文字と小文字は区別され、スペースも1文字として数えられます。

	A	B	C	D	E	F
1	■営業部取引先リスト		関東地区（東京以外）			
2	会社名	フリガナ	所在地		「県」の位置	
3	インターネット通信	インターネットツウシン	群馬県前橋市大手町X-XX-X		3	
4	ＮＳＳデータ	エヌエスエスデータ	茨城県古河市諸川XXX-X		3	
5	倉田鋼材	クラタコウザイ	埼玉県さいたま浦和区東仲町X-X		3	
6	ＪＦＳ	ジェーエフエス	神奈川県横浜市中区石川町X-XX		4	
7	富士機械販売	フジキカイハンバイ	群馬県富岡市富岡市一ノ宮XXX-XX		3	
8	プレイス工業	プレイスコウギョウ	千葉県市川市八幡X-XX-XX		3	
9	美空書店	ミソラショテン	神奈川県川崎市宮本町X-X		4	
10	横浜南電気	ヨコハマミナミデンキ	神奈川県横浜市保土ケ谷区宮田町X-XXX		4	
11						

所在地の「県」の位置を求める

●FIND関数

［ファインド］【文字列操作】

指定された文字列を他の文字列の中で検索し、その文字列の開始位置を求める。

書式 **FIND(検索文字列, 対象, [開始位置])**

引数 **検索文字列**：検索する文字列または文字列を含むセル参照を指定する。
対象：検索対象の文字列または文字列を含むセル参照を指定する。
開始位置：検索を開始する位置を数値で指定する。先頭文字から検索する場合は「1」を指定する。省略時は「1」とみなされる。

使用例 **=FIND("県",C3,1)**
「県」の文字が、セルC3の文字列の中の先頭から数えて何文字目にあるかを求める。

ヒント

文字列の開始位置をバイト数で求めるには

指定された文字列の開始位置をバイト数で求めるには、FINDB関数を使用します。FINDB関数では、全角の文字を2、半角の文字を1と数えます。

書式：FINDB(検索文字列,対象,[開始位置])

所在地の何文字目に「県」があるかを求める

この例では、所在地の何文字目に「県」があるかを求めます。

E3　=FIND("県",C3)

	A	B	C	D	E	F
1	■営業部取引先リスト		関東地区（東京以外）			
2	会社名	フリガナ	所在地		「県」の位置	
3	インターネット通信	インターネットツウシン	群馬県前橋市大手町X-XX-X		3	
4	ＮＳＳデータ	エヌエスエスデータ	茨城県古河市諸川XXX-X			
5	倉田鋼材	クラタコウザイ	埼玉県さいたま市浦和区東仲町X-X			
6	ＪＦＳ	ジェーエフエス	神奈川県横浜市中区石川町X-XX			
7	富士機械販売	フジキカイハンバイ	群馬県富岡市富岡市一ノ宮XXX-XX			
8	プレイス工業	プレイスコウギョウ	千葉県市川市八幡X-XX-XX			
9	美空書店	ミソラショテン	神奈川県川崎市宮本町X-X			
10	横浜南電気	ヨコハマミナミデンキ	神奈川県横浜市保土ケ谷区宮田町X-XXX			
11						
12						
13						

コピー

=FIND("県",C3,1)

「県」を検索　所在地　先頭文字から検索

▲「県」の位置が返される。

活用 所在地から県名だけを取り出す

LEFT関数とFIND関数を組み合わせると県名だけを取り出すことができます。

E3　=LEFT(C3,(FIND("県",C3)))

	A	B	C	D	E	F	G	H
1	■営業部取引先リスト		関東地区（東京以外）					
2	会社名	フリガナ	所在地		県名			
3	インターネット通信	インターネットツウシン	群馬県前橋市大手町X-XX-X		群馬県			
4	ＮＳＳデータ	エヌエスエスデータ	茨城県古河市諸川XXX-X		茨城県			
5	倉田鋼材	クラタコウザイ	埼玉県さいたま市浦和区東仲町X-X		埼玉県			
6	ＪＦＳ	ジェーエフエス	神奈川県横浜市中区石川町X-XX		神奈川県			
7	富士機械販売	フジキカイハンバイ	群馬県富岡市富岡市一ノ宮XXX-XX		群馬県			
8	プレイス工業	プレイスコウギョウ	千葉県市川市八幡X-XX-XX		千葉県			
9	美空書店	ミソラショテン	神奈川県川崎市宮本町X-X		神奈川県			
10	横浜南電気	ヨコハマミナミデンキ	神奈川県横浜市保土ケ谷区宮田町X-XXX		神奈川県			
11								

=LEFT(C3,FIND("県",C3,1))

所在地の「県」のある位置を調べる

参照

LEFT関数

この章の4

▲FIND関数で求めた開始位置までの文字をLEFT関数で取り出す。この例では所在地は県だけだが、都道府県名を取り出す場合については、IF関数とMID関数、LEFT関数を使う（178ページ参照）。

8 指定された位置の文字を別の文字に置き換えるには

365 2019 2016 2013

REPLACE関数を使うと、特定の位置の文字を別の文字に置き換えることができます。たとえば、区切り文字を別の文字に置き換えたり、文字を削除したりすることができます。

	A	B	C	D	E	F	G	H
1			会員情報					
2								
3	会員番号	氏名	銀行コード	支店コード	口座番号（7桁）		口座番号（伏字）	
4	P0001	江川 さなえ	B0001	012	1240679		1240***	
5	P0002	井上 真由	B0005	008	2416935		2416***	
6	P0003	瀬戸内 実	P0001	006	3028944		3028***	
7	P0004	神崎 奈緒子	B0003	002	5169430		5169***	
8	P0005	小野 美穂	B0004	009	8479154		8479***	
9	P0006	内海 健太郎	P0001	003	6572643		6572***	
10	P0007	木梨 光雄	B0002	007	2924567		2924***	
11	P0008	佐藤 祐樹	P0001	010	4068544		4068***	
12								

口座番号の5文字目から3文字を「*」に置き換える

●REPLACE関数

［リプレイス］【文字列操作】

文字列の中の指定した位置にある文字を、指定した文字数分、別の文字に置き換える。

書式 **REPLACE(文字列,開始位置,文字数, 置換文字列)**

引数 **文字列**：置換対象の文字列または文字列を含むセル参照を指定する。
開始位置：置換対象の文字列内の何文字目から置き換えるのかを数値で指定する。先頭文字から置き換える場合は「1」を指定する。省略はできない。
文字数：置き換える文字列の文字数を指定する。
置換文字列：置き換える文字列を指定する。

使用例**=REPLACE(E3,5,3,"＊＊＊")**
セルE3の文字列の5文字目から3文字を「＊」に置き換える。

ヒント

バイト数で指定して文字を置換するには

指定されたバイト数の文字を、別の文字に置き換えるには、REPLACEB関数を使用します。REPLACEB関数では、全角の文字を2、半角の文字を1と数えます。

書式：REPLACEB（文字列,開始位置,バイト数, 置換文字列）
使用例：=REPLACEB(A4,2,1,"-")
セルA4の文字列の2番目にある1バイト分の文字を、「-」に置き換える。

口座番号の5文字目から3文字を「＊」に置き換える

この例では、口座番号の5文字目から3文字を「＊」に置き換えて、口座番号（伏字）に表示します。

G4　=REPLACE(E4,5,3,"***")

	A	B	C	D	E	F	G	H
1	会員情報							
3	会員番号	氏名	銀行コード	支店コード	口座番号（7桁）		口座番号（伏字）	
4	P0001	江川 さなえ	B0001	012	1240679		1240***	
5	P0002	井上 真由	B0005	008	2416935			
6	P0003	瀬戸内 実	P0001	006	3028944			
7	P0004	神崎 奈緒子	B0003	002	5169430			
8	P0005	小野 美穂	B0004	009	8479154			
9	P0006	内海 健太郎	P0001	003	6572643			
10	P0007	木梨 光雄	B0002	007	2924567			
11	P0008	佐藤 祐樹	P0001	010	4068544			
12								

コピー

▲口座番号の5文字目から3文字が「＊」に置換されて表示される。

=REPLACE(E3,5,3,"＊＊＊")

口座番号　5文字目から　3文字　「＊」に置換

活用 郵便番号にハイフンを追加する

「-」（ハイフン）のない郵便番号に、「-」を追加するなど、REPLACE 関数を使用して文字を追加することができます。置き換えでなく追加する場合は、引数「文字数」に0を指定します。

C2　=REPLACE(A2,4,0,"-")

	A	B	C	D
1	郵便番号		郵便番号（正）	
2	1350014		135-0014	
3	2610001	➡	261-0001	
4	2110053		211-0053	
5	3330825		333-0825	
6				

▲郵便番号の4文字目に「-」が追加される。

=REPLACE(A2,4,0,"-")

郵便番号　4文字目から　置き換えはしない　「-」を追加

活用 郵便番号からハイフンを削除する

郵便番号の「-」（ハイフン）を削除するなど、REPLACE関数を使用して、指定された位置から、指定された文字数を削除することも可能です。引数の文字数を削除分の文字数にし、置換文字として「""」（ダブルクォーテーション2つ）を入力します。

C2 =REPLACE(A2,4,1,"")

	A	B	C	D
1	郵便番号		郵便番号（正）	
2	135-0014		1350014	
3	261-0001		2610001	
4	211-0053		2110053	
5	333-0825		3330825	
6				

=REPLACE(A2,4,1,"")

郵便番号　4文字目から　1文字　削除

▲郵便番号の4文字目の「-」が削除される。

活用 住所から県名や区名を削除する

REPLACE関数とFIND関数を組み合わせると、住所から県名や区名を削除してそれ以降を表示するなど、検索した文字までを削除することができます。

=REPLACE(A2,1,FIND("県",A2,1),"")

住所の「県」のある位置を先頭から検索

I8

	A	B	C	D
1	住所		「○○県」を削除した住所	
2	群馬県前橋市大手町X-XX-X		前橋市大手町X-XX-X	
3	茨城県古河市諸川XXX-X		古河市諸川XXX-X	
4	埼玉県さいたま浦和区東仲町X-X		さいたま浦和区東仲町X-X	
5	神奈川県横浜市中区石川町X-XX		横浜市中区石川町X-XX	
6				
7	住所		「東京都○○区」を削除した住所	
8	東京都品川区旗の台X-XX-XX		旗の台X-XX-XX	
9	東京都千代田区神田神保町2-XX		神田神保町2-XX	
10	東京都大田区池上X-X		池上X-X	
11	東京都世田谷区玉川台X-XX		玉川台X-XX	
12				

参照

FIND関数

この章の7

=REPLACE(A8,1,FIND("区",A8,1),"")

住所の「区」のある位置を先頭から検索

▲FIND関数で住所の「県」のある位置や「区」のある位置を先頭から検索して、REPLACE関数の引数「文字数」として指定して、置換文字列として「""」を指定することで、先頭からそこまでの文字を削除する。

第7章

関数を組み合わせて使う

この章では、関数を組み合わせて使う方法を説明します。単一の関数でもそれ自体、計算や処理を簡単に実行するためのものですが、複数の関数を組み合わせるとより複雑で高度な処理が可能になります。また、データの入力規則や条件付き書式といったExcelの機能に関数を組み込むことによって、入力値の制限や計算結果に応じた書式設定ができるようになります。

1 関数をネストするには

関数を組み合わせることを「ネスト」といいます。関数をネストすることで処理を分岐してエラー表示を回避したり、1つの関数では実行できない複雑な計算ができるようになります。関数をネストするには、すでに入力されている関数式に他の関数を追加で入力する方法と、ダイアログを使って引数に関数を指定する方法があります。

数式バーで関数を追加する

関数を入力した後でエラーが表示された場合などは、数式バーを使ってエラーを回避するIF関数やIFERROR関数などを追加で入力します。

❶ 関数を追加したいセルをクリックする。
❷ 数式バーの「=」の右側をクリックする。
❸ 数式バーにカーソルが表示されるので、追加する関数名の最初の数文字を入力する。
❹ 数式オートコンプリート機能により、手順❸で入力した文字で始まる関数の一覧が表示されるので、目的の関数名をダブルクリックする。
❺ 関数名に続いて「(」が表示される。
❻ 数式バーの下に表示されるヒントを参照して、引数を設定する。
❼ 数式の最後にカーソルを移動し、「)」を入力してEnterキーを押す。
❽ セルに計算結果が表示される。

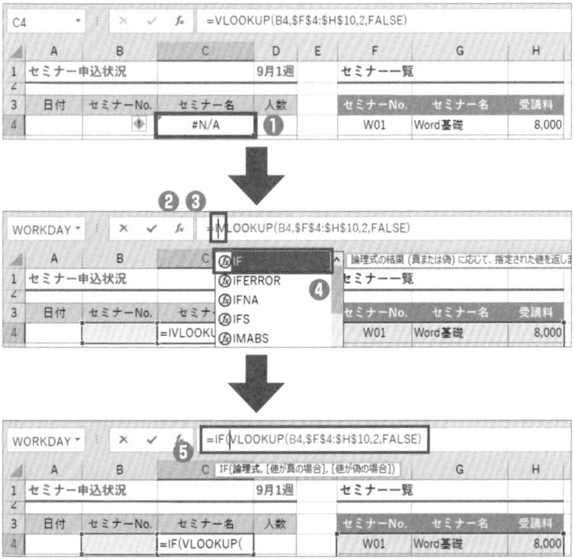

参照

IF関数
第3章の1
IFERROR関数
第3章の7
VOOLKUP関数
第4章の1

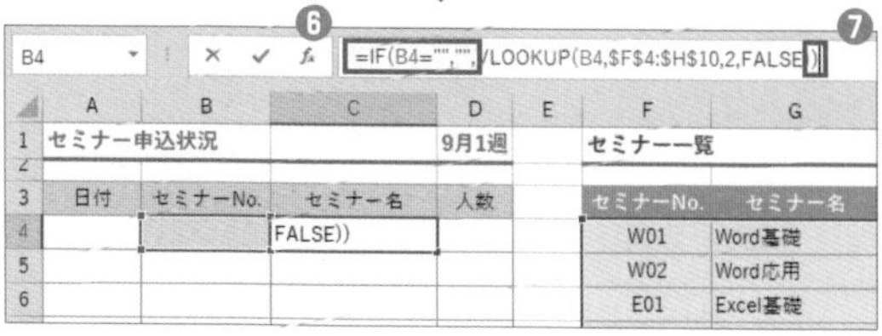

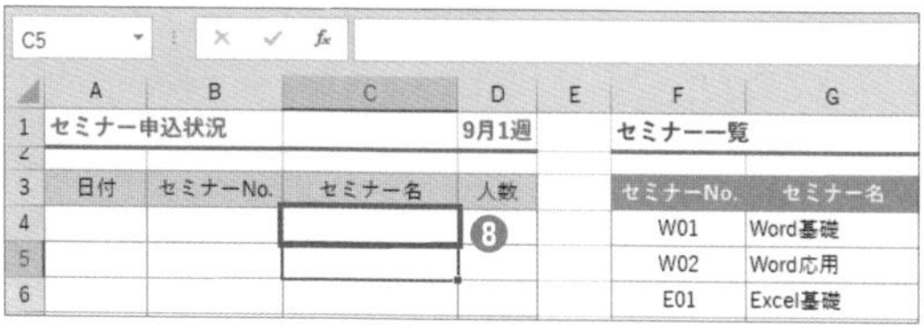

ヒント

かっこの数には注意が必要

関数をネストして入力すると、各関数のかっこが色別に表示されます。正しい組み合わせになっているか確認しながら入力しましょう。

ダイアログで引数に関数を指定する

関数の引数に他の関数を指定する場合などは、［関数の引数］ダイアログを使うと、引数の種類や結果などを確認しながら設定でき、入力ミスも防げるので便利です。

❶ 結果を表示するセルをクリックする。

❷ 最終結果を計算する関数を［数式］タブの関数の分類ボタンから選択するか、「=」に続いて関数名と「(」を入力し、数式バーの *fx*［関数の挿入］ボタンをクリックして［関数の引数］ダイアログを表示する（ここでは、［数学/三角］の［ROUNDDOWN］を選択）。

❸ 他の関数を引数として使用する引数（ここでは［数値］）のボックスにカーソルがあることを確認する。

❹ 数式バーの左側の名前ボックスの▼をクリックし、関数を選択する（ここでは［AVERAGE］）。なお、一覧に目的の関数がない場合は、［その他の関数］を選択し、表示される［関数の挿入］ダイアログで選択する。

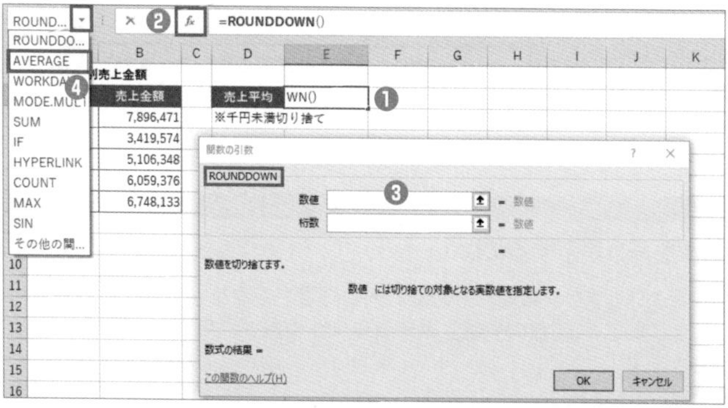

参照

ROUNDDOWN関数
第2章の11
AVERAGE関数
第2章の3

❺［関数の引数］ダイアログが選択した関数に変わる（ここでは［AVERAGE］）。

❻ 引数を設定する。

❼ 数式バーの元の関数名をクリックする。

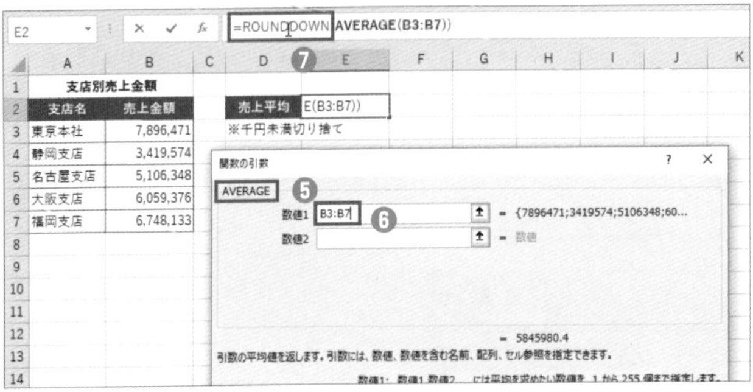

ヒント

引数となる関数では［OK］はクリックしない

引数となる関数の［関数の引数］ダイアログの［OK］をクリックすると式が途中で終わるのでエラーメッセージが表示されます。元の関数のダイアログに戻るときは数式バーの数式内の元の関数名をクリックします。

❽［関数の引数］ダイアログが元の関数に戻る（ここでは［ROUNDDOWN］）。

❾ 引数に関数式が設定される。

❿ 必要な引数をすべて設定する。

⓫［OK］をクリックする。

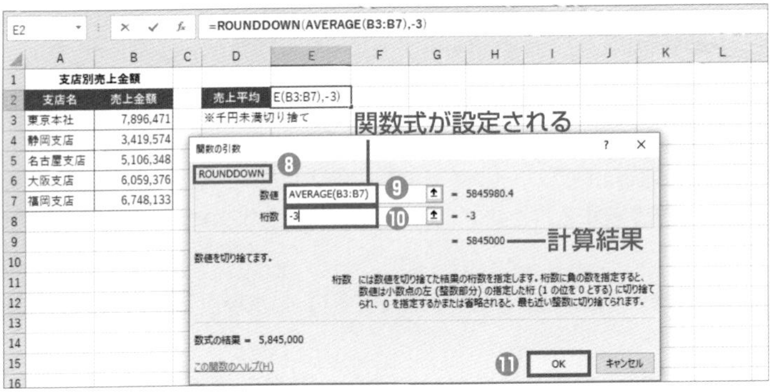

⓬ セルに計算結果が表示される。

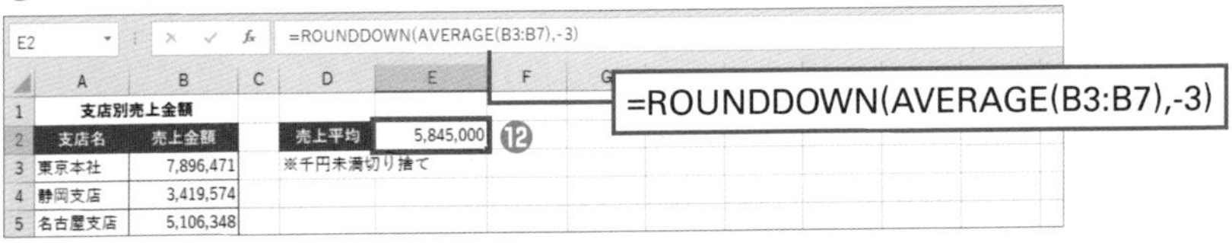

ヒント

［関数の引数］ダイアログを再び表示するには

数式の入力されているセルをクリックし、数式バーの数式内の関数名をクリックして、［関数の挿入］ボタンをクリックします。［関数の引数］ダイアログが引数が設定された状態で表示され、修正することができます。

2 0やエラーを表示しないようにするには

VLOOKUP関数は、見積書や請求書などで商品番号を入力するだけで別の表から該当するデータを参照する関数です。存在しない商品IDを入力すると、商品一覧に該当する商品IDが見つからないので、「#N/A」というエラーが表示されます。商品IDが未入力の場合も商品IDが存在しないと判断され、同様のエラーが表示されてしまいます。エラーがそのまま表示されるのを防ぐためには、VLOOKUP関数にIF関数を組み合わせることで、エラーの場合の表示を指定します。

	A	B	C	D	E	F	G	H	I	J
1	御見積書									
2					6月10日					
3	商品ID	商品名	単価	数量	金額		商品ID	商品名	単価	
4	C01	キャットフード	2,870	2	5,740		C01	キャットフード	2,870	
5	C02	猫缶	350	10	3,500		C02	猫缶	350	
6	D02	ペットシート	1,120	1	1,120		C03	猫砂 紙タイプ	980	
7							D01	ドッグフード	2,530	
8							D02	ペットシート	1,120	
9							B01	鳥の餌	1,880	
10				合計	¥10,360					
11										

商品IDが入力されている場合は商品名と単価を表示し、商品IDが未入力の場合は何も表示しない

■ 商品IDが未入力の場合にエラー表示を防ぐ

IF関数を使用して、商品IDが未入力の場合は商品名や単価は何も表示せず、商品IDが入力されている場合のみVLOOKUP関数を実行するようにします。

参照

VLOOKUP関数

第4章の1

IF関数

第3章の1

商品IDを基に商品名を表示する

この例では、商品IDを基に商品名を商品一覧の表から検索して表示します。

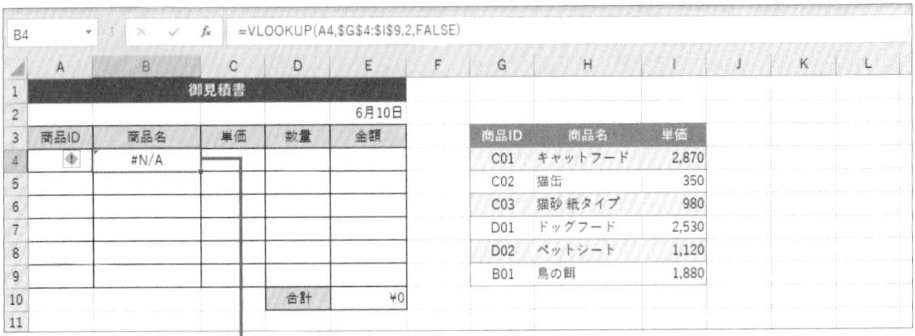

=VLOOKUP(A4,$G$4:$I$9,2,FALSE)

- A4：検索する商品ID
- $G$4:$I$9：商品一覧の範囲
- 2：商品名の入力されている列数
- FALSE：完全に一致するデータを取得

▲セルA4に商品IDが入力されていないため、エラー値「#N/A」が返される。商品IDを入力すれば該当する商品名が表示される。なお、後で数式をコピーする前提のため、商品一覧の範囲は絶対参照で指定する。

商品IDが未入力時のエラーを回避して商品名を表示する

商品IDが未入力の場合は何も表示せず、商品IDが入力された場合だけ商品名を表示するVLOOKUP関数が実行されるように数式を修正します。

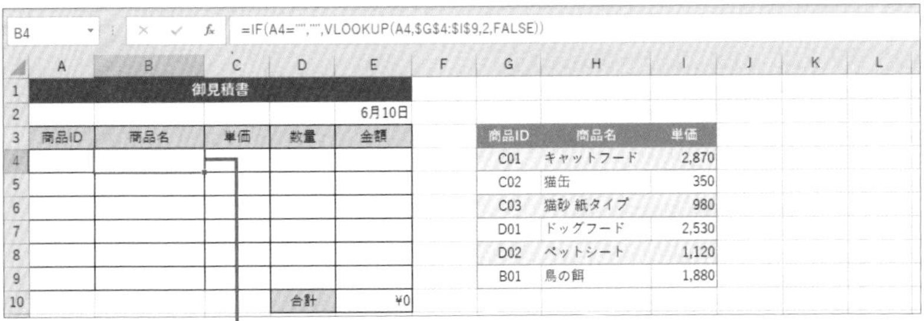

=IF(A4="","",VLOOKUP(A4,$G$4:$I$9,2,FALSE))

- A4=""：商品IDが空白
- ""：真の場合 何も表示しない
- VLOOKUP(A4,$G$4:$I$9,2,FALSE)：偽の場合、商品一覧から商品IDに対応する商品名を表示

▲商品IDが入力されていない場合に何も表示しないようにすることで、VLOOKUP関数が出すエラーを隠すことができる。

ヒント

IFERROR関数

IFERROR関数を使用してもエラーの表示を防ぐことができます。

例）=IFERROR(VLOOKUP(A4,$G$4:$I$9,2,FALSE),"")

ただし、IFERROR関数を使用すると、存在しない商品IDを入力してもエラーが表示されません。IF関数を使用した場合は、商品IDが未入力なら何も表示されず、存在しない商品IDが入力された場合はエラーが表示されます。

参照
IFERROR関数
第3章の7

商品IDが未入力時のエラーを回避して単価を表示する

商品名と同様に、商品単価も商品IDを基に商品一覧の表から検索して表示します。

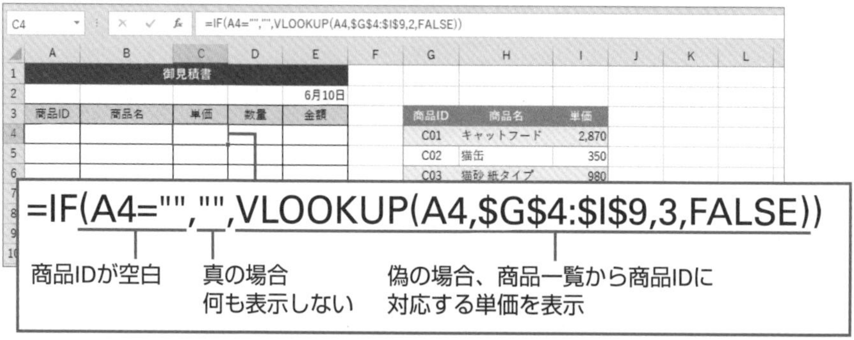

▲商品IDが入力されていなくてもエラーにならない。

単価が未入力時のエラーを回避して金額を求める

金額は単価と数量を掛けて求めますが、単価が空白文字「""」やエラーのときは計算結果がエラーになってしまうため、単価に値が入力されている場合のみ計算をするようにします。

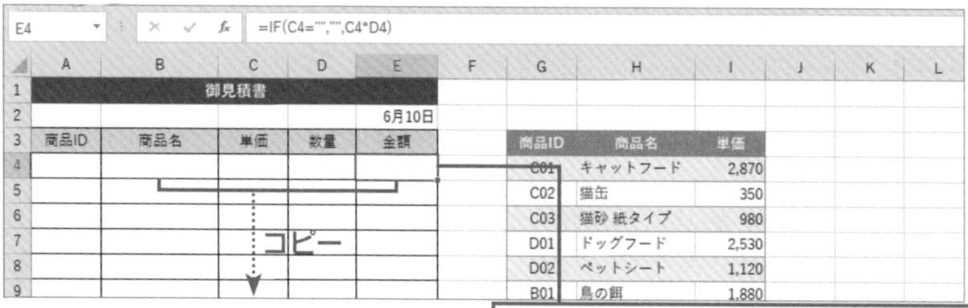

▲数量のセルに何も入力されていなければ商品名、単価、数量、金額のセルを範囲選択し、数式を一度にコピーする。なお、商品IDと数量を入力すると、商品名、単価、金額が表示される。セルE10にはあらかじめSUM関数が入力されているため合計が計算される。

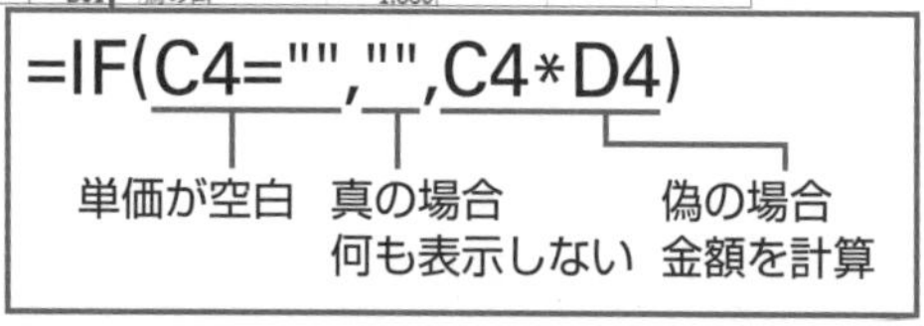

活用 もっと簡単に商品IDが未入力時のエラーを回避する

Microsoft 365で追加されたXLOOKUP関数では、検索値が見つからない場合に表示する値を指定できます。そのため、商品IDが未入力の場合は何も表示しないという処理をするために、IF関数やIFERROR関数を使ってネストする必要がありません。

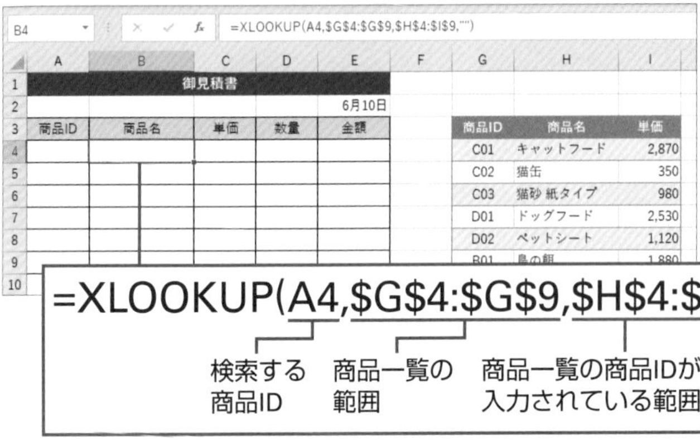

参照
XLOOKUP関数
第4章の3

▲引数「見つからない場合」に空白文字「""」（半角ダブルクォーテーション2つ）を指定すると、商品IDが未入力でも何も表示されず、エラーが回避できる。引数「一致モード」は完全一致のため、省略している。

また、引数「戻り範囲」に、商品一覧の商品名と単価の範囲を設定しておくと、商品IDをもとに、スピル機能により（97ページ参照）、商品名と単価が一度に表示されます。数式をコピーするときは、商品名のセルの数式をコピーするだけで、商品IDが入力されたときに自動的に単価も表示されるようになります。

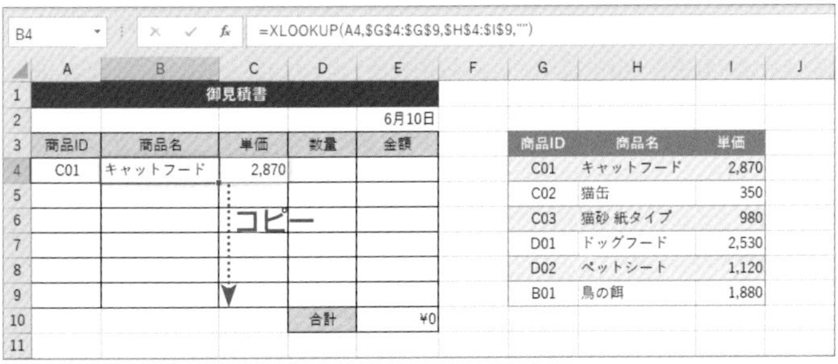

▲商品IDを入力すると、商品名と単価が一度に表示される。数式をコピーするときは、商品名の数式だけコピーすれば、単価も自動的に表示される。

なお、単価のセルはスピル機能によって表示されていて実体がないため空のセルとして扱われます。そのため、商品IDが未入力でも金額のセルはエラーにならず、「0」が表示されます。「0」を表示しないようにするには、前ページと同様に金額のセルE4に「=IF(C4="" ,"" ,C4*D4)」と入力して、コピーします。

活用 データの入力規則でリストから入力できるようにする

商品IDをドロップダウンリストから選択できるようにしておくと、入力の手間が省け、入力ミスを防ぐことができます。セルにドロップダウンリストを設定するには、データの入力規則を設定します。

❶ リストを作成する範囲（セルA4～A9）を選択する。
❷［データ］タブの［データの入力規則］ボタンをクリックする。

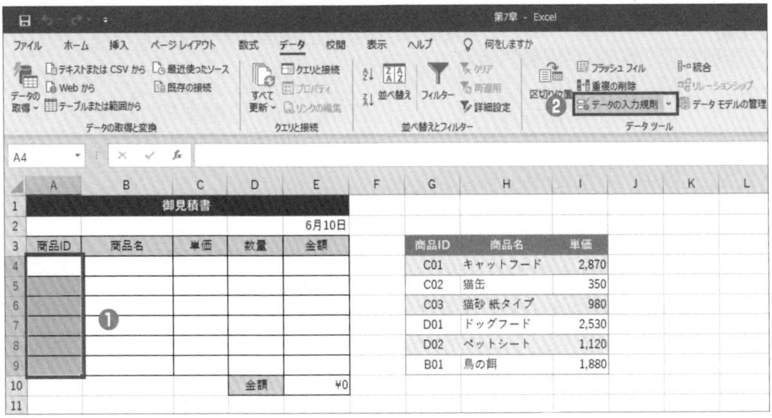

❸［データの入力規則］ダイアログの［設定］タブの［条件の設定］の［入力値の種類］ボックスの▼をクリックし、一覧から［リスト］を選択する。
❹［元の値］ボックスをクリックし、リストとして表示するセル範囲（G4～G9）を選択する。
❺［元の値］ボックスに「$G$4: $G$9」と表示される。セル範囲は自動的に絶対参照になる。
❻［OK］をクリックする。

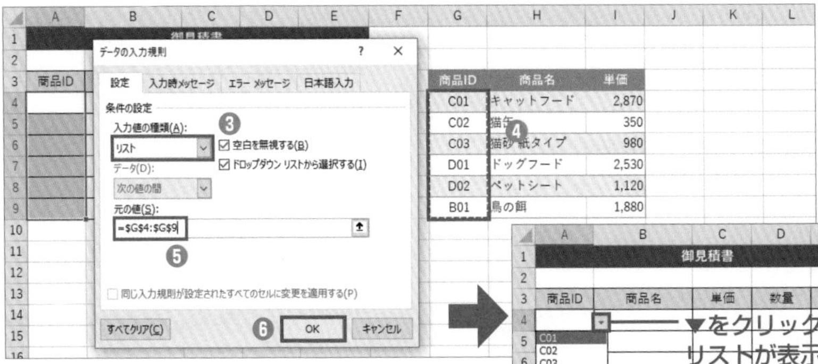

▲この例では、リストの項目をセル範囲で指定したが、リストの項目を直接入力して指定することもできる。［データの入力規則］ダイアログの［元の値］ボックスに「C01,C02,…」と項目名を「,」（半角コンマ）で区切って入力する。

3 現在の日付より後の日付を入力できないようにするには

データの入力規則の入力値の制限に関数を指定することができます。入力データを制限すれば、IF関数を組み合わせた複雑な数式を作成する必要がなくなります。

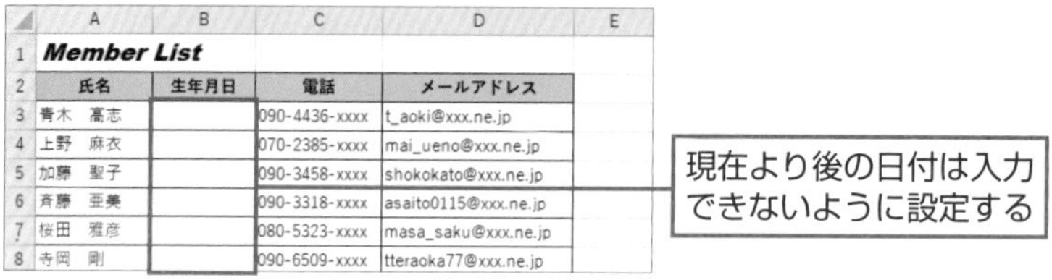

■ 現在より後の日付の入力を制限する

データの入力規則にTODAY関数を指定すると、入力当日よりも後の日付を入力したときにエラーメッセージが表示され、入力できないようになります。

参照

TODAY関数

第5章の7

データの入力規則で入力日より後の入力を制限する

この例では、生年月日のセルに入力日より新しい日付を入力できないようにします。

❶ 生年月日が入力されるセル範囲（セルB3~B10）を選択する。

❷ ［データ］タブの［データの入力規則］ボタンをクリックする。

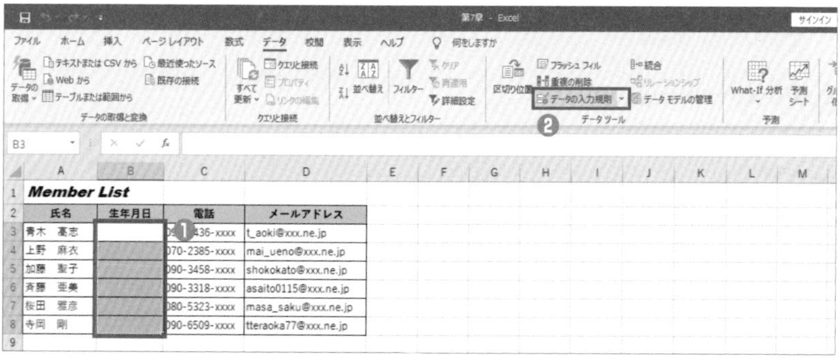

ヒント

入力済みのデータの扱い

データが入力されているセルにもデータの入力規則を適用できますが、データの入力規則に反するデータが入力されていても、エラーメッセージは表示されません。データの入力規則はデータを入力する前に設定するようにしましょう。

❸［データの入力規則］ダイアログの［設定］タブの［条件の設定］の［入力値の種類］ボックスの▼をクリックし、一覧から［日付］を選択する。

ヒント

データの入力規則の解除

データの入力規則を解除する場合は、❶～❸の手順で［データの入力規則］ダイアログを表示し、［すべてクリア］をクリックします。

❹［データ］ボックスの▼をクリックし、一覧から［次の値以下］を選択する。

❺［終了日］ボックスに「=TODAY()」と入力する。
❻［OK］をクリックする。

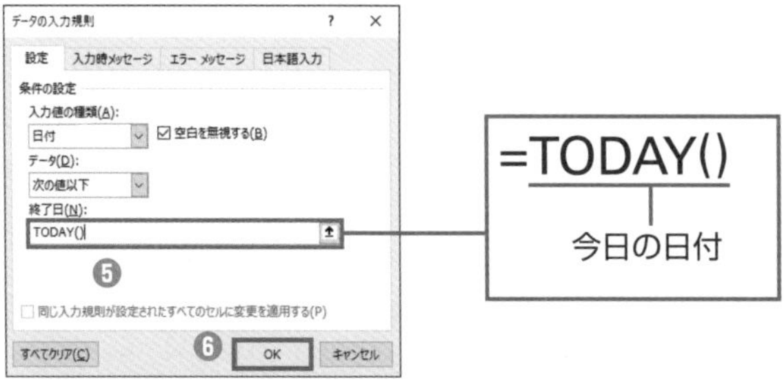

▲データの入力規則は入力するデータを制限したり、エラーメッセージの表示内容を設定するときに使用する。条件の設定でTODAY関数を入力すると「今日まで」という指定が可能になる。

ヒント

データの入力規則に反するときのエラーメッセージ

データの入力規則が設定されたセルに、翌日以降の日付を入力すると、「この値は、このセルに定義されているデータ入力規則の制限を満たしていません。」というエラーメッセージが表示されます。このメッセージの内容は［データの入力規則］ダイアログの［エラーメッセージ］タブで変更できます。

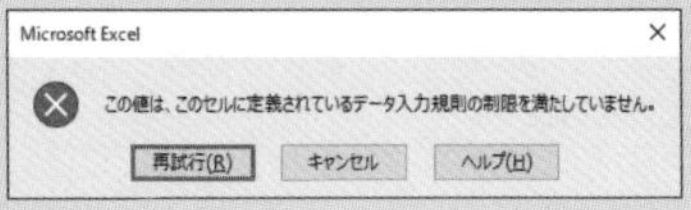

4 住所から都道府県名を取り出すには

住所を都道府県名とそれ以外に分割して管理したい場合があります。文字列操作関数を組み合わせて使用すると、文字列の必要な部分だけを取り出すことができます。

	A	B	C	D	E	F
1	■取引先リスト					
2	会社名	フリガナ	所在地	都道府県	市区町村	
3	アクア生命	ｱｸｱｾｲﾒｲ	東京都品川区大崎2-X 大崎タワー7F	東京都	品川区大崎2-X 大崎タワー7F	
4	小笹木材	ｵｻﾞｻﾓｸｻﾞｲ	京都府京都市中央区梅山町XXX	京都府	京都市中央区梅山町XXX	
5	倉田鋼材	ｸﾗﾀｺｳｻﾞｲ	埼玉県さいたま浦和区東仲町X-X	埼玉県	さいたま浦和区東仲町X-X	
6	札幌通信	ｻｯﾎﾟﾛﾂｳｼﾝ	北海道札幌市北区新川XXX-X	北海道	札幌市北区新川XXX-X	
7	沢瀬製作所	ｻﾜｾｾｲｻｸｼﾞｮ	神奈川県横浜市鶴見区富岡町X-XX	神奈川県	横浜市鶴見区富岡町X-XX	
8	ブレイス工業	ﾌﾞﾚｲｽｺｳｷﾞｮｳ	千葉県市川市八幡X-XX-XX	千葉県	市川市八幡X-XX-XX	
9	丸尾商事	ﾏﾙｵｼｮｳｼﾞ	東京都江東区亀戸X-XX-XX	東京都	江東区亀戸X-XX-XX	
10	美空書店	ﾐｿﾗｼｮﾃﾝ	神奈川県川崎市宮本町X-X	神奈川県	川崎市宮本町X-X	
11						

住所から都道府県名を取り出す　　住所から都道府県名以降を取り出す

■ 住所から都道府県名を取り出す

都道府名はすべて3文字ですが、県名には3文字のものと4文字のものが存在します。そこで、IF関数とMID関数を組み合わせて、4文字目が「県」である場合は先頭から4文字取り出し、それ以外は3文字取り出すと、住所から都道府県名を取得することができます。

■ 住所から都道府県名以降を取り出す

都道府県名以降の住所を取り出すには、LEN関数とRIGHT関数を組み合わせて使用します。全体の文字数から都道府県名の文字数を引いた文字数分を住所の右端から取り出します。

参照

IF関数
第3章の1
MID関数
第6章の4
LEFT関数
第6章の4
RIGHT関数
第6章の4
LEN関数
第6章の3

ヒント

複数の関数をネストする数式の入力

複数の関数をネストする関数は数式が複雑になり、キーボードから直接入力すると、「( )」(かっこ) や「,」(コンマ) の位置や数の入力ミスが多くなります。[関数の引数] ダイアログ (8ページ参照) を使用して入力したほうが入力ミスも少なく、各関数の計算結果を確認しながら入力できるので便利です。

住所の先頭から都道府県名を取り出す

この例では、住所から都道府県名だけを取り出します。

D3　=IF(MID(C3,4,1)="県",LEFT(C3,4),LEFT(C3,3))

	A	B	C	D	E	F
1	■取引先リスト					
2	会社名	フリガナ	所在地	都道府県	市区町村	
3	アクア生命	ｱｸｱｾｲﾒｲ	東京都品川区大崎2-X 大崎タワー7F	東京都		
4	小笹木材	ｵｻﾞｻﾓｸｻﾞｲ	京都府京都市中央区梅山町XXX			
5	倉田鋼材	ｸﾗﾀｺｳｻﾞｲ	埼玉県さいたま浦和区東仲町X-X			
6	札幌通信	ｻｯﾎﾟﾛﾂｳｼﾝ	北海道札幌市北区新川XXX-X			
7	沢瀬製作所	ｻﾜｾｾｲｻｸｼﾞｮ	神奈川県横浜市鶴見区富岡町X-XX			
8	プレイス工業	ﾌﾟﾚｲｽｺｳｷﾞｮｳ	千葉県市川市八幡X-XX-XX			
9	丸尾商事	ﾏﾙｵｼｮｳｼﾞ	東京都江東区亀戸X-XX-XX			
10	美空書店	ﾐｿﾗｼｮﾃﾝ	神奈川県川崎市宮本町X-X			
11						

◀都道府県名は3文字のものと4文字のものがある。IF関数とMID関数を使って住所の「県」の位置が4文字目かどうかを確認する。「真」なら4文字、「偽」なら3文字なので、その文字数分をLEFT関数を使って表示する。

=IF(MID(C3,4,1)="県",LEFT(C3,4),LEFT(C3,3))

- MID(C3,4,1)="県"：4文字目が「県」であるかを判定
- LEFT(C3,4)：真の場合、左から4文字を取り出す
- LEFT(C3,3)：偽の場合、左から3文字を取り出す

住所の右端から都道府県名以降の文字列を取り出す

この例では、住所から都道府県名以降の文字を取り出します。

E3　=RIGHT(C3,LEN(C3)-LEN(D3))

	A	B	C	D	E	F
1	■取引先リスト					
2	会社名	フリガナ	所在地	都道府県	市区町村	
3	アクア生命	ｱｸｱｾｲﾒｲ	東京都品川区大崎2-X 大崎タワー7F	東京都	品川区大崎2-X 大崎タワー7F	
4	小笹木材	ｵｻﾞｻﾓｸｻﾞｲ	京都府京都市中央区梅山町XXX			
5	倉田鋼材	ｸﾗﾀｺｳｻﾞｲ	埼玉県さいたま浦和区東仲町X-X			
6	札幌通信	ｻｯﾎﾟﾛﾂｳｼﾝ	北海道札幌市北区新川XXX-X			
7	沢瀬製作所	ｻﾜｾｾｲｻｸｼﾞｮ	神奈川県横浜市鶴見区富岡町X-XX			
8	プレイス工業	ﾌﾟﾚｲｽｺｳｷﾞｮｳ	千葉県市川市八幡X-XX-XX			
9	丸尾商事	ﾏﾙｵｼｮｳｼﾞ	東京都江東区亀戸X-XX-XX			
10	美空書店	ﾐｿﾗｼｮﾃﾝ	神奈川県川崎市宮本町X-X			
11						

コピー

◀都道府県名を除いた住所を取り出すには、RIGHT関数を使って住所の右端からの文字数を指定する。この文字数は、LEN関数を使って、住所の文字数から都道府県名の文字数を引けば求められる。

=RIGHT(C3,LEN(C3)-LEN(D3))

- C3：住所
- LEN(C3)-LEN(D3)：住所の文字数から都道府県名の文字数を引いた文字数

ヒント

不要になった住所を削除する場合の注意

住所を分割後に、元となる住所のセルを削除したい場合があります。元となる住所のセルは関数で使用しているので、そのまま削除するとエラーが発生します。関数が入力されているセルをコピーして、同じセルに値として貼り付けてから削除するようにしましょう（147ページの「活用」参照）。

5 指定したセルを検索値として別の表から値を取得するには

INDEX関数は、表の中から指定した行の位置と列の位置が交差するセルの値を取得できます。MATCH関数は、検索したい値が指定したセル範囲内の何番目にあるかを求めます。INDEX関数とMATCH関数を組み合わせると、特定のセルの値を検索値として、別の表から必要なデータを取得することができます。

	A	B	C	D	E	F	G	H
1	営業成績一覧							
2	No.	氏名	支店名	売上金額		最大売上金額	氏名	
3	1	岡部 康彦	東京	1,137,000		2,874,000	大谷 幸一	
4	2	磯田 和美	埼玉	528,000				
5	3	小山内 伸	千葉	2,548,000		最小売上金額	氏名	
6	4	高橋 瑛太	神奈川	963,000		417,000	関 慶介	
7	5	大谷 幸一	埼玉	2,874,000				
8	6	斉藤 和也	東京	1,870,000				
9	7	近岡 瑞穂	埼玉	1,342,000				
10	8	石川 久美	神奈川	985,000				
11	9	関 慶介	東京	417,000				
12	10	大島 旺次郎	東京	2,215,000				
13								

最大売上金額の氏名を表示する

■ 最大売上金額をもとに氏名を表示する

MATCH関数で最大売上金額が表の何行目にあるかを調べます。INDEX関数を使用して、氏名が入力されているセル範囲の中から、MATCH関数で調べた行を指定することで、最大売上金額の氏名を表示します。

参照

INDEX関数

第4章の4

MATCH関数

第4章の6

売上金額を検索して最大売上金額の氏名を表示する

この例では、最大売上金額をもとに氏名を表示します。

G3　=INDEX(B3:B12,MATCH(F3,D3:D12,0))

	A	B	C	D	E	F	G	H
1		営業成績一覧						
2	No.	氏名	支店名	売上金額		最大売上金額	氏名	
3	1	岡部 康彦	東京	1,137,000		2,874,000	大谷 幸一	
4	2	磯田 和美	埼玉	528,000				
5	3	小山内 伸	千葉	2,548,000		最小売上金額	氏名	
6	4	高橋 瑛太	神奈川	963,000		417,000		
7	5	大谷 幸一	埼玉	2,874,000				
8	6	斉藤 和也	東京	1,870,000				
9	7	近岡 瑞穂	埼玉	1,342,000				
10	8	石川 久美	神奈川	985,000				
11	9	関 慶介	東京	417,000				
12	10	大島 旺次郎	東京	2,215,000				
13								

=INDEX(B3:B12,MATCH(F3,D3:D12,0))

B3:B12：氏名の範囲

MATCH(F3,D3:D12,0)：売上金額の範囲の中で、セルF3の最大売上金額の値と一致する行

▲最大売上金額のセルには、あらかじめMAX関数で売上の最大値が求められている。この値をMATCH関数で売上金額の範囲から検索し、何番目の行かを求める。INDEX関数で同じ行にある氏名を取り出して表示する。なお、数式をセルG6にコピーして最小売上金額の氏名を表示する場合は、氏名の範囲と売上金額の範囲を絶対参照で指定する。

活用　もっと簡単に最大売上金額の氏名を表示する

Microsoft 365で追加されたXLOOKUP関数を使うと、営業成績一覧の売上金額から、最大売上金額の値を検索し、該当する行の氏名を取得することができます。

G3　=XLOOKUP(F3,D3:D12,B3:B12)

	A	B	C	D	E	F	G	H
1		営業成績一覧						
2	No.	氏名	支店名	売上金額		最大売上金額	氏名	
3	1	岡部 康彦	東京	1,137,000		2,874,000	大谷 幸一	
4	2	磯田 和美	埼玉	528,000				
5	3	小山内 伸	千葉	2,548,000		最小売上金額	氏名	
6	4	高橋 瑛太	神奈川	963,000		417,000		
7	5	大谷 幸一	埼玉	2,874,000				
8	6	斉藤 和也	東京	1,870,000				
9	7	近岡 瑞穂	埼玉	1,342,000				
10	8	石川 久美	神奈川	985,000				
11	9	関 慶介	東京	417,000				
12	10	大島 旺次郎	東京	2,215,000				
13								

参照
XLOOKUP関数
第4章の3

=XLOOKUP(F3,D3:D12,B3:B12)

F3：検索する売上金額

D3:D12：営業成績一覧の売上金額の範囲

B3:B12：営業成績一覧の氏名の範囲

▲最大売上金額に対応する氏名が表示される。

6 指定した行と列が交差するセルの値を調べるには

INDEX関数の行と列の指定の両方にMATCH関数を使用すると、指定した表の行見出しと列見出しの交差したセルに入力されている値を取得することができます。

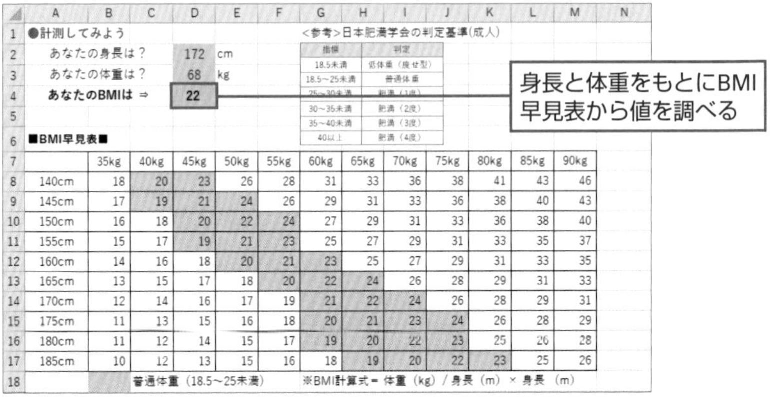

●計測してみよう

あなたの身長は？	172	cm
あなたの体重は？	68	kg
あなたのBMIは ⇒	22	

<参考>日本肥満学会の判定基準(成人)

指標	判定
18.5未満	低体重（痩せ型）
18.5～25未満	普通体重
25～30未満	肥満（1度）
30～35未満	肥満（2度）
35～40未満	肥満（3度）
40以上	肥満（4度）

■BMI早見表■

	35kg	40kg	45kg	50kg	55kg	60kg	65kg	70kg	75kg	80kg	85kg	90kg
140cm	18	20	23	26	28	31	33	36	38	41	43	46
145cm	17	19	21	24	26	29	31	33	36	38	40	43
150cm	16	18	20	22	24	27	29	31	33	36	38	40
155cm	15	17	19	21	23	25	27	29	31	33	35	37
160cm	14	16	18	20	21	23	25	27	29	31	33	35
165cm	13	15	17	18	20	22	24	26	28	29	31	33
170cm	12	14	16	17	19	21	22	24	26	28	29	31
175cm	11	13	15	16	18	20	21	23	24	26	28	29
180cm	11	12	14	15	17	19	20	22	23	25	26	28
185cm	10	12	13	15	16	18	19	20	22	23	25	26

普通体重（18.5～25未満）　※BMI計算式＝体重（kg）/身長（m）×身長（m）

身長と体重からBMIを求める

指定した身長が入力されている行、指定した体重が入力されている列をMATCH関数で特定することができます。INDEX関数の行番号と列番号の指定にそれぞれMATCH関数を入力し、身長と体重が交差したセルの値を求めます。

参照

INDEX関数
第4章の4

MATCH関数
第4章の6

身長と体重からBMIを調べる

この例では、入力した身長と体重を基にBMI早見表から相当するBMI値を調べます。BMI早見表の身長と体重のセルには、ユーザー定義の表示形式（43ページの「ヒント」参照）が設定されていて、「cm」と「kg」が表示されています。

D4　=INDEX(B8:M17,MATCH(D2,A8:A17),MATCH(D3,B7:M7))

	A	B	C	D	E	F	G	H	I	J	K	L	M	N
1	●計測してみよう						<参考>日本肥満学会の判定基準(成人)							
2	あなたの身長は？			172	cm									
3	あなたの体重は？			68	kg									
4	あなたのBMIは ⇒			22										
5														
6	■BMI早見表■													
7		35kg	40kg	45kg	50kg	55kg	60kg	65kg	70kg	75kg	80kg	85kg	90kg	
8	140cm	18	20	23	26	28	31	33	36	38	41	43	46	
9	145cm	17	19	21	24	26	29	31	33	36	38	40	43	
10	150cm	16	18	20	22	24	27	29	31	33	36	38	40	
11	155cm	15	17	19	21	23	25	27	29	31	33	35	37	
12	160cm	14	16	18	20	21	23	25	27	29	31	33	35	
13	165cm	13	15	17	18	20	22	24	26	28	29	31	33	
14	170cm	12	14	16	17	19	21	22	24	26	28	29	31	
15	175cm	11	13	15	16	18	20	21	23	24	26	28	29	
16	180cm	11	12	14	15	17	19	20	22	23	25	26	28	
17	185cm	10	12	13	15	16	18	19	20	22	23	25	26	
18			普通体重（18.5～25未満）				※BMI計算式＝ 体重（kg）／身長（m）× 身長（m）							

指標	判定
18.5未満	低体重（痩せ型）
18.5～25未満	普通体重
25～30未満	肥満（1度）
30～35未満	肥満（2度）
35～40未満	肥満（3度）
40以上	肥満（4度）

=INDEX(B8:M17,MATCH(D2,A8:A17),MATCH(D3,B7:M7))

- B8:M17 … BMI早見表の範囲
- MATCH(D2,A8:A17) … BMI早見表の1列目のセル範囲からセルD2の身長に該当する行
- MATCH(D3,B7:M7) … BMI早見表の1行目のセル範囲からセルD3の体重に該当する列

▲この例ではMATCH関数の引数「照合の種類」は省略されているので既定値の「1」となり、一致するものがない場合は検査値以下の最大の値を検索することになる。身長は「172」cm、体重は「68」kgなので、BMI表の1列目と1行目に一致するものがなく、「172」を超えない最大の値「170cm」、「68」を超えない最小の値「65kg」が検索される。「170cm」の行と「65kg」の列をINDEX関数で指定し、交差するセルの値を取得する。

7 名前で指定した行と列のセルの値を調べるには

セル範囲に「名前」を付けて、数式の中でセル参照の代わりにその名前を使用することができます。ここでは、INDIRECT関数を使って、名前の付いた2か所のセル範囲の交点にあるセルの値を求める方法を紹介します。

	A	B	C	D	E	F	G	H	I
1	新規入会者数（4月）								
2	店舗名	フルタイム会員	平日デイ会員	休日会員	お試し		店舗名	代官山	
3	恵比寿	22	35	15	63		会員種類	平日デイ会員	
4	新宿西口	48	72	10	107		入会者数	23	
5	新宿東口	39	87	23	115				
6	青山	19	27	20	87				
7	代官山	12	23	34	53				
8	多摩川	11	25	41	72				
9	武蔵小金井	24	28	19	97				
10	大宮	38	51	74	103				
11	浦和	32	49	38	89				
12	武蔵小杉	79	63	52	153				
13	港北	18	35	10	86				
14	戸塚	7	19	27	36				
15	横須賀	23	35	22	52				
16	津田沼	24	36	46	69				
17	野田	10	21	8	28				
18									

指定した店舗と会員種類の交点のセルの値を求める

■ 複数のセル範囲の共通セルを求める

ここでは、INDIRECT関数で取得した2つのセル範囲に共通するセルを求めます。一方は店舗ごとの入会者数を表す横一列のセル範囲、もう一方は会員種類ごとの入会者数を表す縦一列のセル範囲であり、その共通部分は必ず1つのセルになります。共通部分を求めるには、その2つのセル参照の間に半角スペースを入れます。

参照
INDIRECT関数
第4章の5

指定した店舗と会員種類の入会者数を求める

この例では、指定した店舗における、指定した会員種類の入会者数を求めます。新規入会者数の表はあらかじめ「選択範囲から作成」の機能（102ページの「ヒント」参照）を使って、セル範囲の各行に店舗名、各列に会員種類名を、それぞれ名前として設定しています。

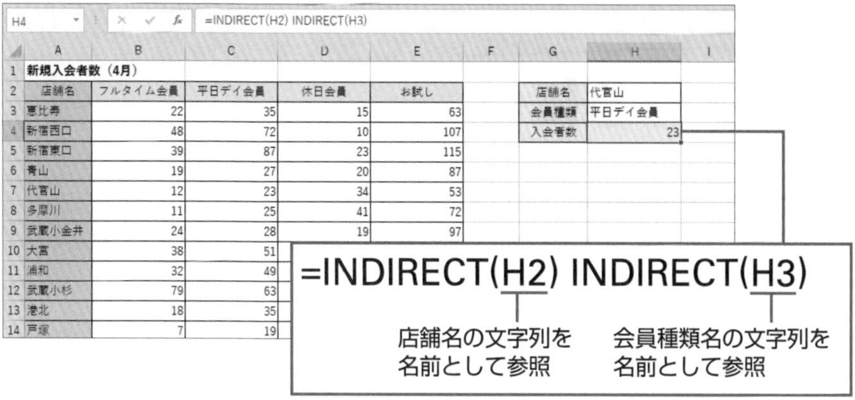

	A	B	C	D	E	F	G	H
1	新規入会者数（4月）							
2	店舗名	フルタイム会員	平日デイ会員	休日会員	お試し		店舗名	代官山
3	恵比寿	22	35	15	63		会員種類	平日デイ会員
4	新宿西口	48	72	10	107		入会者数	23
5	新宿東口	39	87	23	115			
6	青山	19	27	20	87			
7	代官山	12	23	34	53			
8	多摩川	11	25	41	72			
9	武蔵小金井	24	28	19	97			
10	大宮	38	51					
11	浦和	32	49					
12	武蔵小杉	79	63					
13	港北	18	35					
14	戸塚	7	19					

▲半角スペースは、その前後のセル参照の共通部分を返す参照演算子。ここでは指定した店舗と会員種類の入会者数を表すセル範囲の共通部分を求め、そのセルの値を返している。

活用 複数の表を切り替えて検索する

VLOOKUP関数で複数の表から検索する場合、IF関数をネストして使うこともできますが、数式が長くなります。表に名前を付けておき、INDIRECT関数を使用してこの名前の範囲を取得し、VLOOKUP関数の引数「範囲」にすると、参照する表を切り替えて検索することが可能になります。

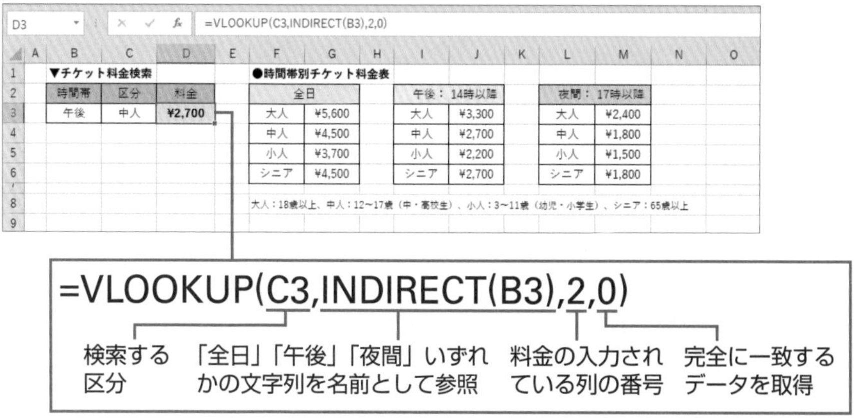

	B	C	D	E	F	G	H	I	J	K	L	M
1	▼チケット料金検索				●時間帯別チケット料金表							
2	時間帯	区分	料金		全日			午後：14時以降			夜間：17時以降	
3	午後	中人	¥2,700		大人	¥5,600		大人	¥3,300		大人	¥2,400
4					中人	¥4,500		中人	¥2,700		中人	¥1,800
5					小人	¥3,700		小人	¥2,200		小人	¥1,500
6					シニア	¥4,500		シニア	¥2,700		シニア	¥1,800
8					大人：18歳以上、中人：12～17歳（中・高校生）、小人：3～11歳（幼児・小学生）、シニア：65歳以上							

▲料金表には料金表にはそれぞれ「全日」「午後」「夜間」という名前が付けてある（102ページの「ヒント」参照）。セルB3に入力された「全日」「午後」「夜間」の文字列をINDIRECT関数で名前として解釈し、VLOOKUP関数の引数「範囲」として使用できる。なお、料金計算のセルB3とセルC3にはデータの入力規則でドロップダウンリスト（175ページの「活用」参照）が設定されていて、「全日」「午後」「夜間」と、区分をリストから選択できる。

参照
VLOOKUP関数
第4章の1

8 日付から曜日を表す文字列を求めるには

指定した日付が何曜日かを、「月」のような1文字の漢字として返す式を考えてみましょう。ここではWEEKDAY関数とMID関数を利用する方法と、日付が入力されたセルにユーザー定義の表示形式を設定する方法を紹介します。

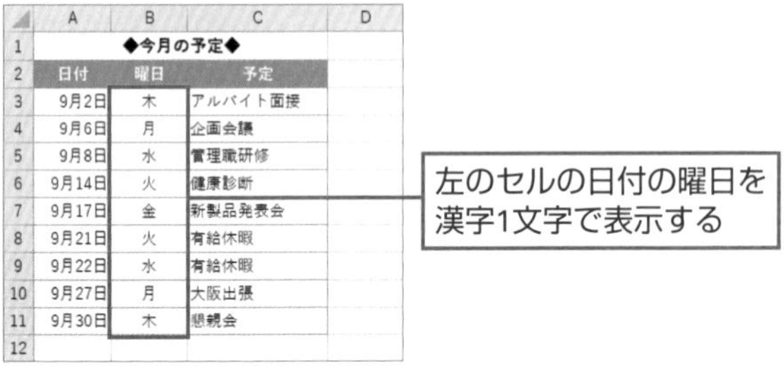

	A	B	C	D
1	◆今月の予定◆			
2	日付	曜日	予定	
3	9月2日	木	アルバイト面接	
4	9月6日	月	企画会議	
5	9月8日	水	管理職研修	
6	9月14日	火	健康診断	
7	9月17日	金	新製品発表会	
8	9月21日	火	有給休暇	
9	9月22日	水	有給休暇	
10	9月27日	月	大阪出張	
11	9月30日	木	懇親会	
12				

■ 日付から曜日の文字列を求める

まずWEEKDAY関数で、指定した日付の曜日を1（日曜日）～7（土曜日）の数値として求めます。次に「日月火水木金土」という文字列から、MID関数でその数値の位置にある文字を1文字だけ取り出します。

参照

MID関数

第6章の4

WEEKDAY関数

第5章の4

予定表の日付の横に曜日を表示する

予定表に入力された日付に応じて、その曜日を表す文字を右側に自動的に表示させます。

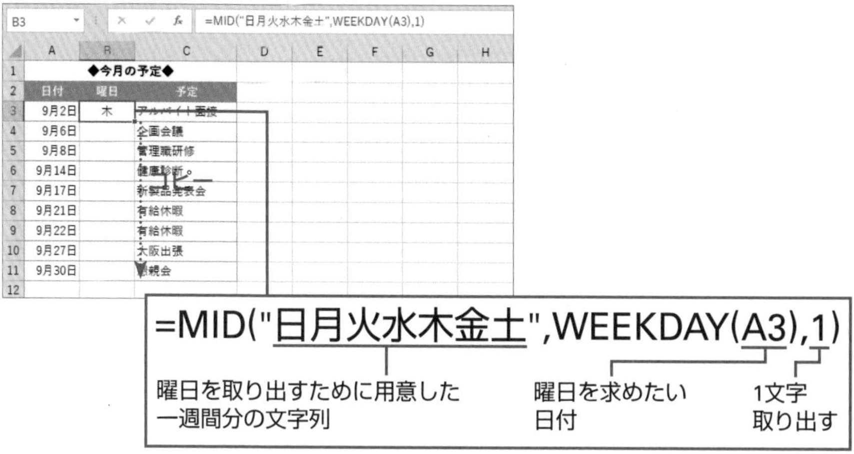

▲WEEKDAY関数の「種類」は省略されているので既定値の「1」となり、指定した日付の曜日が1（日曜）～7（土曜）の数値で返される。曜日を取り出すための文字列を同じ日～土の順で並べておくと、MID関数でその位置に当たる漢字1文字を取り出すことができる。

活用　表示形式を設定して日付から曜日を表示する

数式を使うのではなく、日付が入力されているセルの表示形式を変更して、その曜日を表す文字の漢字を表示することもできます。

❶ セルB3に「=A3」と入力して、セルA3と同じ日付を表示しておく。

❷ セルB3をクリックする。

❸［ホーム］タブの［数値］グループ右下にある［表示形式］ボタンをクリックする。

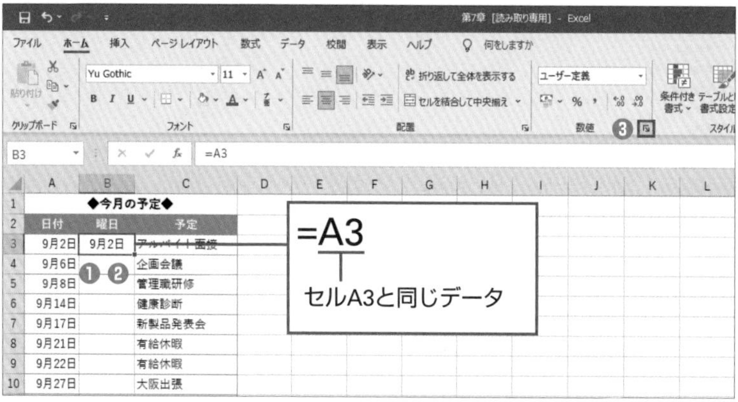

❹［セルの書式設定］ダイアログの［表示形式］タブの［分類］ボックスで［ユーザー定義］を選択する。

❺［種類］ボックスに「aaa」と入力する。

❻［サンプル］に漢字1文字の曜日が表示されたことを確認する。

❼［OK］をクリックする。

❽ セルB3に曜日が表示される
❾ 数式をコピーする。

▲セルの表示形式を変更しただけなので、セルの実際の値は日付データのまま。なお、「aaa」の代わりに「aaaa」と指定すれば「月曜日」、「ddd」と指定すれば「Mon」と表示される。

9　第○週の○曜日の日付を求めるには

ここでは、数字で指定された西暦の「年」と「月」から、その月の第○週の○曜日の日付を求める数式を紹介します。WORKDAY.INTL関数を利用すると、比較的簡単に求められます。

	A	B	C	D	E	F
1	●ドラッグストア月例イベント			2021	年	
2				10	月	
3	月例開催日	イベント名		今月の開催日		
4	第1月曜日	メイクアップ教室		10月4日(月)		
5	第2日曜日	ポイント2倍デー		10月10日(日)		
6	第3水曜日	健康相談会		10月20日(水)		
7	第4土曜日	ポイント2倍デー		10月23日(土)		
8						

月例イベントが開催される第○週の○曜日の日付を求める

■ ○番目の○曜日の日付を求める

WORKDAY.INTL関数の引数「週末」は、0（稼働日）と1（非稼働日）を使って、月曜日から日曜日までの7文字で表せます。たとえば、求めたい日付が月曜日の場合、引数「週末」に「"0111111"」という文字列を指定することで、月曜日だけを稼働日としてカウントできます。そして、引数「開始日」に指定した年・月の前月の末日の日付、引数「日数」に第○週の○に当たる数値を指定することで、第○月曜日の日付が求められます。

また、指定した年・月の前月の末日は、DATE関数にその「年」と「月」を指定し、「日」に「0」（1日の前日）を指定することで求められます。

参照

WORKDAY.INTL関数

第5章の10

DATE関数

第5章の2

月例イベントが開催される第○週の○曜日の日付を求める

毎月、第○週の○曜日と決められているイベントの日付を、指定された「年」と「月」から表示します。

=WORKDAY.INTL(DATE(D1,D2,0),1,"0111111")

- 指定した年・月の前月の末日の日付を求める
- 1日後の稼働日を求める
- 月曜日だけを稼働日に指定

m"月"d"日"(aaa)

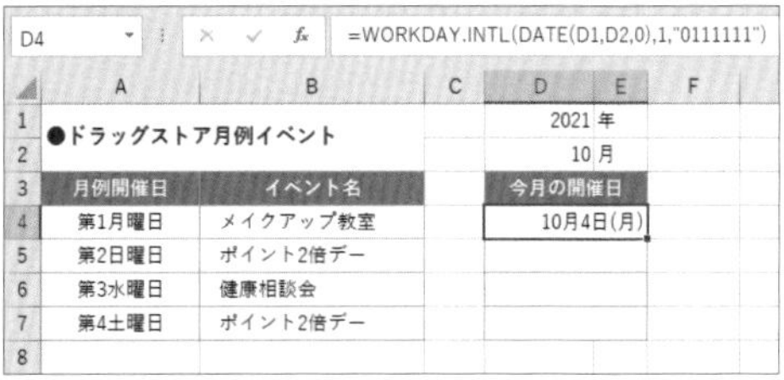

▶指定した年・月の前月の末日から、1稼働日後の日付を求める。月曜日だけを稼働日としているため、第1月曜日の日付が求められる。日付はシリアル値で表示されるので、ユーザー定義の表示形式「m"月"d"日"(aaa)」を設定する。
なお、数式をコピーして他のイベントの日付も求める場合は、「年」と「日」を絶対参照にするとよい。第2日曜日は引数「日数」を「2」、引数「週末」を「1111110」、というように引数をそれぞれ変更する。

10 カレンダーの日付を自動入力するには

カレンダーのような日付の入力はよく行われる作業です。DATE関数を使うと、年と月を入力するだけで日付を自動的に表示することができます。

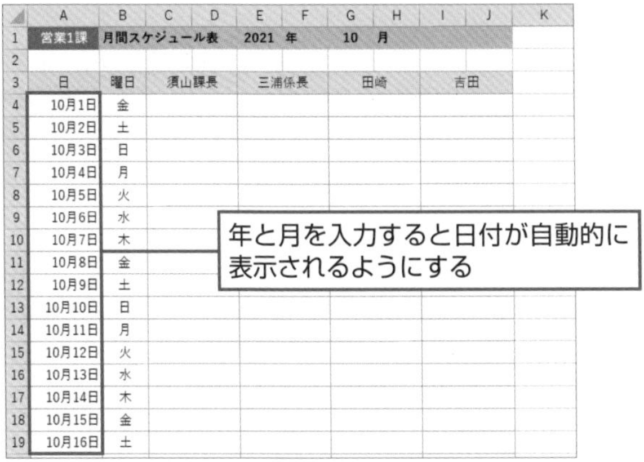

■ 年を入力して日付を自動的に表示する

DATE関数を使用して、カレンダーの年から1日の日付を表示し、それに1を加えることで次の日付を自動的に表示することができます。

参照

DATE関数

第5章の2

年と月を入力すると日付が自動的に表示されるようにする

この例では、カレンダーの年と月のセルに入力すると、それに応じてひと月分の日付が自動的に表示されるようにします。

▲1日の日付は、DATE関数で、入力された年と月のセル、1日を指定して求める。2日以降は1日のセルに1を足せば求められる。とりあえず31日までコピーして表示する。なお、日のセルには日付の表示形式「3月14日」があらかじめ設定されている。また、曜日のセルには「=A4」の数式を入力し、表示形式により曜日を表示する（187ページの「活用」参照）。

活用 条件付き書式で月によって異なる末尾に対応する

月末の日付は、31日だったり、30日だったりと月ごとに異なります。この例では、31日まで表示するように設定していますが、月ごとに異なる月末の日付に対応するため、存在しない日付は条件付き書式を使用して、塗りつぶして見えないようにします。

❶ 月によっては存在しない日付のセル範囲（A32～J34）を選択する。

❷［ホーム］タブの［条件付き書式］ボタンをクリックする。

❸［新しいルール］を選択する。

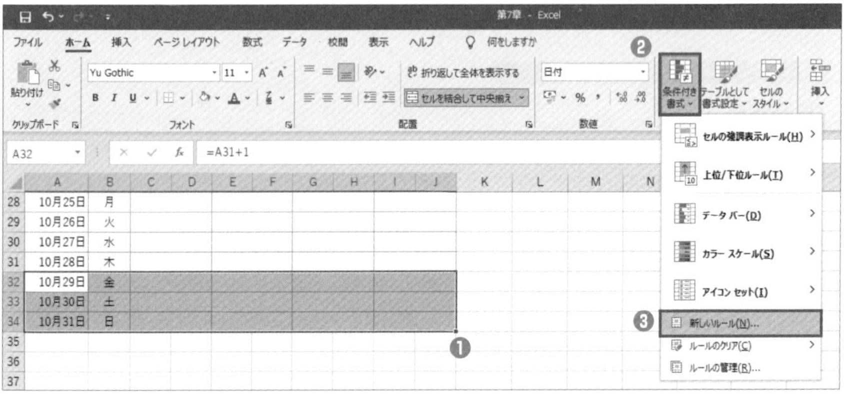

❹［新しい書式ルール］ダイアログの［ルールの種類を選択してください］ボックスの一覧から［数式を使用して、書式設定するセルを決定］をクリックする。

❺［次の数式を満たす場合に書式設定］ボックスに「=MONTH($A32)<>$G$1」と入力する。

❻［書式］をクリックする。

参照
MONTH関数
第5章の3

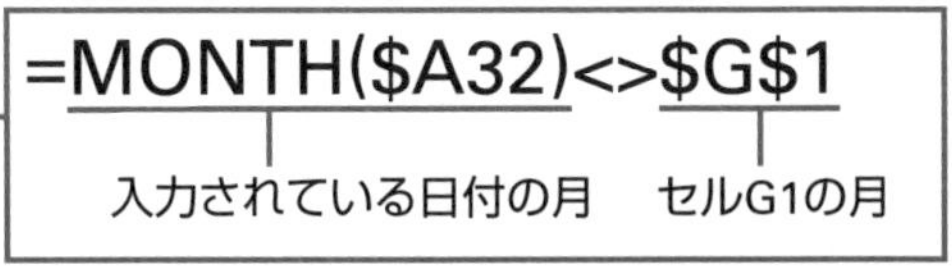

▲列のみを絶対参照にすることで日付が入力されているセル以外の列にも書式が設定される。なお、比較演算子の「<>」は等しくないことを表す（58ページ参照）。

❼［セルの書式設定］ダイアログの［フォント］タブの［色］ボックスの▼をクリックし、任意の灰色を選択する。

❽［塗りつぶしの色］タブの［背景色］の一覧から手順❼と同じ色を選択する。
❾［OK］をクリックする。

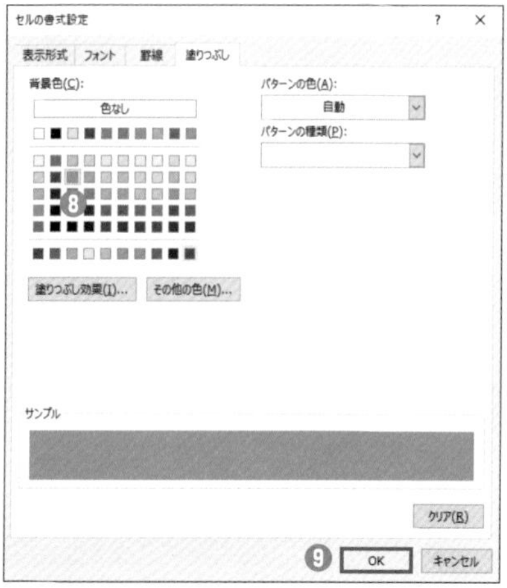

❿［新しい書式ルール］ダイアログの［プレビュー］の塗りつぶしの色が設定した色になったことを確認する。
⓫［OK］をクリックする。

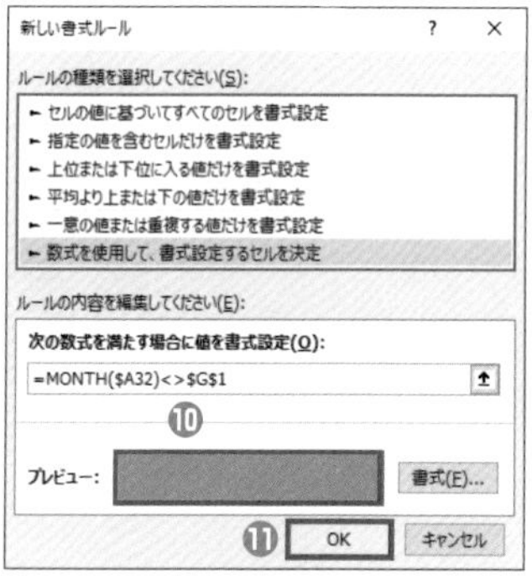

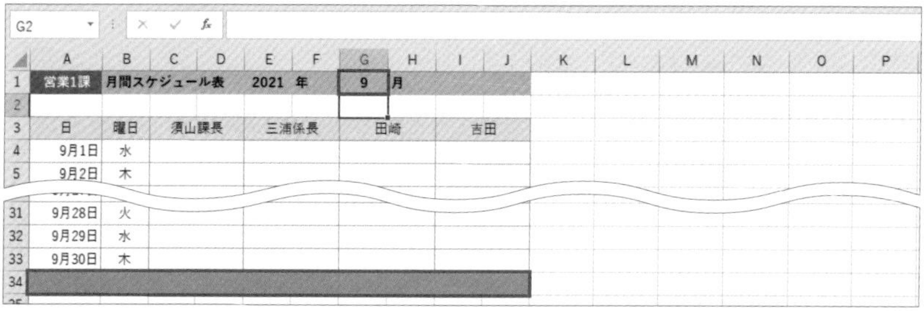

▲カレンダーの月を9月など31日がない月に変えてみると、34行目が塗りつぶされ、日付と曜日も見えなくなったことが確認できる。

11 日曜日のセルに色を付けるには

　計算の結果によってセルの書式を変更する場合には、条件付き書式機能で関数を指定します。ここでは、日曜日の行だけ色を変更する方法を紹介します。曜日はWEEKDAY関数を利用すると求められます。

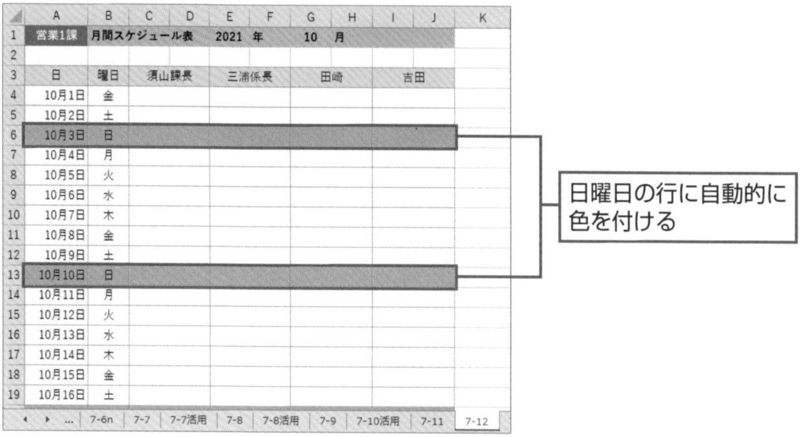

	A	B	C	D	E	F	G	H	I	J	K
1	営業1課	月間スケジュール表			2021	年	10	月			
2											
3	日	曜日	須山課長		三浦係長		田崎		吉田		
4	10月1日	金									
5	10月2日	土									
6	10月3日	日									
7	10月4日	月									
8	10月5日	火									
9	10月6日	水									
10	10月7日	木									
11	10月8日	金									
12	10月9日	土									
13	10月10日	日									
14	10月11日	月									
15	10月12日	火									
16	10月13日	水									
17	10月14日	木									
18	10月15日	金									
19	10月16日	土									

■ スケジュール表の特定の曜日に書式を設定する

　条件付き書式の条件にWEEKDAY関数を指定すると、曜日によって書式を設定することができます。

参照

WEEKDAY関数

第5章の4

条件付き書式で日曜日の行に色を付ける

この例では、スケジュール表の日曜日の行に自動的に色を付けます。

❶ 条件付き書式を設定する予定表の範囲（セルA4～J34）を選択する。

❷ ［ホーム］タブの［条件付き書式］ボタンをクリックする。

❸ ［新しいルール］を選択する。

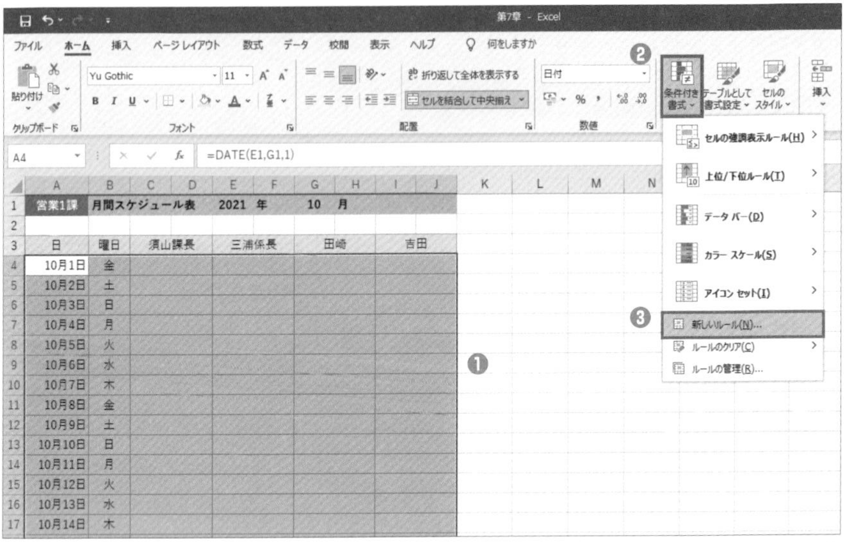

▲曜日のセルには「=A4」の数式が入力されていて、表示形式により曜日を表示している（187ページの「活用」参照）

❹ ［新しい書式ルール］ダイアログの［数式を使用して、書式設定するセルを決定］をクリックする。

❺［次の数式を満たす場合に値を書式設定］ボックスに日曜日を指定する式「=WEEKDAY($A4)=1」を入力する。
❻［書式］をクリックする。

▲列のみを絶対参照にすることで日付が入力されているセル以外の列にも書式が設定される。

❼［セルの書式設定］ダイアログの［塗りつぶし］タブで任意の色を選択する。
❽［OK］をクリックする。

❾［新しい書式ルール］ダイアログの［プレビュー］の塗りつぶしの色が設定した色になったことを確認する。
❿［OK］をクリックする。

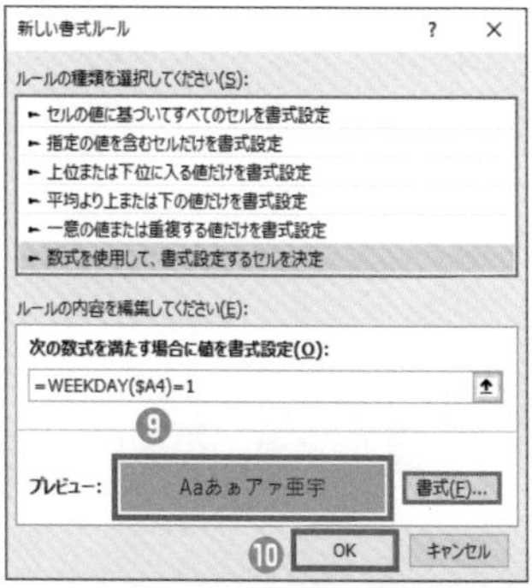

⓫ 日曜日の行に色が付く。

	A	B	C	D	E	F	G	H	I	J	K
1	営業1課	月間スケジュール表			2021	年	10	月			
2											
3	日	曜日	須山課長		三浦係長		田崎		吉田		
4	10月1日	金									
5	10月2日	土									
6	10月3日	日									⓫
7	10月4日	月									
8	10月5日	火									
9	10月6日	水									
10	10月7日	木									
11	10月8日	金									
12	10月9日	土									
13	10月10日	日									
14	10月11日	月									
15	10月12日	火									
16	10月13日	水									
17	10月14日	木									
18	10月15日	金									

▲日曜日の行に色が付く。年や月を変えると日付が変わり、曜日と行の色も対応して変わる。曜日のセルも行の色も日付を参照する関数が設定されているからだ。

ヒント

条件付き書式を変更／解除するには

設定した条件付き書式は、［条件付き書式ルールの管理］ダイアログで変更したり、解除できます。このダイアログを表示するには、条件付き書式が設定された範囲を選択し、［ホーム］タブの ［条件付き書式］ボタンをクリックし、［ルールの管理］を選択します。設定されている書式ルールが表示されるので、ここで概要を確認できます。書式を変更する場合は、ルールを選択し、［ルールの編集］をクリックします。手順❾と同じ内容の［書式ルールの編集］ダイアログが表示されるので、条件や書式を変更します。解除する場合は、ルールを選択し、［ルールの削除］をクリックし、［OK］をクリックします。

すべての条件付き書式を解除するには

シート内のすべての条件付き書式を解除するには、［ホーム］タブの ［条件付き書式］ボタンをクリックします。開いたメニューから［ルールのクリア］をポイントし、［シート全体からルールをクリア］を選択します。なお、［選択したセルからルールをクリア］を選択すると、選択したセル範囲のすべての条件付き書式を解除できます。

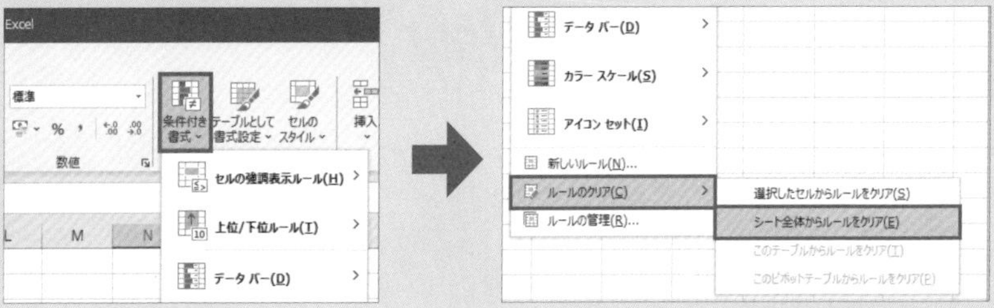

活用 土曜日と祝日の行にも色を付ける

日曜日とは別に、土曜日と祝日の行にも異なる色を付けるケースを考えてみましょう。それには条件付き書式の新規ルールとして設定を追加します。

土曜日は、WEEKDAY関数を使った条件式で、土曜日を示す番号「7」を指定します。

・土曜日の書式ルール

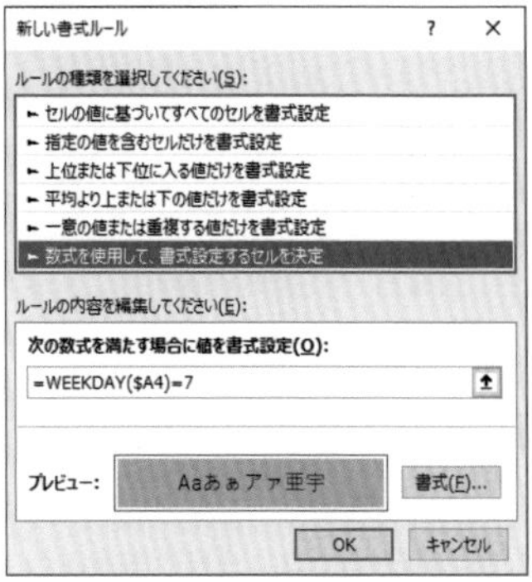

=WEEKDAY($A4)=7

（$A4：日付　7：土曜日の番号）

◀WEEKDAY関数の引数「種類」は省略されているので既定値の「1」となり、指定した日付の曜日が1（日曜）～7（土曜）の数値で返されるので、土曜日は「7」になる。列のみを絶対参照にすることで日付が入力されているセル以外の列にも書式が設定される。

祝日の行に色を付ける場合は、祝日の日付の一覧をあらかじめ入力しておきます。197ページの手順❺ でCOUNTIF関数を使い、予定表の日付が祝日の一覧に「1」個あったときに色を付けるという指定にします。

・祝日一覧表

	A	B	C
1	日付	祝日名	
2	2021/1/1	元日	
3	2021/1/11	成人の日	
4	2021/2/11	建国記念の日	
5	2021/2/23	天皇誕生日	
6	2021/3/20	春分の日	
7	2021/4/29	昭和の日	
8	2021/5/3	憲法記念日	
9	2021/5/4	みどりの日	
10	2021/5/5	こどもの日	
11	2021/7/22	海の日	
12	2021/7/23	スポーツの日	
13	2021/8/8	山の日	
14	2021/8/8	振替休日	
15	2021/9/20	敬老の日	

▲この例では祝日の日付の一覧を別シートに作り、「祝日一覧」という名前を設定してある。これをCOUNTIF関数の引数「範囲」に指定する。名前を設定していない場合は、祝日の日付の一覧の範囲を指定する。

・祝日の書式ルール

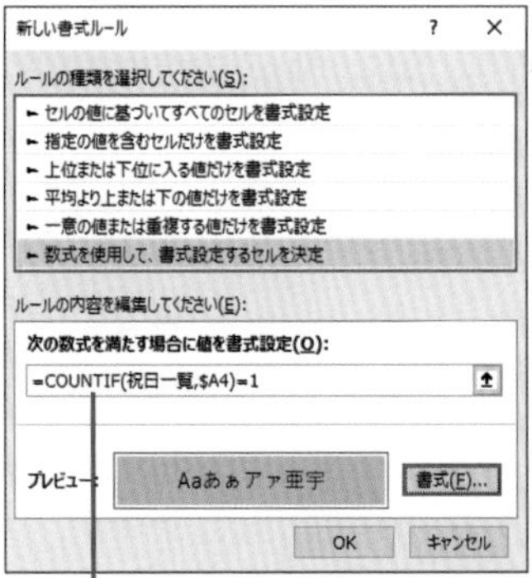

=COUNTIF(祝日一覧,$A4)=1

（祝日一覧：名前「祝日一覧」の範囲　$A4：日付）

参照
COUNTIF関数
第3章の13

	A	B	C	D	E	F	G	H	I	J	K
1	営業1課	月間スケジュール表			2021	年	11	月			
2											
3	日	曜日	須山課長		三浦係長		田崎		吉田		
4	11月1日	月									
5	11月2日	火									
6	11月3日	水									
7	11月4日	木									
8	11月5日	金									
9	11月6日	土									
10	11月7日	日									
11	11月8日	月									
12	11月9日	火									
13	11月10日	水									
14	11月11日	木									
15	11月12日	金									
16	11月13日	土									
17	11月14日	日									
18	11月15日	月									
19	11月16日	火									

◀年や月を変えると日付が変わり、土曜日、日曜日、祝日の色が変わる。

ヒント

条件付き書式の順序を変更するには

条件付き書式は、最後に設定した書式が優先されます。この例の設定順では、土日が祝日の場合は祝日の色が設定されるようになっています。祝日の土日でも土日の色を設定したい場合は、条件付き書式の優先順位を変更します。変更するには、[ホーム] タブの [条件付き書式] ボタンをクリックして [ルールの管理] を選択します。表示される [条件付き書式ルールの管理] ダイアログで、順序を変える条件付き書式を選択し、[上へ移動]、または [下へ移動] を使って土日の条件が祝日の条件の上になるように順序を変更します。

第 **8** 章

ビジネス文書で関数を活用する

この章では、実際のビジネスシーンで、関数をどのように活用すると仕事が効率的になるかを説明します。関数とともに、条件付き書式やデータの入力規則、テーブル機能を組み合わせて利用することによって、集計や文書作成の手間を大幅に省くことができます。なお、各関数についての詳細な解説は第1章～第7章を参照してください。

1 アンケート集計表で関数を活用する

下のような形式のアンケートの回答を集計する数式を紹介します。アンケートは、問1〜問5までは1〜4の番号で回答し、その選択肢の内容はすべて同じです。問6は自由回答です。まず、回答者の性別・年代別で集計し、その分布を調べます。次に、問1〜問5の各選択肢の番号を集計し、最も多かった番号を調べます。問6は自由回答を、指定した条件で集計します。さらに、問1〜問5の各回答数の集計にカラースケールの条件付き書式、回答数の合計にデータバーを設定し、回答数の分布がひと目でわかるようにします。

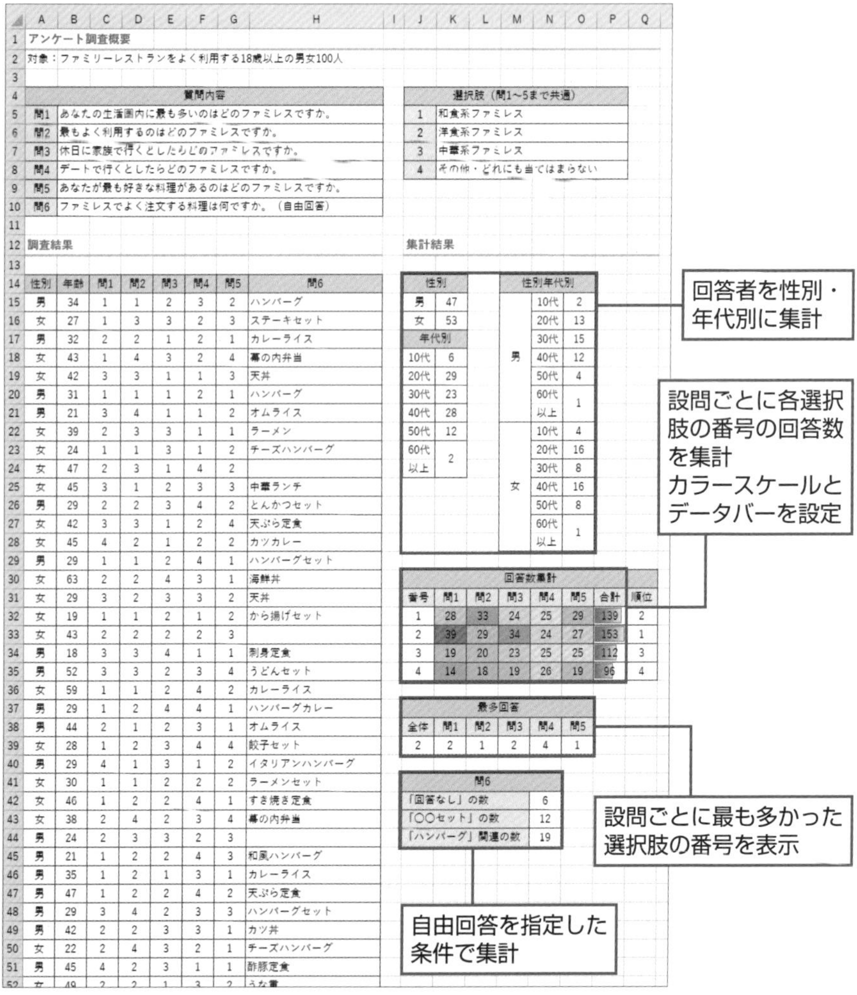

アンケート調査概要

対象：ファミリーレストランをよく利用する18歳以上の男女100人

質問内容	
問1	あなたの生活圏内に最も多いのはどのファミレスですか。
問2	最もよく利用するのはどのファミレスですか。
問3	休日に家族で行くとしたらどのファミレスですか。
問4	デートで行くとしたらどのファミレスですか。
問5	あなたが最も好きな料理があるのはどのファミレスですか。
問6	ファミレスでよく注文する料理は何ですか。（自由回答）

選択肢（問1〜5まで共通）	
1	和食系ファミレス
2	洋食系ファミレス
3	中華系ファミレス
4	その他・どれにも当てはまらない

調査結果

性別	年齢	問1	問2	問3	問4	問5	問6
男	34	1	1	2	3	2	ハンバーグ
女	27	1	3	3	2	3	ステーキセット
男	32	2	2	1	2	1	カレーライス
女	43	1	4	3	2	4	幕の内弁当
女	42	3	3	1	1	3	天丼
男	31	1	1	1	2	1	ハンバーグ
男	21	3	4	1	1	2	オムライス
女	39	2	3	3	1	1	ラーメン
女	24	1	1	3	1	2	チーズハンバーグ
女	47	2	3	1	4	2	
女	45	3	1	2	3	3	中華ランチ
男	29	2	2	3	4	2	とんかつセット
女	42	3	3	1	2	4	天ぷら定食
女	45	4	2	1	2	2	カツカレー
男	29	1	1	2	4	1	ハンバーグセット
女	63	2	2	4	3	1	海鮮丼
女	29	3	2	3	3	2	天丼
女	19	1	1	2	1	2	から揚げセット
女	43	2	2	2	2	3	
男	18	3	3	4	1	1	刺身定食
男	52	3	3	2	3	4	うどんセット
女	59	1	1	2	4	2	カレーライス
男	29	1	2	4	4	1	ハンバーグカレー
男	44	2	1	2	3	1	オムライス
女	28	1	2	3	4	4	餃子セット
男	29	4	1	3	1	2	イタリアンハンバーグ
女	30	1	1	2	2	2	ラーメンセット
女	46	1	2	2	4	1	すき焼き定食
女	38	2	4	2	3	4	幕の内弁当
男	24	2	3	3	2	3	
男	21	1	2	2	4	3	和風ハンバーグ
男	35	1	2	1	3	1	カレーライス
男	47	1	2	2	4	2	天ぷら定食
男	29	3	4	2	3	3	ハンバーグセット
男	42	2	2	3	3	1	カツ丼
女	22	2	4	3	2	1	チーズハンバーグ
男	45	4	2	3	1	1	酢豚定食
女	49	2	2	1	3	2	うな重

集計結果

性別	
男	47
女	53

年代別	
10代	6
20代	29
30代	23
40代	28
50代	12
60代以上	2

性別年代別		
男	10代	2
	20代	13
	30代	15
	40代	12
	50代	4
	60代以上	1
女	10代	4
	20代	16
	30代	8
	40代	16
	50代	8
	60代以上	1

回答数集計							
番号	問1	問2	問3	問4	問5	合計	順位
1	28	33	24	25	29	139	2
2	39	29	34	24	27	153	1
3	19	20	23	25	25	112	3
4	14	18	19	26	19	96	4

最多回答					
全体	問1	問2	問3	問4	問5
2	2	1	2	4	1

問6	
「回答なし」の数	6
「〇〇セット」の数	12
「ハンバーグ」関連の数	19

回答者を性別・年代別で集計する

　このワークシートではまず、調査結果を入力したセル範囲の各列に「名前」を付けます。この名前を使って、単純な性別と年代別、さらに性別と年代別を組み合わせた集計を行います。

❶ アンケートの調査結果が入力されたセル範囲（セルI4～H114）を範囲選択する。
❷ ［数式］タブの 選択範囲から作成 ［選択範囲から作成］ボタンをクリックする。
❸ ［選択範囲から名前を作成］ダイアログで、［上端行］のチェックだけを入れ、その他は外して、［OK］をクリックする。これで、各列の15～114行目までのセル範囲に、14行目の見出しがそれぞれ名前として設定される。

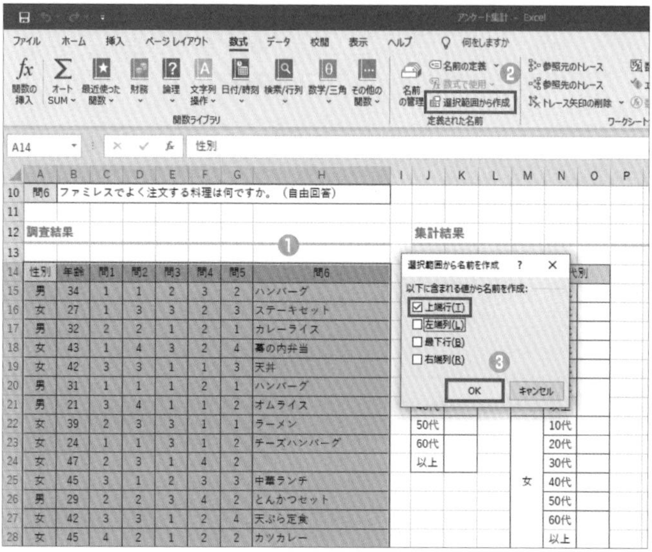

・性別の人数を集計する

▲男性の人数の数式をコピーして女性の人数を求める。COUNTIF関数の引数「範囲」は名前「性別」の範囲を指定しているので、コピーする際に参照先のずれを気にする必要はない。

ヒント

数式で名前を使用する

数式の中で名前を使用する場合は、名前を直接入力するか、[数式] タブの [数式で使用] ボタンをクリックします。登録されている名前の一覧が表示されるので、選択して数式に挿入することができます。[数式で使用] ボタンは [関数の引数] ダイアログで数式を設定する際も使用できます。

・年代別の人数を集計する

▲単独条件の集計にはCOUNTIF関数を、複数条件の集計にはCOUNTIFS関数を使う。「10代」などのセルは、ユーザー定義の表示形式を設定して「代」を付けて表示しているが、実際には数値のデータである。また、30代～50代までは20代の数式をコピーして使用できる。

・性別年代別の人数を集計する

=COUNTIFS(性別,M15,年齢,"<20")

性別が男性で年齢が20歳未満の人数を求める

O15　=COUNTIFS(性別,M15,年齢,"<20")

	A	B	C	D	E	F	G	H
10	問6	ファミレスでよく注文する料理は何ですか。（自由回答）						
11								
12	調査結果							
13								
14	性別	年齢	問1	問2	問3	問4	問5	問6
15	男	34	1	1	2	3	2	ハンバーグ
16	女	27	1	3	3	2	3	ステーキセット
17	男	32	2	2	1	2	1	カレーライス
18	女	43	1	4	3	2	4	幕の内弁当
19	女	42	3	3	1	1	3	天丼
20	男	31	1	1	1	2	1	ハンバーグ
21	男	21	3	4	1	1	2	オムライス
22	女	39	2	3	3	1	1	ラーメン
23	女	24	1	1	3	1	2	チーズハンバーグ
24	女	47	2	3	1	4	2	
25	女	45	3	1	2	3	3	中華ランチ
26	男	29	2	2	3	4	2	とんかつセット
27	女	42	3	3	1	2	4	天ぷら定食
28	女	45	4	2	1	2	2	カツカレー

集計結果

性別	
男	47
女	53
年代別	
10代	6
20代	29
30代	23
40代	28
50代	12
60代以上	2

性別年代別		
男	10代	2
	20代	13
	30代	15
	40代	12
	50代	4
	60代以上	1
女	10代	4
	20代	16
	30代	8
	40代	16
	50代	8
	60代以上	1

コピー

=COUNTIFS(性別,$M$15,年齢,">="&N16,年齢,"<"&N17)

性別が男性で年齢が20歳以上30歳未満の人数を求める

=COUNTIFS(性別,M15,年齢,">=60")

性別が男性で年齢が60歳以上の人数を求める

▲男性の性別年代別の人数が求められたら同様に女性の性別年代別の人数を求める

各問の回答数を集計する

問1～問5の結果について、1～4の回答がそれぞれいくつあったかを求めます。集計表の各列には、調査結果の各列に付けた名前と同じ「問1」などの見出しを付けています。この見出しを利用して、コピーしてすべての回答の集計に利用できるような数式を入力します。

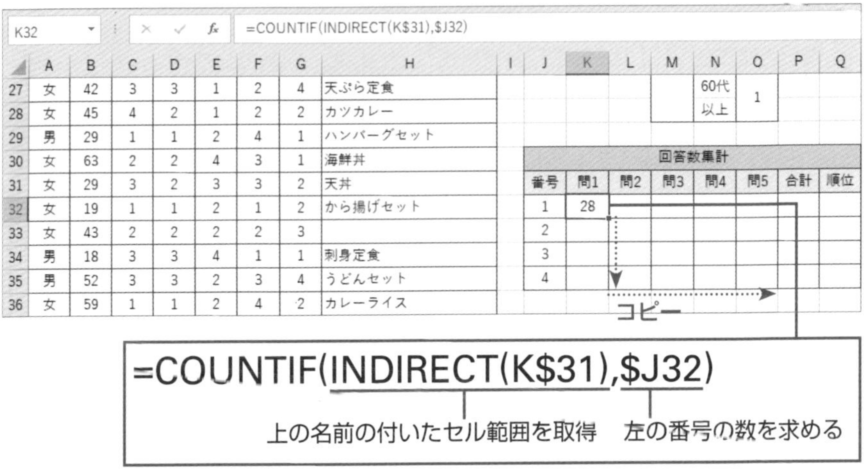

	A	B	C	D	E	F	G	H	I	J	K	L	M	N	O	P	Q
27	女	42	3	3	1	2	4	天ぷら定食						60代以上	1		
28	女	45	4	2	1	2	2	カツカレー									
29	男	29	1	1	2	4	1	ハンバーグセット									
30	女	63	2	2	4	3	1	海鮮丼		回答数集計							
31	女	29	3	2	3	3	2	天丼		番号	問1	問2	問3	問4	問5	合計	順位
32	女	19	1	1	2	1	2	から揚げセット		1	28						
33	女	43	2	2	2	2	3			2							
34	男	18	3	3	4	1	1	刺身定食		3							
35	男	52	3	3	2	3	4	うどんセット		4							
36	女	59	1	1	2	4	2	カレーライス									

▲問1の番号1の数が求められたら、数式を他の回答の数を表示するセル（K33～K35、L32～O35）にコピーする。

	A	B	C	D	E	F	G	H	I	J	K	L	M	N	O	P	Q
27	女	42	3	3	1	2	4	天ぷら定食						60代以上	1		
28	女	45	4	2	1	2	2	カツカレー									
29	男	29	1	1	2	4	1	ハンバーグセット									
30	女	63	2	2	4	3	1	海鮮丼		回答数集計							
31	女	29	3	2	3	3	2	天丼		番号	問1	問2	問3	問4	問5	合計	順位
32	女	19	1	1	2	1	2	から揚げセット		1	28	33	24	25	29	139	
33	女	43	2	2	2	2	3			2	39	29	34	24	27		
34	男	18	3	3	4	1	1	刺身定食		3	19	20	23	25	25		
35	男	52	3	3	2	3	4	うどんセット		4	14	18	19	26	19		
36	女	59	1	1	2	4	2	カレーライス									

▲問1～問5で「1」という選択肢（和食系ファミレス）の回答数の合計を求める。数式をコピーして「2」～「4」の各選択肢の回答数の合計を求める。

▲問1～問5で「1」という選択肢（和食系ファミレス）の回答数の順位を求める。数式をコピーして「2」～「4」の各選択肢の回答数の順位を求める。

各問の最多回答数を集計する

それぞれの問について、最も多かった回答の番号を求めます。

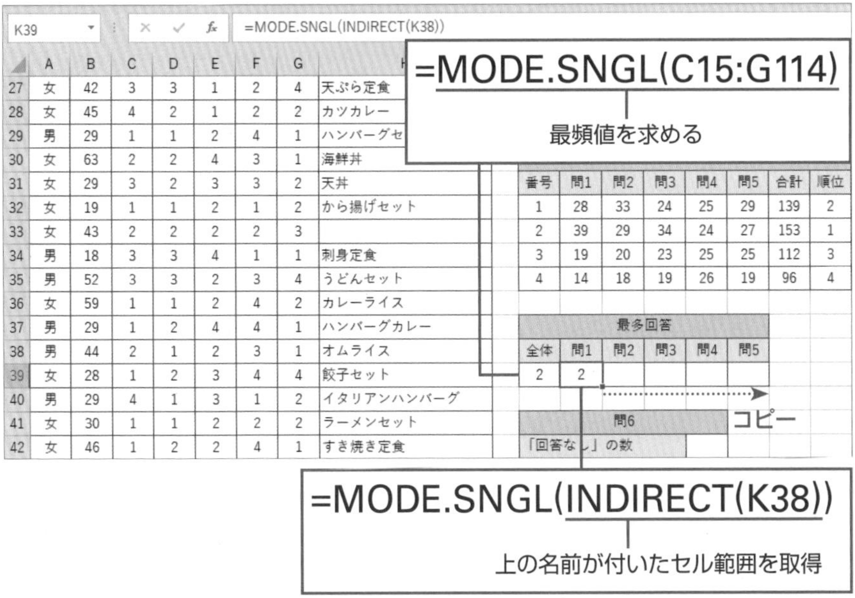

▲全体の最多回答はMODE.SNGL関数を使い、問1～問5の回答範囲（C15～G114）を対象として最頻値を求める。問別の最多回答は、INDIRECTを使用して上のセルにある問題番号の名前が付いたセル範囲を対象として求める。

条件に合う回答の数を求める

問6は、それ以前の問のように1〜4の番号ではなく、自由に回答する形式です。したがって、単純に集計することはできません。ここでは、回答なし（空白）や「○○セット」といった条件を指定して、それに該当する回答の数を求めます。

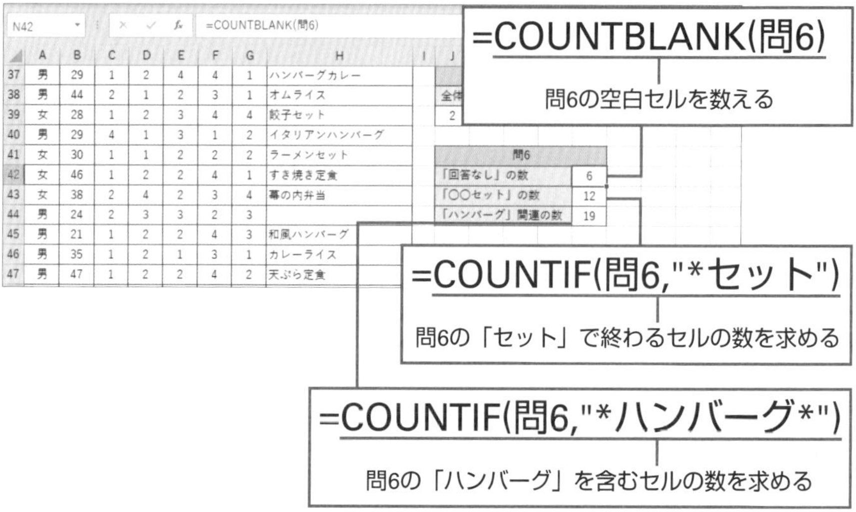

▲それぞれの関数の引数「範囲」には名前「問6」の範囲を指定する。COUNTIF関数では「*」のワイルドカード文字が使用して、文字列が「セット」で終わる、文字列に「ハンバーグ」を含むという条件を指定する。

条件付き書式で回答数の分布を表す

回答数集計に条件付き書式のカラースケールやデータバーを設定して、回答数の分布がひと目でわかるようにします。

条件付き書式は、設定したい範囲を選択し、［ホーム］タブの［条件付き書式］ボタンをクリックし、条件付き書式の種類を選択します。

・各問の回答数にカラースケールを設定

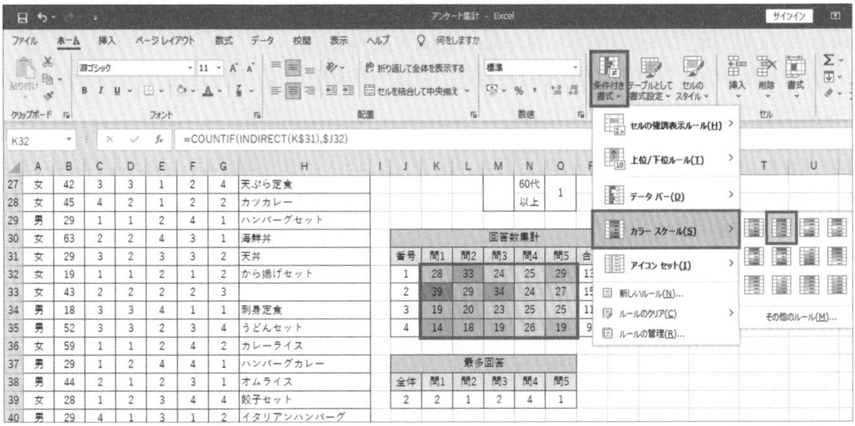

・回答数の合計にデーターバーを設定

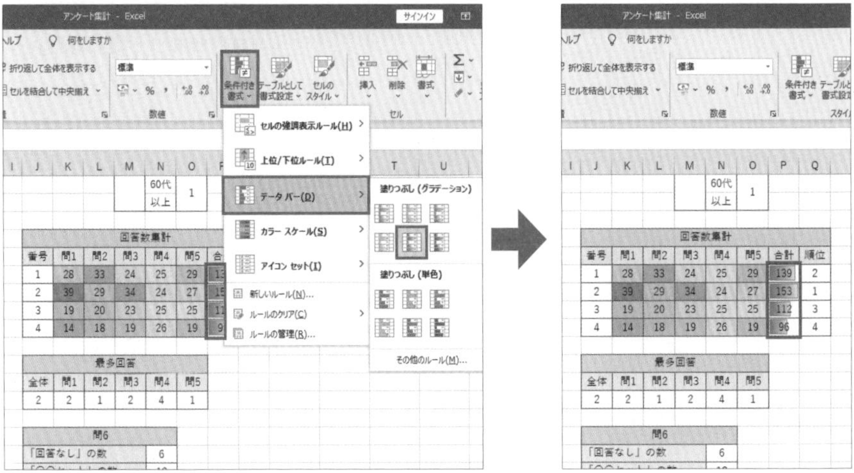

▲条件付き書式の［カラースケール］はセルの値の大小をセルの塗りつぶしの色を変えて表し、［データバー］は色付きのバーの長さで表す。

2 勤務管理表で関数を活用する

出勤時刻と退勤時刻、および勤務時間中の休憩の開始時刻と終了時刻を記録し、1ヶ月単位で勤務時間の合計と、それに時間給を掛けた給与額を求めます。なお、1日の勤務時間が8時間を超えた場合はその分を時間外とし、超過分は別途設定した時間給で計算します（休日や深夜の割増には対応していません）。

以上のような計算を行う数式に加えて、土曜・日曜と、1ヶ月の日数が31未満の場合の行の書式を、条件付き書式を利用して自動的に変化させます。

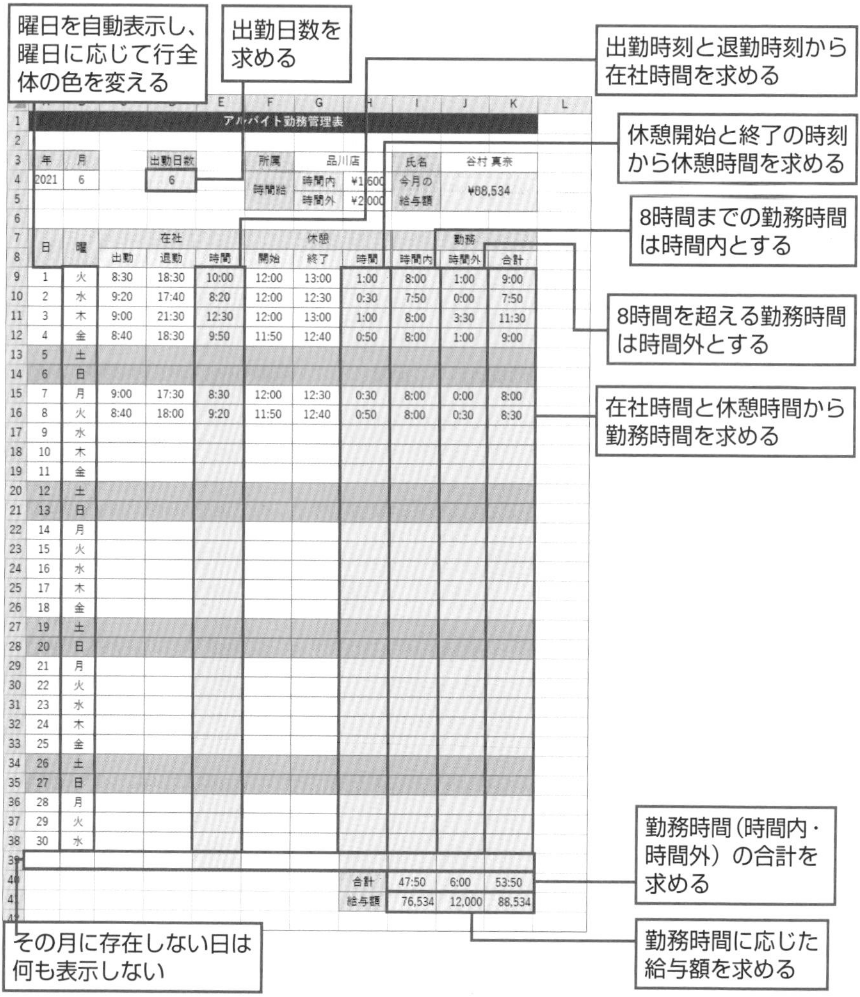

アルバイト勤務管理表

年	月	出勤日数	所属	品川店	氏名	谷村 真奈
2021	6	6	時間給 時間内	¥1,600	今月の給与額	¥88,534
			時間給 時間外	¥2,000		

日	曜	在社 出勤	在社 退勤	在社 時間	休憩 開始	休憩 終了	休憩 時間	勤務 時間内	勤務 時間外	勤務 合計
1	火	8:30	18:30	10:00	12:00	13:00	1:00	8:00	1:00	9:00
2	水	9:20	17:40	8:20	12:00	12:30	0:30	7:50	0:00	7:50
3	木	9:00	21:30	12:30	12:00	13:00	1:00	8:00	3:30	11:30
4	金	8:40	18:30	9:50	11:50	12:40	0:50	8:00	1:00	9:00
5	土									
6	日									
7	月	9:00	17:30	8:30	12:00	12:30	0:30	8:00	0:00	8:00
8	火	8:40	18:00	9:20	11:50	12:40	0:50	8:00	0:30	8:30
9	水									
10	木									
11	金									
12	土									
13	日									
14	月									
15	火									
16	水									
17	木									
18	金									
19	土									
20	日									
21	月									
22	火									
23	水									
24	木									
25	金									
26	土									
27	日									
28	月									
29	火									
30	水									
							合計	47:50	6:00	53:50
							給与額	76,534	12,000	88,534

出勤日数を求める

出勤日数を求めるには、C列の出勤時刻が入力されているセルの数を数えます。

▲時刻も数値なので、COUNT関数で出勤時刻の入力されているセルの数を数えることができる。

日付に対応した曜日を表示する

勤務管理表のA列には、あらかじめ1～31の数値を入力しています。指定した「年」と「月」に応じて、各日の曜日を自動的に表示します。この例ではB列にいったん日付を表示した後、ユーザー定義の表示形式を設定して曜日にします。

❶ 1日の曜日を表示するセル（B9）に「=DATE($A$4,$B$4,A9)」と入力する。列幅が足りないため「#####」が表示されるが、後で表示形式を変更するので、そのままでよい。

❷ 1日の曜日のセル（セルB9）が選択されている状態で、［ホーム］タブの［数値］グループ右下の ［表示形式］ボタンをクリックする。

❸［セルの書式設定］ダイアログの［表示形式］タブの［分類］ボックスで［ユーザー定義］を選択する。

❹［種類］ボックスに「aaa」と入力する。

❺［OK］をクリックする。

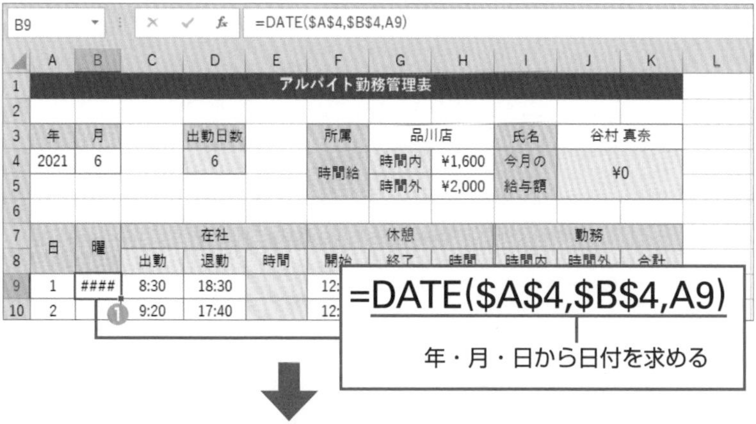

▲曜日の列は、直接「月」「火」などの文字を求めるのではなく、数式では日付データとして求め、表示形式で「月」のように表示させている。ここを日付データにしておくことで、条件付き書式を設定する際にその日付が土日か月内かなどを判定するのに利用できる。

土日の行に色を付ける

条件付き書式を利用して、土日の行に色を付けます。

❶ 勤務管理表の1ヶ月分の記録を入力するセル範囲（セルA9～K38）を範囲選択する。
❷［ホーム］タブの[条件付き書式] ボタンをクリックする。
❸［新しいルール］を選択する。
❹［新しい書式ルール］ダイアログの［ルールの種類を選択してください］の［数式を使用して、書式設定するセルを決定］をクリックする。
❺［次の数式を満たす場合に値を書式設定］に、B列のセルの曜日が土曜日かどうかを調べる式「=WEEKDAY($B9)=7」を入力する。
❻［書式］をクリックする。
❼［セルの書式設定］ダイアログの［塗りつぶし］タブで、土曜日に設定したい色を選択する。
❽［OK］をクリックする。
❾［新しい書式ルール］ダイアログに戻るので［OK］をクリックする。
❿ ❷～❽と同様の手順で、数式には日曜日かどうかを調べる式の「=WEEKDAY($B9)=1」を、書式には日曜日に設定したい塗りつぶしの色を指定する。

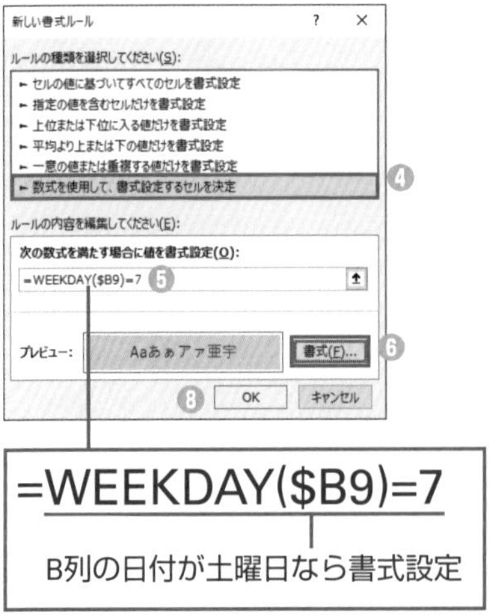

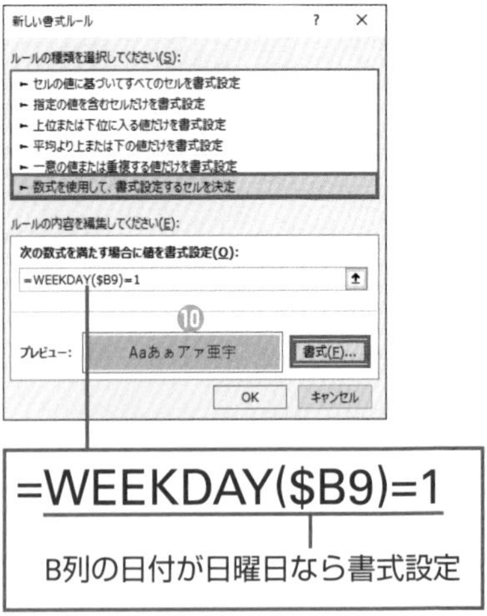

	A	B	C	D	E	F	G	H	I	J	K	L	M	N	O
1	アルバイト勤務管理表														
2															
3	年	月		出勤日数		所属	品川店		氏名	谷村 真奈					
4	2021	6		6		時間給	時間内	¥1,600	今月の	¥0					
5							時間外	¥2,000	給与額						
6															
7	日	曜	在社			休憩			勤務						
8			出勤	退勤	時間	開始	終了	時間	時間内	時間外	合計				
9	1	火	8:30	18:30	0.41667	12:00	13:00								
10	2	水	9:20	17:40		12:00	12:30								
11	3	木	9:00	21:30		12:00	13:00								
12	4	金	8:40	18:30		11:50	12:40								
13	5	土													
14	6	日													
15	7	月	9:00	17:30		12:00	12:30								
16	8	火	8:40	18:00		11:50	12:40								
17	9	水													
18	10	木													
19	11	金													

▲土日の行に塗りつぶしの色が付く。月を変更すると曜日も変わり、それに対応して塗りつぶしの位置も変わる。

存在しない日の行に文字を表示しない

月によって存在しない日の行は日付と曜日の文字を表示せず、土日の塗りつぶしもされないように、条件付き書式で設定します。

❶ 勤務管理表の中で、月によっては存在しない日の行に当たるセル範囲（セルA37～K39）を範囲選択する。

❷［ホーム］タブの［条件付き書式］ボタンをクリックする。

❸［ルールの管理］を選択する。

❹［条件付き書式ルールの管理］ダイアログの［新規ルール］をクリックする。
❺［新しい書式ルール］ダイアログの［ルールの種類を選択してください］の［数式を使用して、書式設定するセルを決定］をクリックする。
❻［次の数式を満たす場合に値を書式設定］に、B列の日付の月がセルB4と違っているかどうかを調べる式「=MONTH($B37)<>$B$4」を入力する。
❼［書式］をクリックする。
❽［セルの書式設定］ダイアログの［表示形式］タブの［分類］ボックスの［ユーザー定義］を選択する。
❾［種類］にすべての値を表示しないことを意味する「;;;」を入力する。
❿［OK］をクリックする。
⓫［新しい書式ルール］ダイアログに戻るので［OK］をクリックする。
⓬［条件付き書式ルールの管理］ダイアログの今追加された一番上のルールの［条件を満たす場合は停止］のチェックを入れる。
⓭［OK］をクリックする。

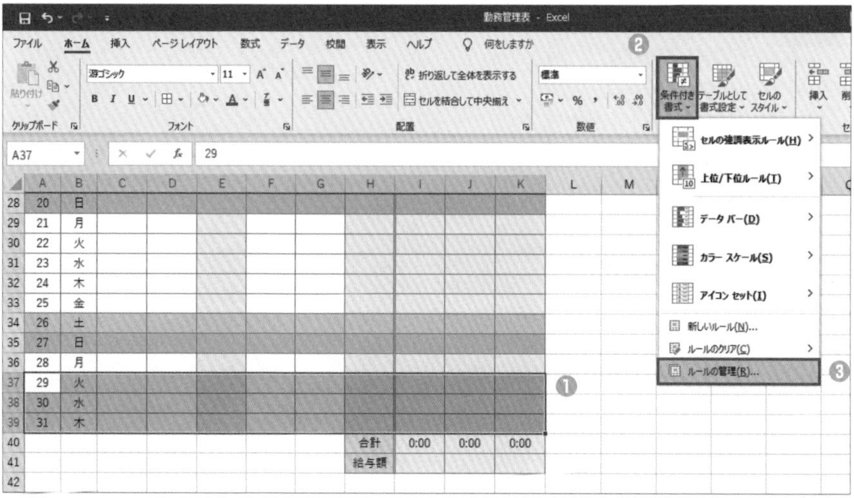

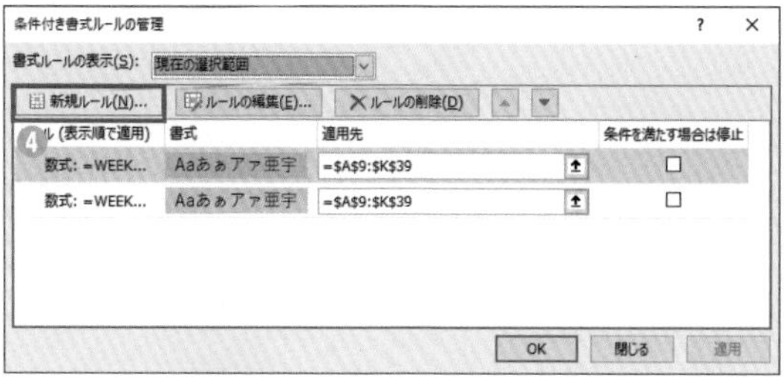

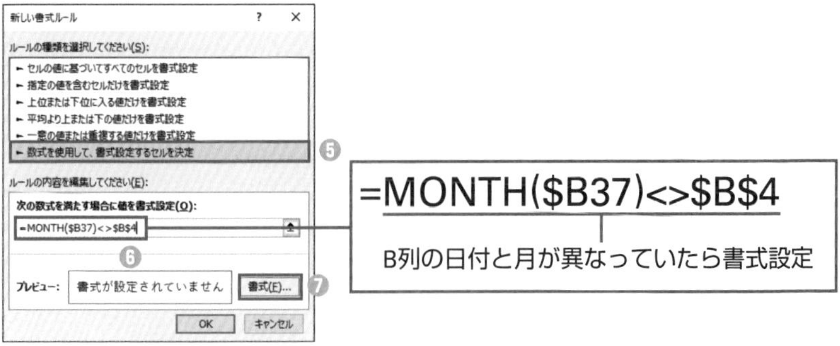
新しい書式ルール
ルールの種類を選択してください(S):
► セルの値に基づいてすべてのセルを書式設定
► 指定の値を含むセルだけを書式設定
► 上位または下位に入る値だけを書式設定
► 平均より上または下の値だけを書式設定
► 一意の値または重複する値だけを書式設定
► 数式を使用して、書式設定するセルを決定
ルールの内容を編集してください(E):
次の数式を満たす場合に値を書式設定(O):
=MONTH($B37)<>$B$4
プレビュー:
書式が設定されていません
書式(F)...
OK
キャンセル
5
6
7
=MONTH($B37)<>$B$4
B列の日付と月が異なっていたら書式設定

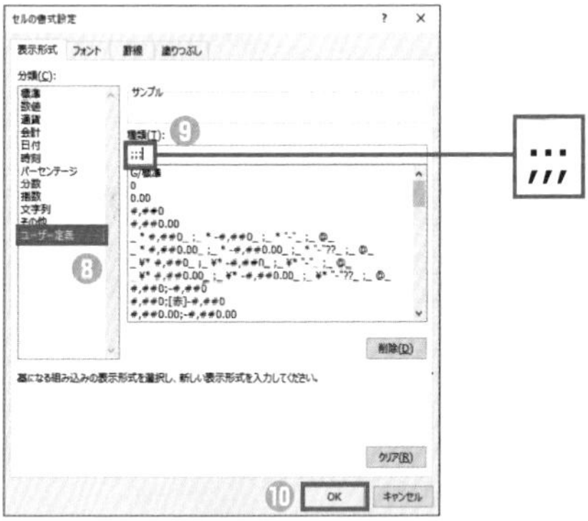
セルの書式設定
表示形式
フォント
罫線
塗りつぶし
分類(C):
標準
数値
通貨
会計
日付
時刻
パーセンテージ
分数
指数
文字列
その他
ユーザー定義
サンプル
種類(T):
;;;
G/標準
0
0.00
#,##0
#,##0.00
削除(D)
基になる組み込みの表示形式を選択し、新しい表示形式を入力してください。
クリア(R)
OK
キャンセル
8
9
10
;;;

条件付き書式ルールの管理
書式ルールの表示(S):
現在の選択範囲
新規ルール(N)...
ルールの編集(E)...
ルールの削除(D)
ルール (表示順で適用)
書式
適用先
条件を満たす場合は停止
数式: =MON...
=$A$37:$K$39
数式: =WEEK...
Aaあぁアァ亜宇
=$A$9:$K$39
数式: =WEEK...
Aaあぁアァ亜宇
=$A$9:$K$39
OK
キャンセル
適用
12
13

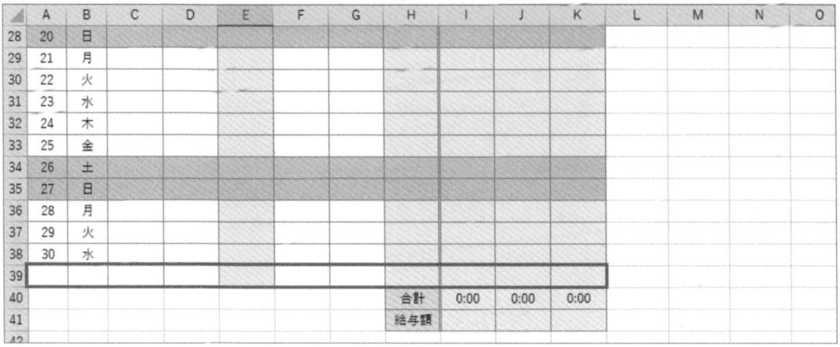

	A	B	C	D	E	F	G	H	I	J	K	L	M	N	O
28	20	日													
29	21	月													
30	22	火													
31	23	水													
32	24	木													
33	25	金													
34	26	土													
35	27	日													
36	28	月													
37	29	火													
38	30	水													
39															
40								合計	0:00	0:00	0:00				
41								給与額							

▲ユーザー定義の表示形式「;;;」は正、負、ゼロのすべての値を表示しない設定。この例は6月なので31日の日付と曜日は表示されなくなる。［条件付き書式ルールの管理］ダイアログの［条件を満たす場合は停止］にチェックを入れると、存在しない月末に土日があったとしても、土日の行に色を付ける条件付き書式は適用されなくなる。

1日の勤務時間を求める

出勤時刻と退勤時刻の差から在社時間を、休憩開始時刻と終了時刻から休憩時間を求め、在社時間から休憩時間を引いて1日の勤務時間を求めます。そして、そのうち8時間までを「時間内」、8時間を超える分を「時間外」に振り分けます。なお、求められた値は、ユーザー定義の時刻の表示形式「h:mm」を設定して、「時:分」の表示形式にします。

・在社時間を求める

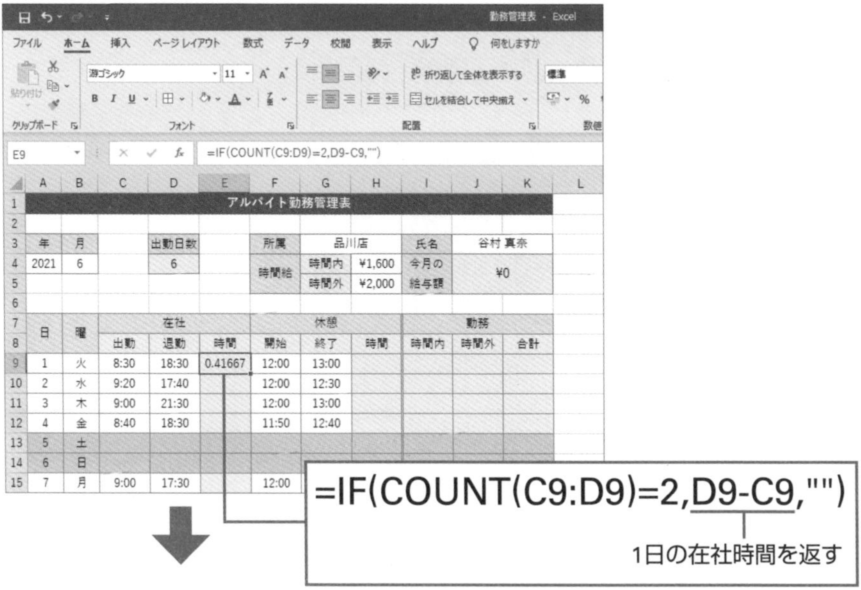

	A	B	C	D	E	F	G	H	I	J	K	L
1	アルバイト勤務管理表											
2												
3	年	月		出勤日数		所属	品川店		氏名	谷村 真奈		
4	2021	6		6		時間給	時間内	¥1,600	今月の	¥0		
5							時間外	¥2,000	給与額			
6												
7	日	曜	在社			休憩			勤務			
8			出勤	退勤	時間	開始	終了	時間	時間内	時間外	合計	
9	1	火	8:30	18:30	0.41667	12:00	13:00					
10	2	水	9:20	17:40		12:00	12:30					
11	3	木	9:00	21:30		12:00	13:00					
12	4	金	8:40	18:30		11:50	12:40					
13	5	土										
14	6	日										
15	7	月	9:00	17:30		12:00						

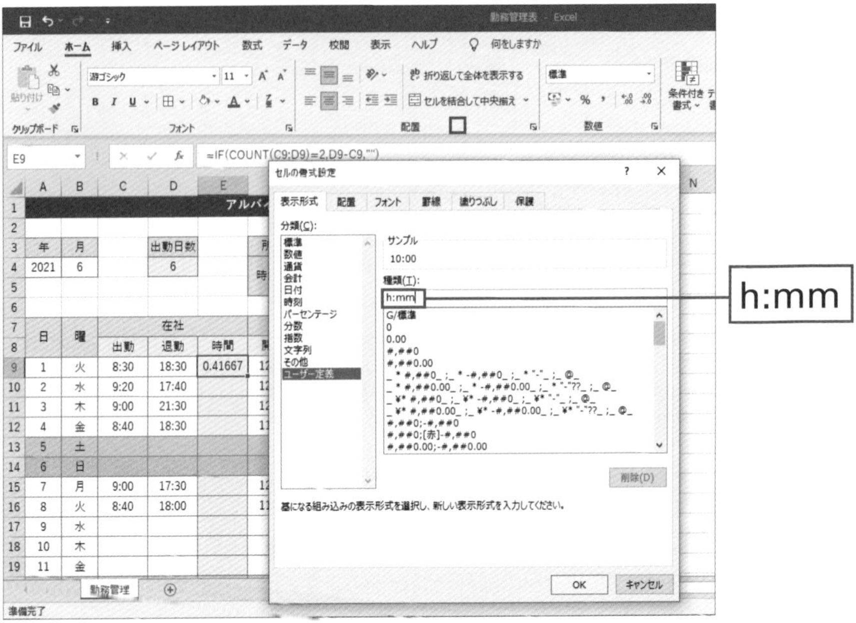

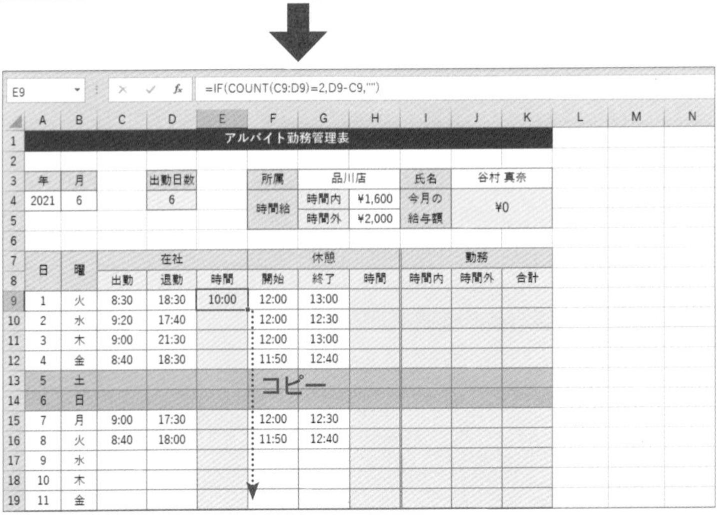

▲出勤時刻と退勤時刻の両方が入力されているとCOUNT関数の結果は2になる。これをIF関数の引数「論理式」として、両方が入力されていたら在社時間を計算、いずれかもしくは両方が未入力の場合は何も表示しない。

・休憩時間を求める

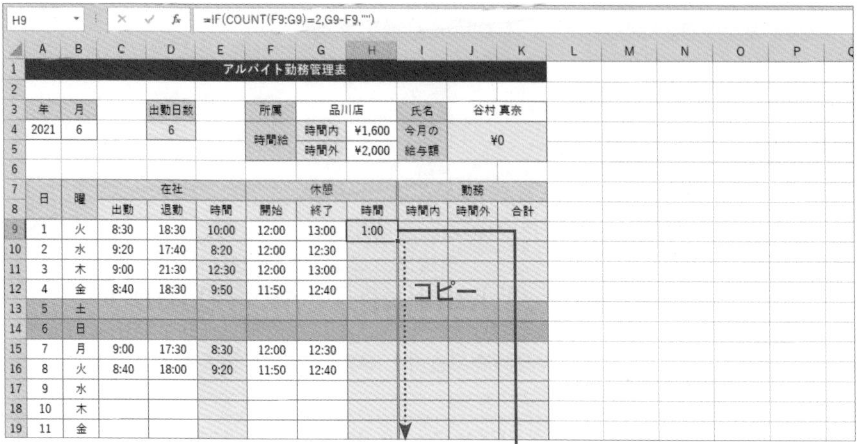

H9　=IF(COUNT(F9:G9)=2,G9-F9,"")

	A	B	C	D	E	F	G	H	I	J	K
1	アルバイト勤務管理表										
2											
3	年	月		出勤日数		所属	品川店		氏名	谷村 真奈	
4	2021	6		6		時間給	時間内	¥1,600	今月の	¥0	
5							時間外	¥2,000	給与額		
6											
7	日	曜	在社			休憩			勤務		
8			出勤	退勤	時間	開始	終了	時間	時間内	時間外	合計
9	1	火	8:30	18:30	10:00	12:00	13:00	1:00			
10	2	水	9:20	17:40	8:20	12:00	12:30				
11	3	木	9:00	21:30	12:30	12:00	13:00				
12	4	金	8:40	18:30	9:50	11:50	12:40				
13	5	土									
14	6	日									
15	7	月	9:00	17:30	8:30	12:00	12:30				
16	8	火	8:40	18:00	9:20	11:50	12:40				
17	9	水									
18	10	木									
19	11	金									

▲在社時間と同様に計算し、時刻の表示形式にも「h:mm」を設定する。

=IF(COUNT(F9:G9)=2,G9-F9,"")

G9-F9：1日の休憩時間を返す

・勤務時間を求める

K9　=IF(COUNT(E9,H9)=2,E9-H9,"")

	A	B	C	D	E	F	G	H	I	J	K
1	アルバイト勤務管理表										
2											
3	年	月		出勤日数		所属	品川店		氏名	谷村 真奈	
4	2021	6		6		時間給	時間内	¥1,600	今月の	¥0	
5							時間外	¥2,000	給与額		
6											
7	日	曜	在社			休憩			勤務		
8			出勤	退勤	時間	開始	終了	時間	時間内	時間外	合計
9	1	火	8:30	18:30	10:00	12:00	13:00	1:00			0.375
10	2	水	9:20	17:40	8:20	12:00	12:30	0:30			
11	3	木	9:00	21:30	12:30	12:00	13:00	1:00			
12	4	金	8:40	18:30	9:50	11:50	12:40	0:50			

=IF(COUNT(E9,H9)=2,E9-H9,"")

E9-H9：1日の勤務時間を返す

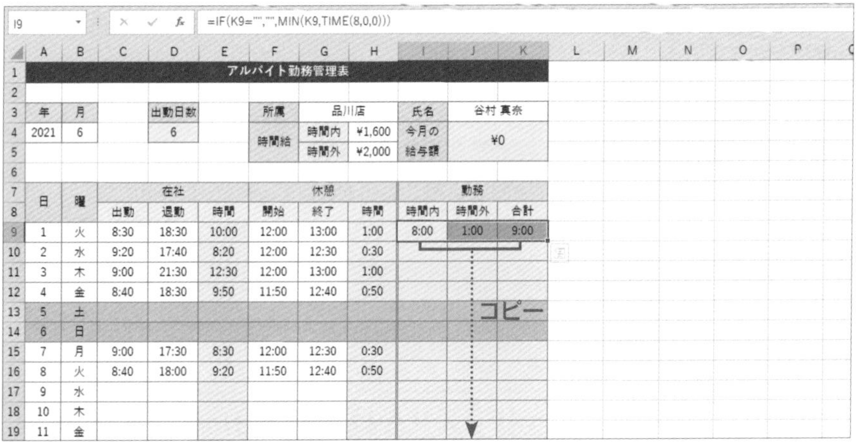

▲表の並び順とは異なるが、まず在社時間（E列）から休憩時間（H列）を引いて合計の勤務時間（K列）を求め、次にそれを基に時間内の勤務時間（I列）を、最後に時間外の勤務時間（J列）を求めている。勤務時間のセル範囲（I9～K9）を選択して、時刻の表示形式「h:mm」を設定し、まとめて数式を39行目までコピーする。

勤務時間を集計する

時間内、時間外のそれぞれについて求めた勤務時間の1ヶ月分の合計を求めます。ただし、Excelの通常の時刻の表示形式は24時間が1サイクルで、23:59の1分後は0:00に戻ってしまいます。24時間以上を表示させるには、表示形式の設定を変更する必要があります。

❶「時間内」、「時間外」、「合計」の各列の合計時間を求める数式をまとめて入力するために、合計を表示するセル範囲（セルI40〜K40）を範囲選択する。
❷「=SUM(I9:I39)」と入力して、Ctrlキーを押しながらEnterキーを押す。
❸合計を表示するセル範囲（セルI39〜K39）が選択されている状態で、［ホーム］タブの［数値］グループ右下の［表示形式］ボタンをクリックする。
❹［セルの書式設定］ダイアログの［表示形式］タブの［分類］ボックスの［ユーザー定義］を選択する。
❺［種類］ボックスに24時間以上の時刻を表示できる「[h]:mm」を入力する。
❻［OK］をクリックする。

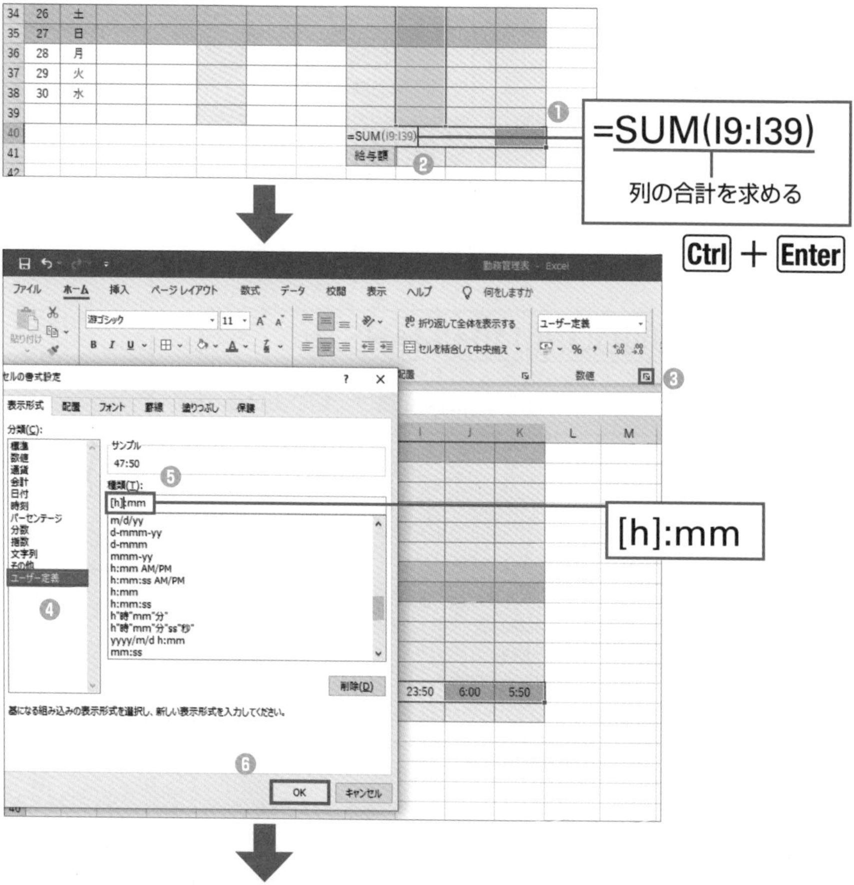

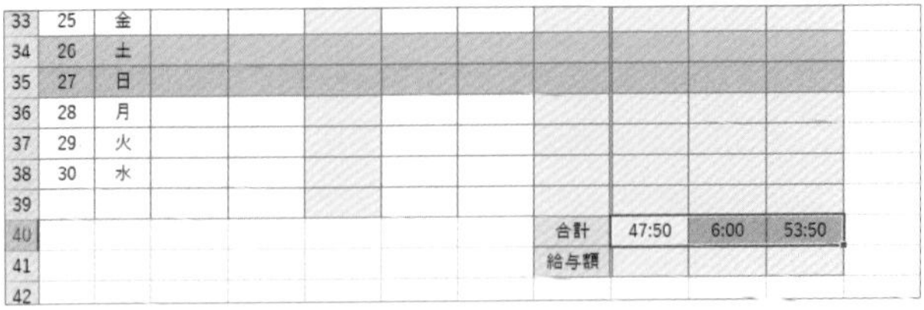

▲ここでは時間の合計を求める数式をコピーではなく一括入力しているが、数式内の相対参照は、コピーした場合と同様、位置に応じて変化する。24時間以上を表示するために、時刻の表示形式「[h]:mm」を設定する。

給与額を求める

時間内と時間外のそれぞれの合計時間を24倍し、1時間を1とする数値に変換したうえで時給と乗算し、1カ月分の給与額を求めます。

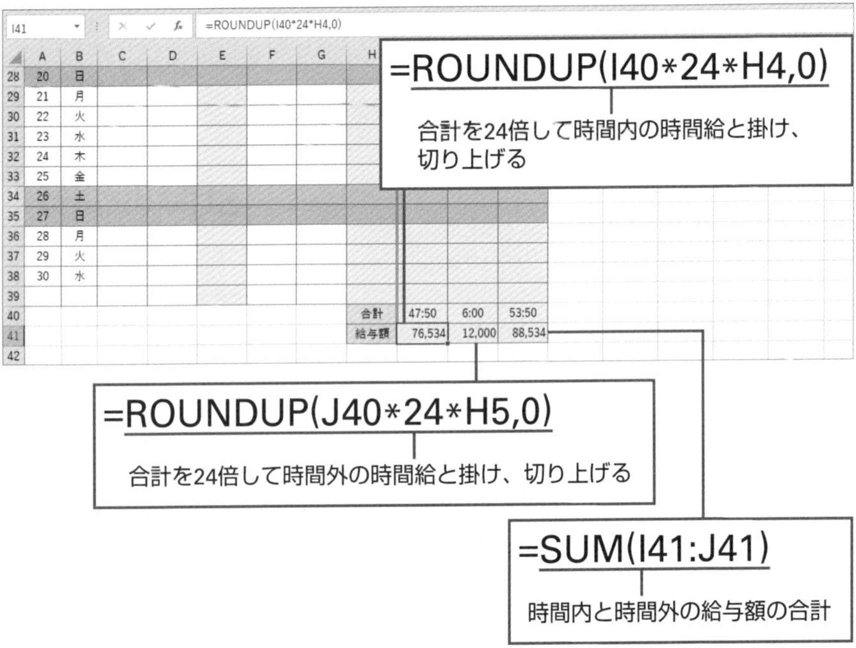

▲計算の基になるシリアル値は1日を1で表すため、時間内・時間外の合計時間に24を掛けることで、1時間を1とする数値に変換できる。これを時給と掛け、端数はROUNDUP関数で切り上げる。なお、セルJ4（結合セル）には、あらかじめ「=K41」の数式が入力されていて、セルK41の給与額の総計が表示される。

3 顧客別売上表で関数を活用する

顧客別売上表を様々な面から分析します。全体の順位をはじめ、担当営業部内の順位も表示します。また、担当営業部別の売上金額を集計し、合計、平均、最大、最小を求めます。さらに、売上金額の上位および下位から5番目までの顧客名と担当営業部、売上金額を、別の表に抽出します。

なお、今回のサンプルでは、数式を簡潔にするために、売上金額がまったく同じ、つまり同じ順位に当たる顧客が複数存在するケースはないというのが前提です。

担当営業部別と全体の売上金額の合計、平均、最大、最小を求める

顧客別売上表

顧客No.	顧客名	担当営業部	売上金額	順位 全体	順位 営業部別
0001	安藤建物	第1営業部	1,102,500	8	3
0002	EFC通信	第3営業部	984,800	9	2
0003	川崎ルーフ	第4営業部	524,800	15	4
0004	北島重機	第2営業部	287,300	18	4
0005	共和クレジット	第1営業部	2,243,900	4	1
0006	清川工業	第4営業部	3,597,100	2	1
0007	清澄設計	第3営業部	764,800	12	4
0008	芹沢運輸	第1営業部	174,500	20	5
0009	タマイ商事	第2営業部	2,456,900	3	2
0010	辻沢製作所	第4営業部	498,600	16	5
0011	ニチダ	第1営業部	1,289,300	6	2
0012	日本パレット	第2営業部	3,715,300	1	1
0013	能美設備	第4営業部	239,000	19	6
0014	ファースト化粧品	第3営業部	746,500	13	5
0015	富士機械販売	第3営業部	1,543,000	5	1
0016	丸子機械	第1営業部	385,600	17	4
0017	美空興産	第1営業部	124,600	21	6
0018	山田技研産業	第3営業部	872,500	11	3
0019	山之内製造	第2営業部	1,198,600	7	3
0020	ユーザックス	第2営業部	75,800	22	5
0021	吉川香料	第4営業部	943,100	10	2
0022	リオックスジャパン	第4営業部	659,400	14	3

担当営業部別売上集計

担当営業部	合計	平均	最大	最小
第1営業部	5,320,400	886,733	2,243,900	124,600
第2営業部	7,733,900	1,546,780	3,715,300	75,800
第3営業部	4,911,600	982,320	1,543,000	746,500
第4営業部	6,462,000	1,077,000	3,597,100	239,000
全営業部	24,427,900	1,110,359	3,715,300	75,800

売上上位5社

順位	顧客名	担当営業部	売上金額
1	日本パレット	第2営業部	3,715,300
2	清川工業	第4営業部	3,597,100
3	タマイ商事	第2営業部	2,456,900
4	共和クレジット	第1営業部	2,243,900
5	富士機械販売	第3営業部	1,543,000

売上下位5社

順位	顧客名	担当営業部	売上金額
1	ユーザックス	第2営業部	75,800
2	美空興産	第1営業部	124,600
3	芹沢運輸	第1営業部	174,500
4	能美設備	第4営業部	239,000
5	北島重機	第2営業部	287,300

全体での順位を求める

担当営業部内での順位を求める

上位/下位の各順位に当たる顧客名、担当営業部、売上金額を求める

売上金額の順位を求める

数式を簡単にするために、まずは顧客別売上表の列の範囲に名前を付けます。見出しが結合セルになっているため、「選択範囲から作成」機能（102ページ参照）ではうまくいきません。名前を登録する範囲を選択して、名前ボックスに入力します。

続いて、売上金額に基づいて、全体での順位と、担当営業部内での順位を求めます。全体の順位は基本的なRANK.EQ関数で求められますが、担当営業部内で順位を求めるには少し工夫が必要になります。

❶ 名前を付けるセル範囲（セルB5～B26）を範囲選択する。

❷ 名前ボックスに「顧客名」と入力し、Enterキーを押す。

❸ 同様に「担当営業部」（セルC5～C26）、「売上金額」（セルD5～D26）、「全体」（セルE5～E26）の名前を登録する。

・全体と担当営業部別の順位を求める

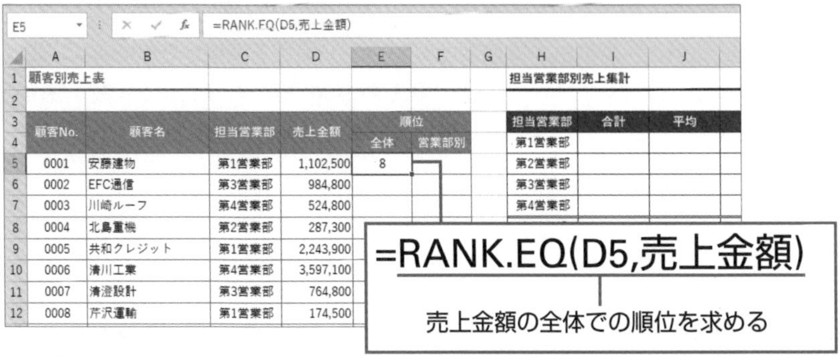

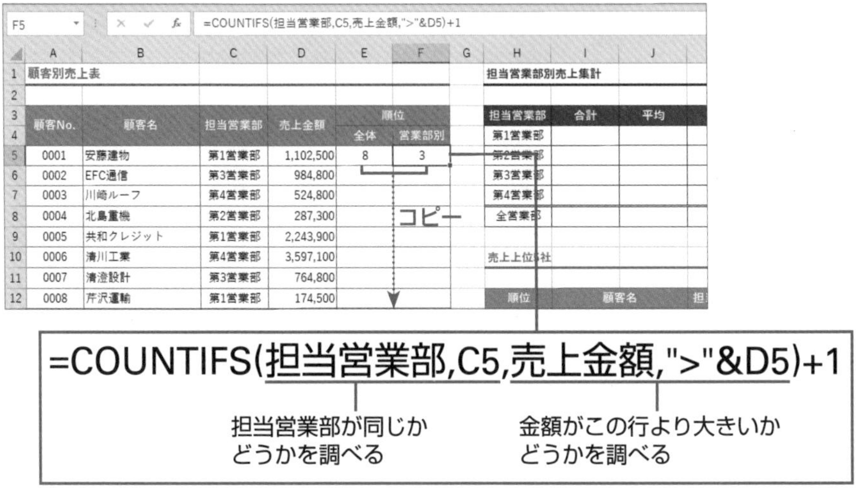

▲COUNTIFS関数では、担当営業部が数式の行と同じであり、かつ売上金額が数式の行より大きい行の数を求めている。該当する行が2つある場合、数式の行は3番目ということになるので、COUNTIFS関数の数式に1を加えて求める。全体の順位と担当営業部別の順位の2つのセルを範囲選択し、数式を一度にコピーする。

担当営業部別の売上金額の合計、平均、最大、最小を集計する

担当営業部別の合計と平均はSUMIF関数とAVERAGEIF関数を使用して求めます。最大と最小は、Microsoft 365およびExcel 2019の場合はMAXIFS関数、MINIFS関数が使用できるので簡単に求められますが、この関数が使えない場合は配列数式を使用して求めます。

・担当営業部別合計、平均を求める

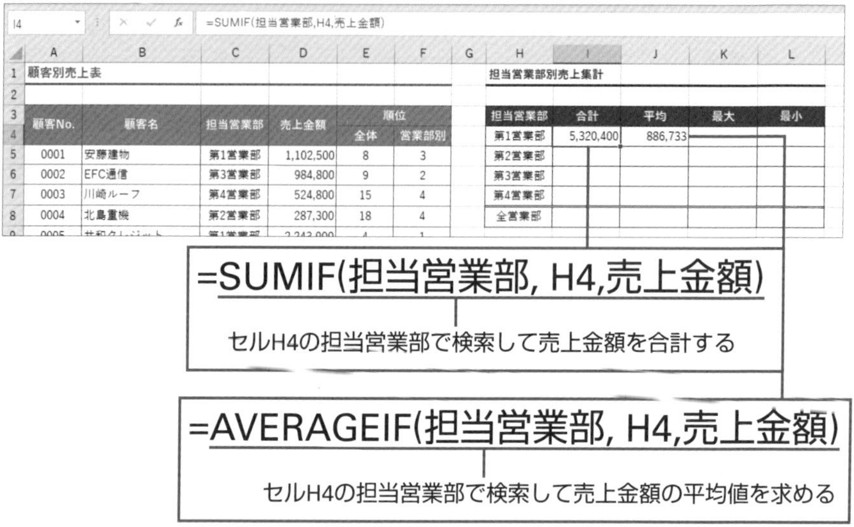

・担当営業部別最大、最小を求める

▲合計から最小までの4つのセル（セルI4〜L4）を範囲選択し、第4営業部の行（7行目）まで数式を一度にコピーする。全店の行（8行目）には別の数式が入る。

ヒント

配列数式で条件を満たす数値の最大値/最小値を求める

MAXIFS関数、MINIFS関数が使えない場合は、配列数式を使用します。

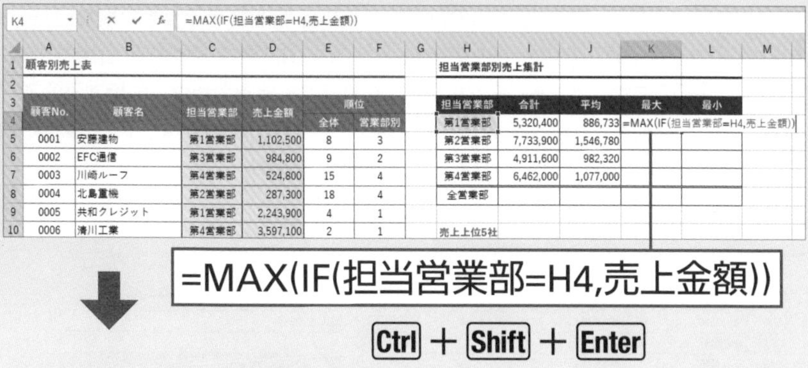

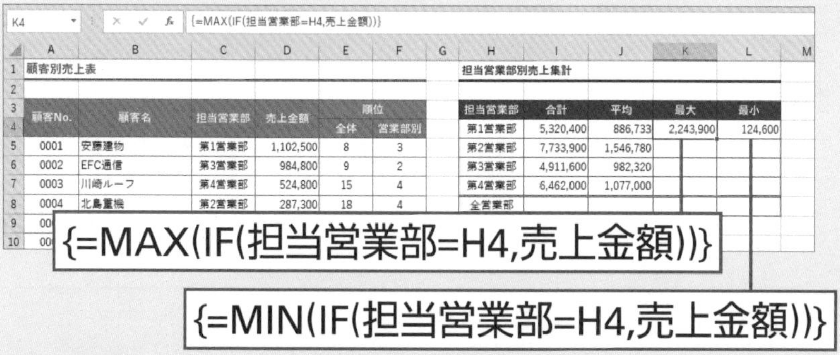

▲配列数式として入力するには数式をCtrlとShiftキーを押しながらEnterキーを押して確定する（56ページの「コラム」参照）。この例の数式では、名前「担当営業部」の範囲の各セルがH4のセルと同じ値かどうかを、それぞれTRUEまたはFALSEの論理値として求め、合致した場合の売上金額を対象として最大値を求めている。

・全営業部合計、平均、最大、最小を求める

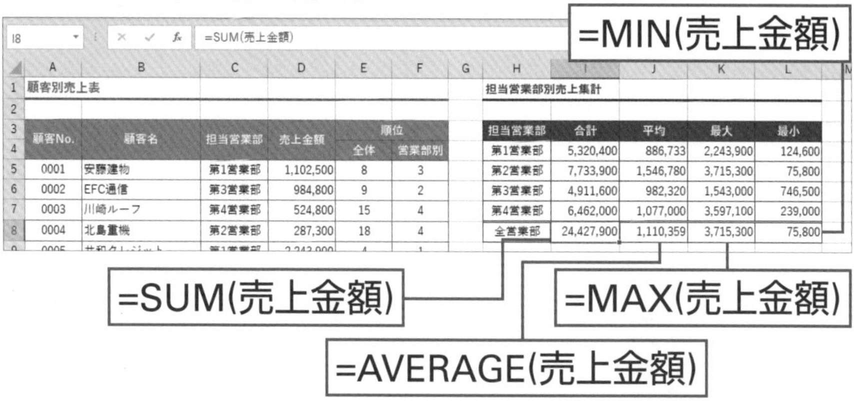

▲全営業部集計は名前「売上金額」の範囲をSUM関数、AVERAGE関数、MAX関数、MIN関数で指定する。

上位/下位5社の顧客名と担当営業部、売上金額を求める

売上金額の上位/下位5社の顧客名を、別の表に表示させます。顧客別売上表には順位も表示されているので、上位の1～5の位置に該当する顧客名をそれぞれ取り出します。ただし、順位の列が顧客名よりも左にあればVLOOKUP関数で簡単に取り出せますが、表の並び順はその逆なので、INDEX関数とMATCH関数を組み合わせて利用する必要があります。下位の場合は、SMALL関数で売上金額の小さい方から5番目までの金額を求めて、それに該当する顧客名をINDEXとMATCH関数を使って取り出します。

・売上上位5社の顧客名、担当営業部、売上金額を求める

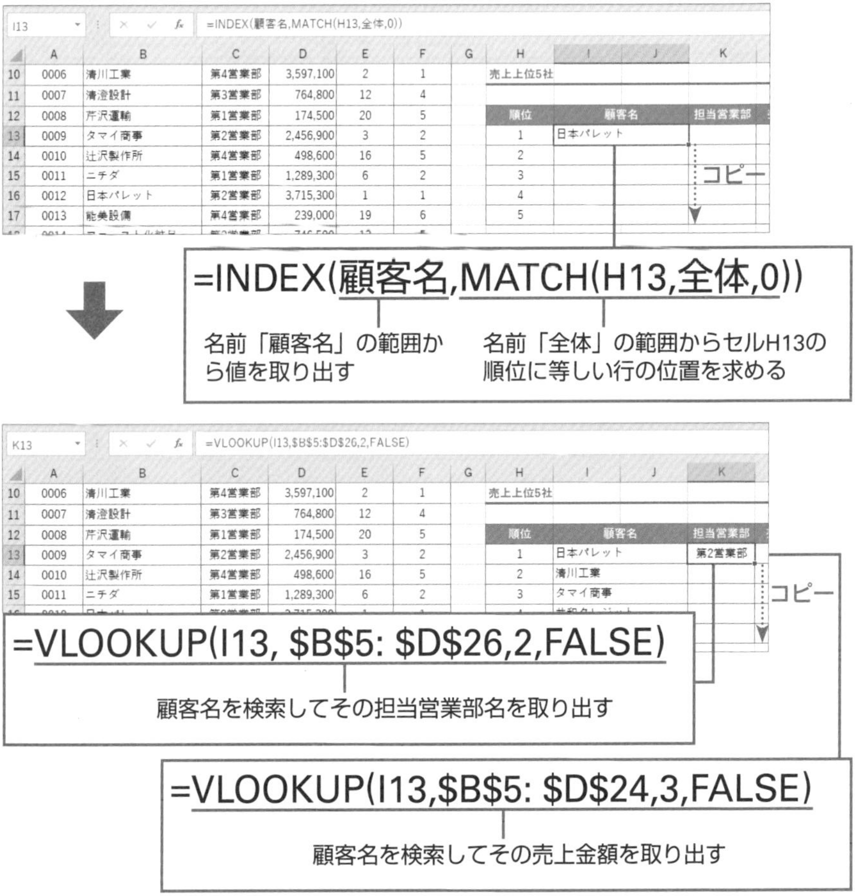

▲上位の順位に当たる顧客名を取り出す数式では、顧客別売上表の名前「全体」の範囲（全体の順位の列）を対象に、MATCH関数で順位を表す数字の位置を求め、名前「顧客名」の範囲を対象としたINDEX関数で、その位置にある顧客名を取り出す。その顧客名から担当営業部名や売上金額を取り出す処理にはVLOOKUP関数を使用する。
なお、この例の場合、顧客欄が結合セルのため、顧客名、担当営業部、売上金額の数式をまとめてコピーすることはできない。顧客名の数式をコピーした後で、担当営業部と売上金額の2つのセルを範囲選択し、数式をコピーする。

・売上下位5社の顧客名、担当営業部、売上金額を求める

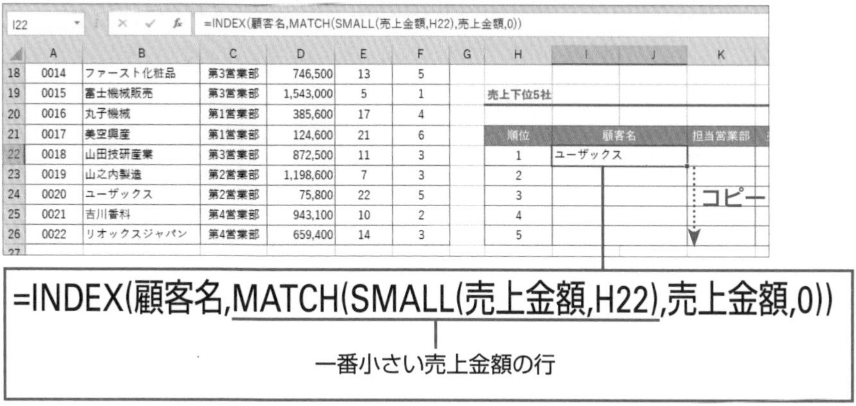

I22　=INDEX(顧客名,MATCH(SMALL(売上金額,H22),売上金額,0))

	A	B	C	D	E	F	G	H	I	J	K
18	0014	ファースト化粧品	第3営業部	746,500	13	5					
19	0015	富士機械販売	第3営業部	1,543,000	5	1		売上下位5社			
20	0016	丸子機械	第1営業部	385,600	17	4					
21	0017	美空興産	第1営業部	124,600	21	6		順位	顧客名		担当営業部
22	0018	山田技研産業	第3営業部	872,500	11	3		1	ユーザックス		
23	0019	山之内製造	第2営業部	1,198,600	7	3		2			
24	0020	ユーザックス	第2営業部	75,800	22	5		3			
25	0021	吉川香料	第4営業部	943,100	10	2		4			
26	0022	リオックスジャパン	第4営業部	659,400	14	3		5			

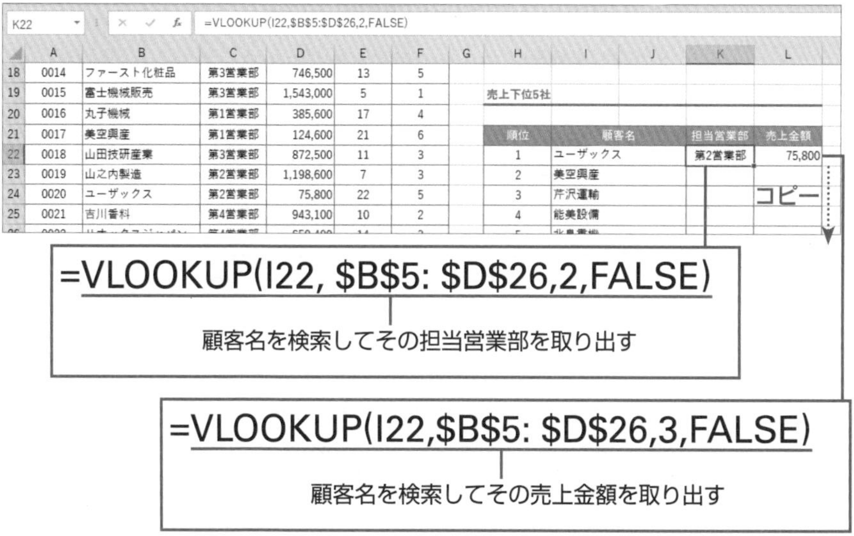

K22　=VLOOKUP(I22,$B$5:$D$26,2,FALSE)

	A	B	C	D	E	F	G	H	I	J	K	L
18	0014	ファースト化粧品	第3営業部	746,500	13	5						
19	0015	富士機械販売	第3営業部	1,543,000	5	1		売上下位5社				
20	0016	丸子機械	第1営業部	385,600	17	4						
21	0017	美空興産	第1営業部	124,600	21	6		順位	顧客名		担当営業部	売上金額
22	0018	山田技研産業	第3営業部	872,500	11	3		1	ユーザックス		第2営業部	75,800
23	0019	山之内製造	第2営業部	1,198,600	7	3		2	美空興産			
24	0020	ユーザックス	第2営業部	75,800	22	5		3	芹沢運輸			
25	0021	吉川香料	第4営業部	943,100	10	2		4	能美設備			

▲下位の順位に当たる顧客名を取り出す数式では、まずはSMALL関数で顧客別売上表の名前「売上金額」の範囲の小さいほうからセルH22で指定した順の金額を求め、MATCH関数で何番目の行かを調べる。そして名前「顧客名」の範囲を対象としたINDEX関数により、名前「顧客名」の範囲からその位置にある顧客名を取り出す。その顧客名から担当営業部や売上金額を取り出す処理にはVLOOKUP関数を使用する。

ヒント

XLOOKUP関数で上位5社の顧客名と担当営業部、売上金額を求める

Microsoft 365で追加されたXLOOKUP関数を使うと、もっと簡単に上位5社の顧客名と担当営業部、売上金額を求めることができます。
下位5社を取り出す場合は、前ページと同様にINDEX、MATCH、SMALL関数で一番小さい売上金額の顧客名を求めた後で、下記の上位5社と同様にXLOOKUP関数で顧客名に対応する担当営業部、売上金額を取り出します。

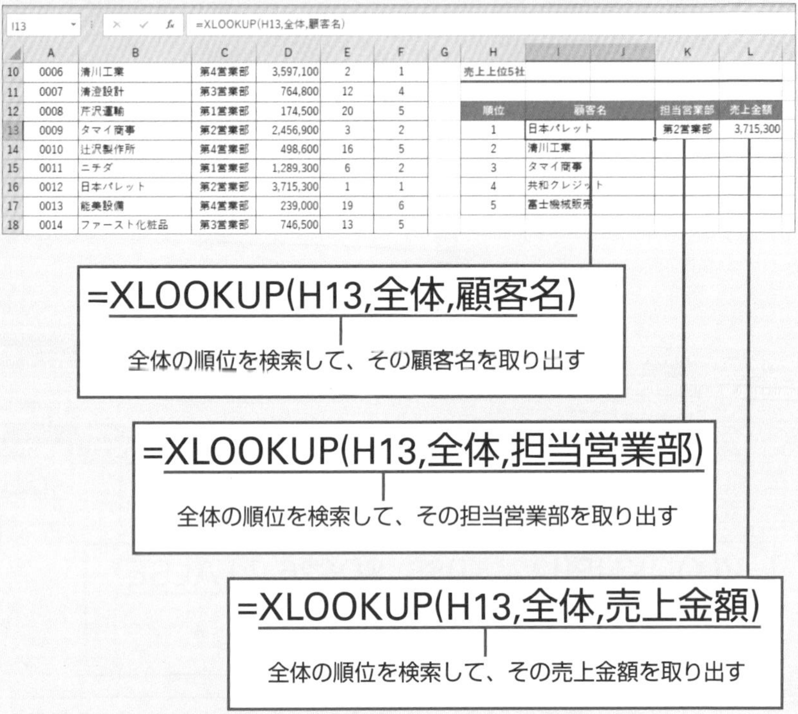

I13 =XLOOKUP(H13,全体,顧客名)

	A	B	C	D	E	F
10	0006	清川工業	第4営業部	3,597,100	2	1
11	0007	清澄設計	第3営業部	764,800	12	4
12	0008	芹沢運輸	第1営業部	174,500	20	5
13	0009	タマイ商事	第2営業部	2,456,900	3	2
14	0010	辻沢製作所	第4営業部	498,600	16	5
15	0011	ニチダ	第1営業部	1,289,300	6	2
16	0012	日本パレット	第2営業部	3,715,300	1	1
17	0013	能美設備	第4営業部	239,000	19	6
18	0014	ファースト化粧品	第3営業部	746,500	13	5

売上上位5社

順位	顧客名	担当営業部	売上金額
1	日本パレット	第2営業部	3,715,300
2	清川工業		
3	タマイ商事		
4	共和クレジット		
5	富士機械販売		

▲顧客別売上表の名前「全体」の範囲（全体の順位の列）を対象に、順位を表す数字の位置を求め、同じ行にある名前「顧客名」の範囲のデータを取り出す。担当営業部、売上金額も同様。なお、顧客名欄が結合セル（I列とJ列）のため、スピル機能（97ページ参照）は使えない。

4 商品台帳＋売上記録で関数を活用する

「商品台帳」は、いわば一種のデータベースです。これを基にして、「売上記録」では、商品IDだけを入力すれば、「商品台帳」に記録されている商品名と単価が自動的に表示されるようにします。さらに、「集計」では、「売上記録」に記録された売上数と売上金額を商品別および分類別に集計します。

なお、いずれの表も、Excelのテーブル機能（13ページの「コラム」参照）を利用して作成しています。［商品台帳］シートのテーブルには「商品」、［売上記録］シートのテーブルには「記録」、［集計］シートのテーブルには「商品別集計」、「分類別集計」というテーブル名を付けています。

[商品台帳] シートの作業

「商品」テーブルの左端には、「商品ID」という列があります。「記録」テーブルで商品IDを簡単に入力できるように、まずこの列に名前を付けておきます。

❶ [商品台帳] シートを開く。

❷「商品」テーブルの「商品ID」の列のセル範囲（セルA4～A18）を範囲選択する。

❸ 名前ボックスをクリックし、「商品ID」と入力して、Enterキーを押す。

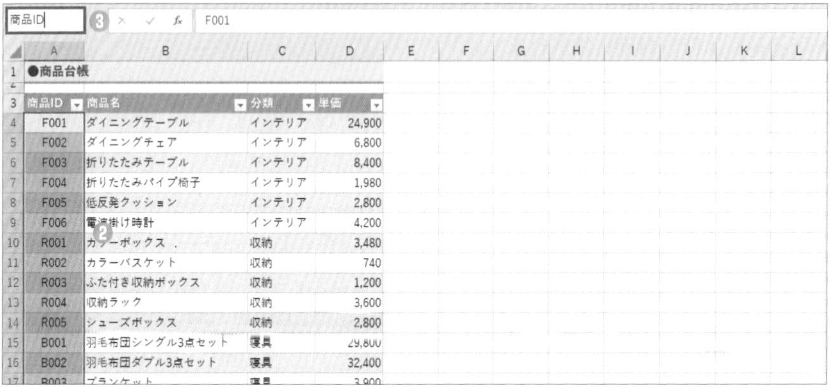

▲テーブルの列に名前を付けておくと、テーブルの行が下に追加された場合、名前の範囲もそれに伴って自動的に拡張する。

[売上記録] シートの作業

「記録」テーブルでは、まず左端の「ID」列に、1から始まる連続番号が自動的に入力されるようにします。次に、「商品ID」列で、「商品」テーブルに入力された商品IDを、ドロップダウンリストで選択して入力できるようにします。さらに、選択した商品IDに応じて「商品名」と「単価」が自動的に表示され、「数量」と乗算した「金額」が求められるようにします。

❶ [売上記録] シートを開く。

❷「ID」列の最初のセル（セルA4）をクリックする。

❸「=MAX(A$3:A3)+1」と入力して、Enterキーを押す。

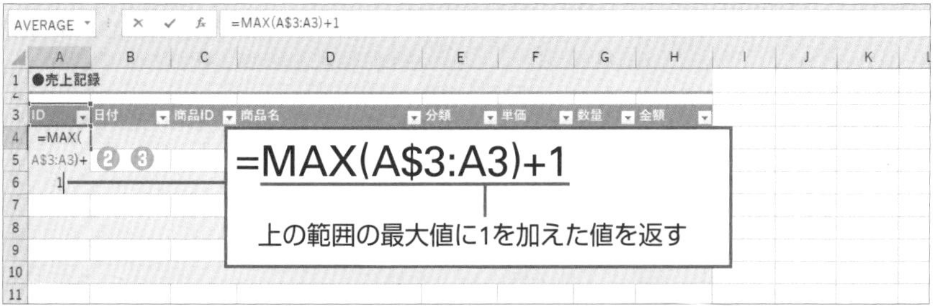

❹ 同じ列の以降のセルにも自動的に数式が設定される。

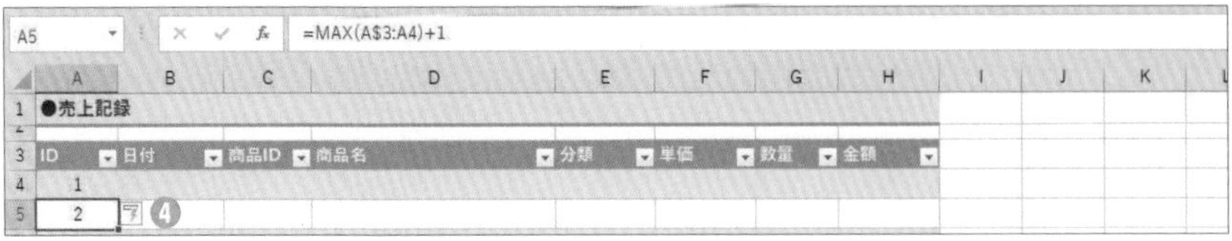

❺「商品ID」列のセル範囲（セルC4～C33）を範囲選択する。

❻［データ］タブの［データの入力規則］ボタン［データの入力規則］ボタンをクリックする。

❼［データの入力規則］ダイアログの［設定］タブの［条件の設定］の［入力値の種類］ボックスの▼をクリックし、一覧から［リスト］を選択する。

❽［元の値］ボックスに「=商品ID」と入力する。

❾［OK］をクリックする。これで、「商品ID」列の各セルでは、ドロップダウンリストで商品IDを入力できるようになる。

❿ この段階で、テーブルの最初の行にサンプルのデータを入力しておく。「日付」を入力し、「商品ID」のドロップダウンリストから任意の商品IDを選択する。

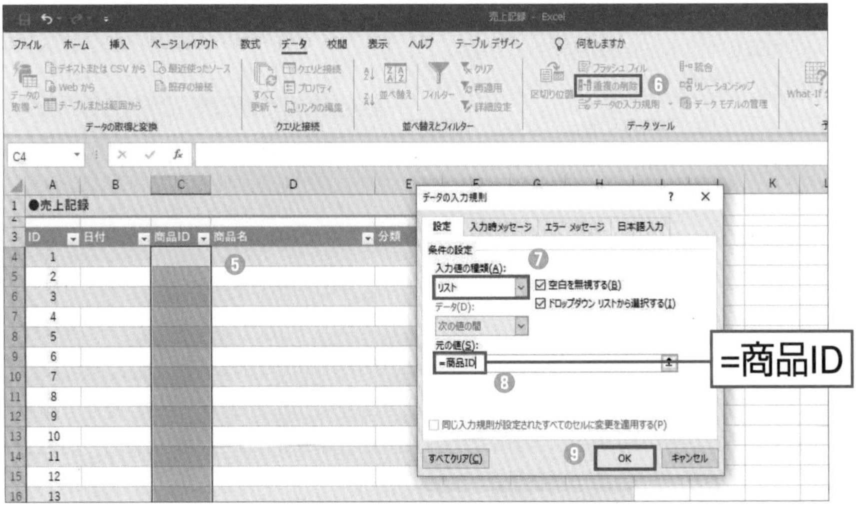

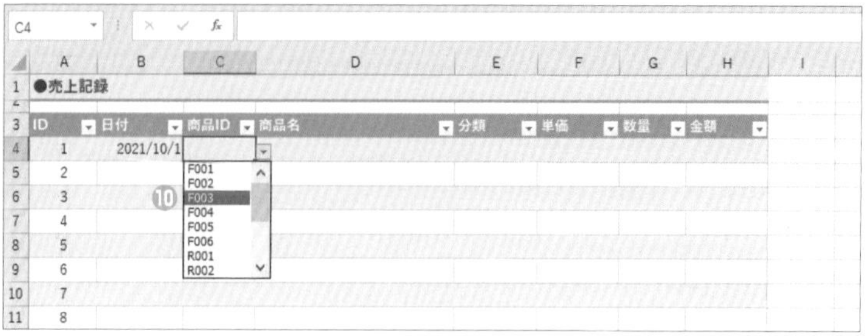

⑪「商品名」列の最初のセル（セルD4）をクリックする。

⑫「=IFNA(VLOOKUP([@商品ID],商品,2,FALSE),"")」と入力して、Enterキーを押す。同じ列の以降のセルにも自動的に数式が設定される。

⑬「分類」列の最初のセル（セルE4）をクリックする。

⑭「=IFNA(VLOOKUP([@商品ID],商品,3,FALSE),"")」と入力して、Enterキーを押す。同じ列の以降のセルにも自動的に数式が設定される。

⑮「単価」列の最初のセル（セルF4）をクリックする。

⑯「=IFNA(VLOOKUP([@商品ID],商品,4,FALSE),"")」と入力して、Enterキーを押す。同じ列の以降のセルにも自動的に数式が設定される。

⑰「数量」列の最初のセルに、サンプルのデータとして「1」を入力する。

⑱「金額」列の最初のセル（セルH4）をクリックする。

⑲「=IFERROR([@単価]*[@数量],"")」と入力して、Enterキーを押す。同じ列の以降のセルにも自動的に数式が設定される。

ヒント

IFNA関数

数式の結果が#N/Aエラー値の場合は指定した値を返す。それ以外の場合は数式の結果を返す。

書式：IFNA(値,NAの場合の値)

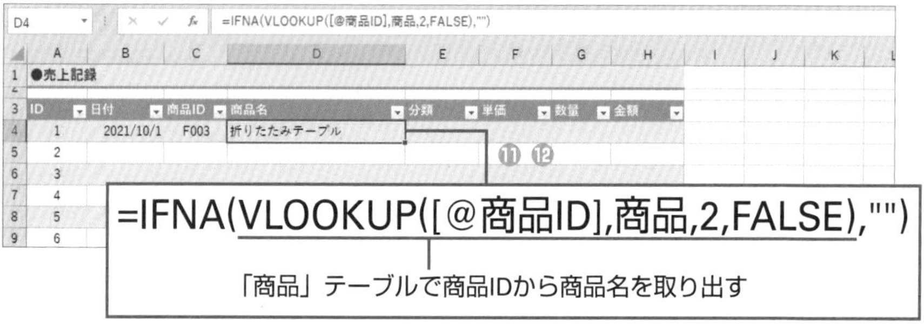

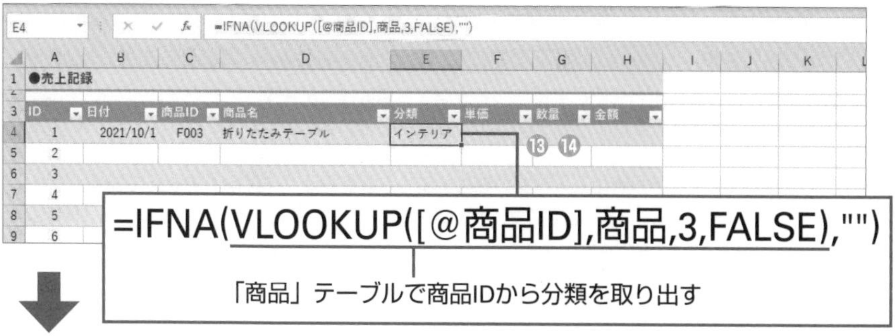

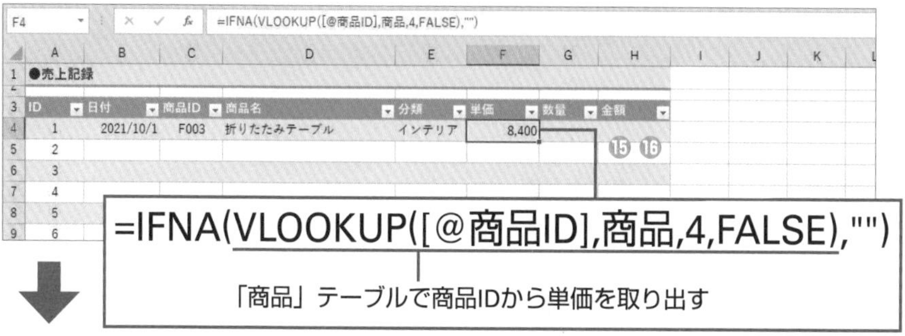

▲VLOOKUP関数で該当する値が存在しない場合は#N/Aエラーになるので、ここではIFNA関数と組み合わせている。分類（セルE4）、単価（セルF4）は、商品名（セルD4）の数式をコピーして、VLOOKUP関数の引数「列番号」を「3」、「4」に変更してもよい。ただし、その場合は表示形式もコピーされてセルF4の表示形式が「標準」になってしまうため、桁区切りスタイルに設定し直す必要がある。

ヒント

XLOOKUP関数で商品名、分類、単価を表示する

Microsoft 365で追加されたXLOOKUP関数を使用しても、商品名、分類、単価を表示できます。
商品名を表示する数式（セルD4）は「=XLOOKUP([@商品ID],商品[商品ID],商品[商品名],"")」
分類を表示する数式（セルE4）は「=XLOOKUP([@商品ID],商品[商品ID],商品[分類],"")」
単価を表示する数式（セルF4）は「=XLOOKUP([@商品ID],商品[商品ID],商品[単価],"")」
です。引数「見つからない場合」に空白文字「""」（ダブルクォーテーション2つ）を指定できるので、IFNA関数とネストする必要はありません。なお、テーブル内ではスピル機能は使えないので、商品名、分類、単価を一度に表示することはできません。

ヒント

テーブルの参照

数式の中で、テーブル内の特定の列やセルを参照する場合は、テーブル名や列見出しを使って指定することができます。このようなテーブルの参照方法を、「構造化参照」といいます（13ページのコラム参照）。
数式のセルと同じテーブル内にある特定の列を参照したい場合は、「[商品]」のように列見出しを「[ ]」で囲んで指定します。また、特定の列で、数式と同じ行にあるセルは、列見出しを「[@]」で囲んで、[@商品]」のように指定します。
対象のテーブル外にあるセルの数式から参照する場合、テーブルのデータ範囲（見出し行を除く）は、「記録」のようなテーブル名だけで指定できます。また、そのテーブル内の特定の列を参照したい場合は、テーブル名と列見出しを並べて「記録[商品ID]」のように指定します。
これら以外にも構造化参照で使用できる参照方法はいくつかありますが、通常の設定では、数式の入力中にテーブル内のセル範囲を選択すると、自動的にこうした参照方法で入力されるようになっています。

[集計] シートの作業

・商品別の売上数と売上金額を集計する

「商品別集計」テーブルの「商品名」列は、基本的には「商品」テーブルの「商品名」をそのまま表示しますが、必要に応じて一部の商品だけを対象とすることもできるように、VLOOKUP関数を使って取り出します。その各商品について、「記録」テーブルに記録された売上数と売上金額の集計を表示します。

また、この「商品別集計」テーブル自体の集計行を利用して、すべての売上数と売上金額の合計を表示します。

❶ [集計] シートを開く。
❷「商品名」列の最初のセル（セルB4）をクリックする。
❸「=IFNA(VLOOKUP([@商品ID],商品,2,FALSE),"")」と入力して、Enterキーを押す。同じ列の以降のセルにも自動的に数式が設定される。
❹「売上数」列の最初のセル（セルC4）をクリックする。
❺「=SUMIF(記録[商品ID],[@商品ID],記録[数量])」と入力して、Enterキーを押す。同じ列の以降のセルにも自動的に数式が設定される。
❻「売上金額」列の最初のセル（セルD4）をクリックする。
❼「=SUMIF(記録[商品ID],[@商品ID],記録[金額])」と入力して、Enterキーを押す。同じ列の以降のセルにも自動的に数式が設定される。
❽「商品別集計」テーブルの中のセルを選択している状態で、[テーブルデザイン] タブの [集計行] のチェックを入れる。
❾ 集計行の「売上数」のセル（セルC19）および「売上金額」列のセル（セルD19）に合計が表示されない場合は、それぞれ▼をクリックして [合計] を選択する。

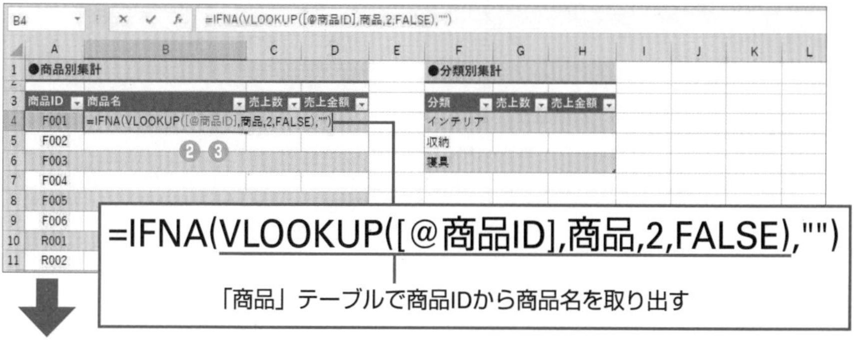

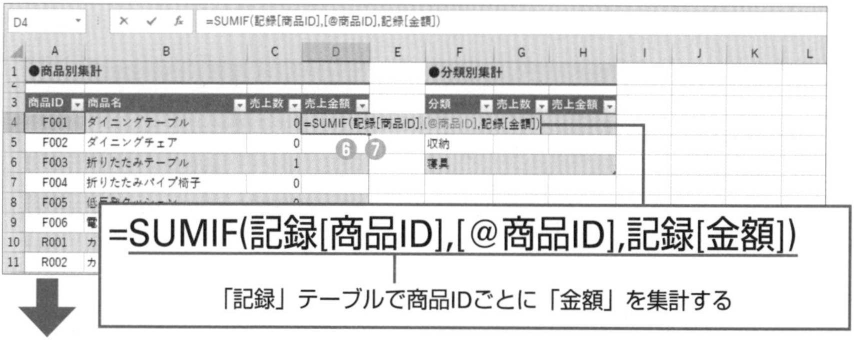

▲売上金額（セルD4）は、売上数（セルC4）の数式をコピーして、引数の「記録[数量]」を「記録[金額]」に変更してよい。ただし、その場合は表示形式もコピーされてセルD4が桁区切りスタイルになってしまうため、通貨表示形式に設定し直す必要がある。

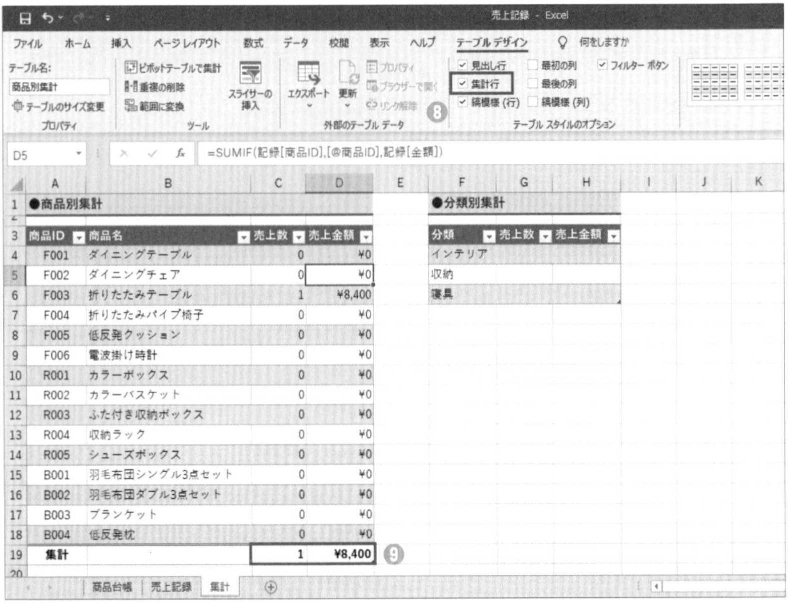

▲集計行に何らかの集計結果を表示させると、そのセルにはSUBTOTAL関数（39ページ参照）を使って合計などを求める数式が入力される。

・分類別の売上数と売上金額を集計する

「分類別集計」のテーブルの「分類」列には、あらかじめ3つの分類が入力されています。その各分類について、「商品別集計」テーブルと同様に、「記録」テーブルに記録された売上数と売上金額の集計を表示します。

❶「売上数」列の最初のセル（セルG4）をクリックする。

❷「=SUMIF(記録[分類],[@分類],記録[数量])」と入力して、Enterキーを押す。同じ列の以降のセルにも自動的に数式が設定される。

❸「売上金額」列の最初のセル（セルH4）をクリックする。

❹「=SUMIF(記録[分類],[@分類],記録[金額])」と入力して、Enterキーを押す。同じ列の以降のセルにも自動的に数式が設定される。

❺「分類別集計」テーブルの中のセルを選択している状態で、［テーブルデザイン］タブの［集計行］のチェックを入れる。

❻集計行の「売上数」のセル（セルG7）および「売上金額」列のセル（セルH7）に合計が表示されない場合は、それぞれ▼をクリックして［合計］を選択する。

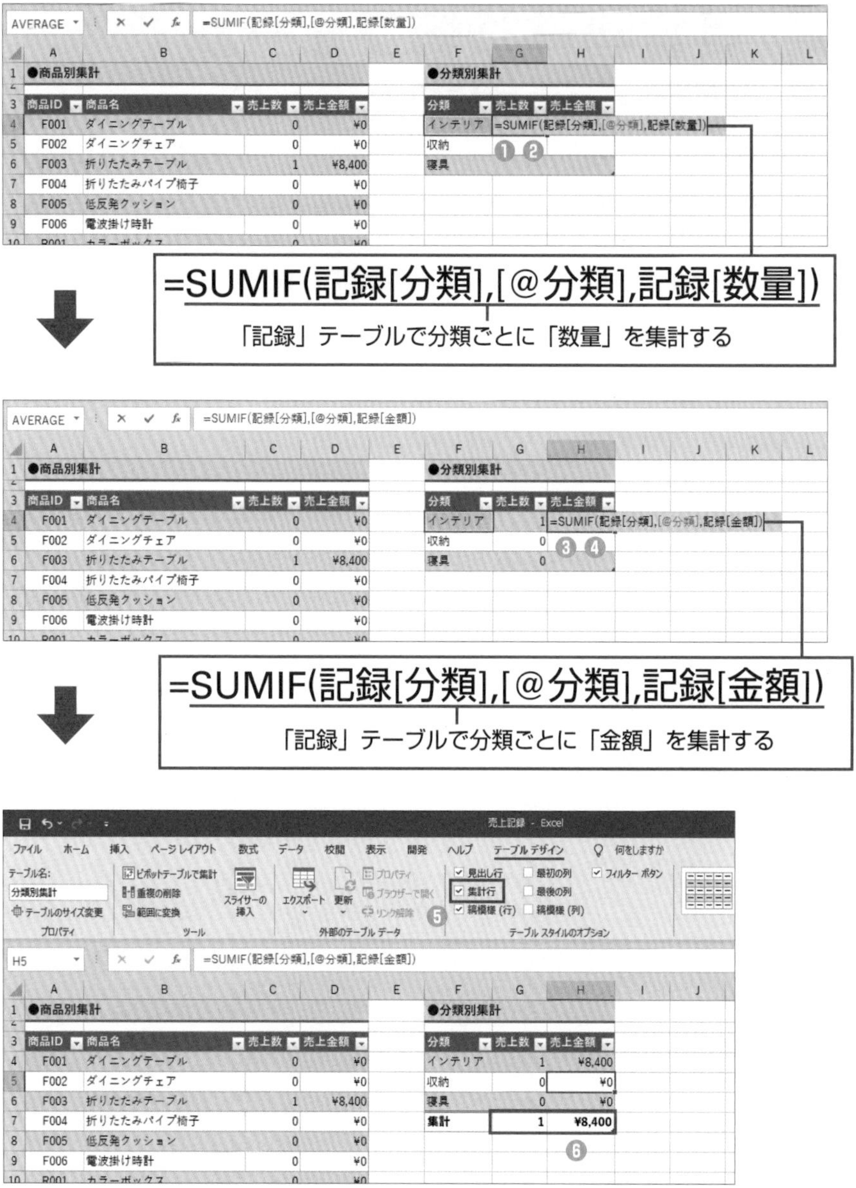

▲分類別集計は、「商品別集計」テーブルの数式の[商品ID]が[分類]に変わっただけ。テーブルの集計はフィールド名を変更すれば簡単に分析ができる。

5 賃貸物件検索フォームで関数を活用する

賃貸物件の一覧から、間取り、家賃で簡単に該当物件を検索できるようなフォームを作成します。間取りと家賃のオプションボタンをクリックするだけで、該当する物件の行に塗りつぶしの色が付くしくみです。関数および条件付き書式を利用します。

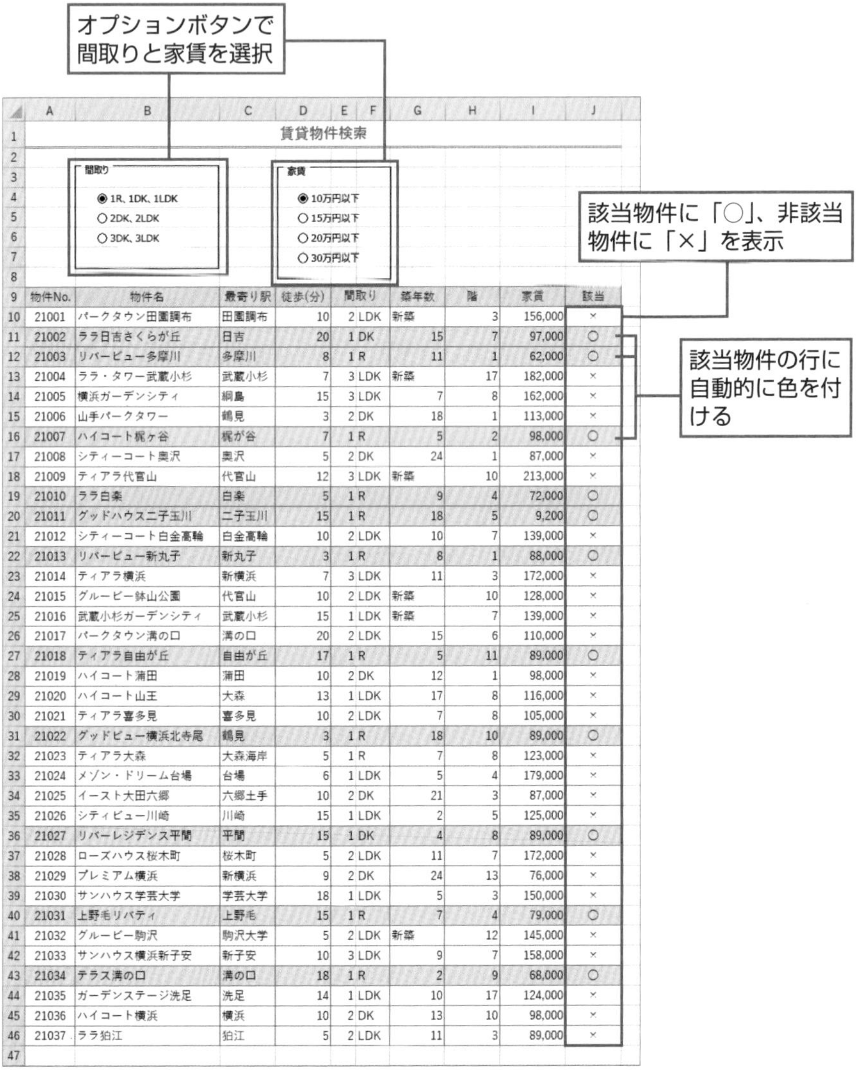

9	物件No.	物件名	最寄り駅	徒歩(分)	間取り		築年数	階	家賃	該当
10	21001	パークタウン田園調布	田園調布	10	2	LDK	新築	3	156,000	×
11	21002	ララ日吉さくらが丘	日吉	20	1	DK	15	7	97,000	○
12	21003	リバービュー多摩川	多摩川	8	1	R	11	1	62,000	○
13	21004	ララ・タワー武蔵小杉	武蔵小杉	7	3	LDK	新築	17	182,000	×
14	21005	横浜ガーデンシティ	綱島	15	3	LDK	7	8	162,000	×
15	21006	山手パークタワー	鶴見	3	2	DK	18	1	113,000	×
16	21007	ハイコート梶ヶ谷	梶が谷	7	1	R	5	2	98,000	○
17	21008	シティーコート奥沢	奥沢	5	2	DK	24	1	87,000	×
18	21009	ティアラ代官山	代官山	12	3	LDK	新築	10	213,000	×
19	21010	ララ白楽	白楽	5	1	R	9	4	72,000	○
20	21011	グッドハウス二子玉川	二子玉川	15	1	R	18	5	9,200	○
21	21012	シティーコート白金高輪	白金高輪	10	2	LDK	10	7	139,000	×
22	21013	リバービュー新丸子	新丸子	3	1	R	8	1	88,000	○
23	21014	ティアラ横浜	新横浜	7	3	LDK	11	3	172,000	×
24	21015	グルービー鉢山公園	代官山	10	2	LDK	新築	10	128,000	×
25	21016	武蔵小杉ガーデンシティ	武蔵小杉	15	1	LDK	新築	7	139,000	×
26	21017	パークタウン溝の口	溝の口	20	2	LDK	15	6	110,000	×
27	21018	ティアラ自由が丘	自由が丘	17	1	R	5	11	89,000	○
28	21019	ハイコート蒲田	蒲田	10	2	DK	12	1	98,000	×
29	21020	ハイコート山王	大森	13	1	LDK	17	8	116,000	×
30	21021	ティアラ喜多見	喜多見	10	2	LDK	7	8	105,000	×
31	21022	グッドビュー横浜北寺尾	鶴見	3	1	R	18	10	89,000	○
32	21023	ティアラ大森	大森海岸	5	1	R	7	8	123,000	×
33	21024	メゾン・ドリーム台場	台場	6	1	LDK	5	4	179,000	×
34	21025	イースト大田六郷	六郷土手	10	2	DK	21	3	87,000	×
35	21026	シティビュー川崎	川崎	15	1	LDK	2	5	125,000	×
36	21027	リバーレジデンス平間	平間	15	1	DK	4	8	89,000	○
37	21028	ローズハウス桜木町	桜木町	5	2	LDK	11	7	172,000	×
38	21029	プレミアム横浜	新横浜	9	2	DK	24	13	76,000	×
39	21030	サンハウス学芸大学	学芸大学	18	1	LDK	5	3	150,000	×
40	21031	上野毛リバティ	上野毛	15	1	R	7	4	79,000	○
41	21032	グルービー駒沢	駒沢大学	5	2	LDK	新築	12	145,000	×
42	21033	サンハウス横浜新子安	新子安	10	3	LDK	9	7	158,000	×
43	21034	テラス溝の口	溝の口	18	1	R	2	9	68,000	○
44	21035	ガーデンステージ洗足	洗足	14	1	LDK	10	17	124,000	×
45	21036	ハイコート横浜	横浜	10	2	DK	13	10	98,000	×
46	21037	ララ狛江	狛江	5	2	LDK	11	3	89,000	×

オプションボタンで、間取り、家賃を選択できるようにする

オプションボタンは、ワークシートやユーザーフォームに貼り付けることができる「フォームコントロール」という部品の一種です。クリックして複数の項目から1つを選択することができます。フォームコントロールの作成は［開発］タブで行います。Excelの初期値では表示されていないので、次の手順で表示します。

❶ リボンのタブ上で右クリックし、ショートカットメニューの［リボンのユーザー設定］をクリックする。

❷［Excelのオプション］ダイアログの［リボンのユーザー設定］カテゴリが表示されるので、［リボンのユーザー設定］の下側のボックスの［開発］にチェックを入れる。

❸［OK］をクリックする。

❹ まずはオプションボタンで間取りの選択項目を作成する。［開発］タブの［挿入］ボタンをクリックし、［フォームコントロール］の一覧から［オプションボタン（フォームコントロール)］をクリックする。

❺ マウスポインターの形が＋に変わるので、セルB4のセル内を左上から右下までドラッグする。

❻ オプションボタンが作成されるので、「オプション○」部分をドラッグして反転した状態で、「1R、1DK、1LDK」と入力する。

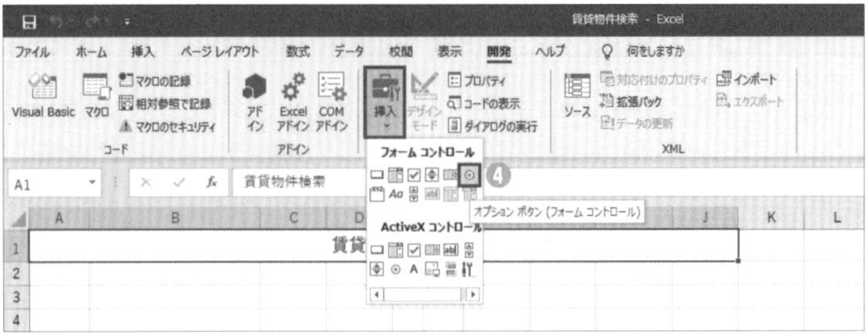

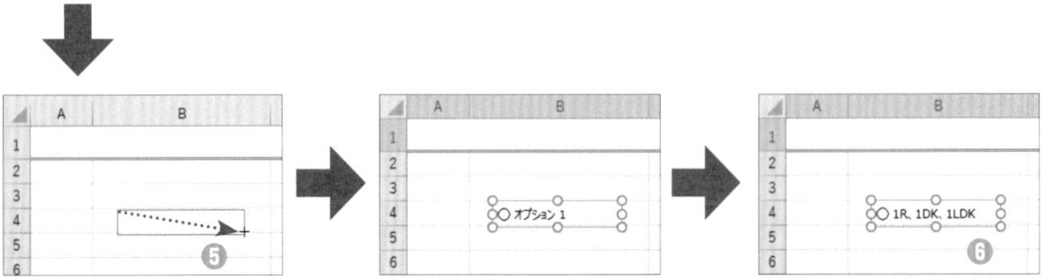

オプションボタンの選択

オプションボタンを編集するために選択状態にする場合はCtrlキーを押しながらクリックします。Ctrlキーを押さずにクリックすると、オプションボタンの通常の動作である黒丸が入った状態になります。

❼ 選択したオプションボタンに対応する番号を表示するセルを指定するためプロパティを設定する。オプションボタンが選択されている状態で、[開発] タブの プロパティ [プロパティ] ボタンをクリックする。

❽ [コントロールの書式設定] ダイアログの [コントロール] タブの [リンクするセル] ボックスに「C7」と入力し、[OK] をクリックする。これでセルC7に選択したボタンの番号が表示されることになる。

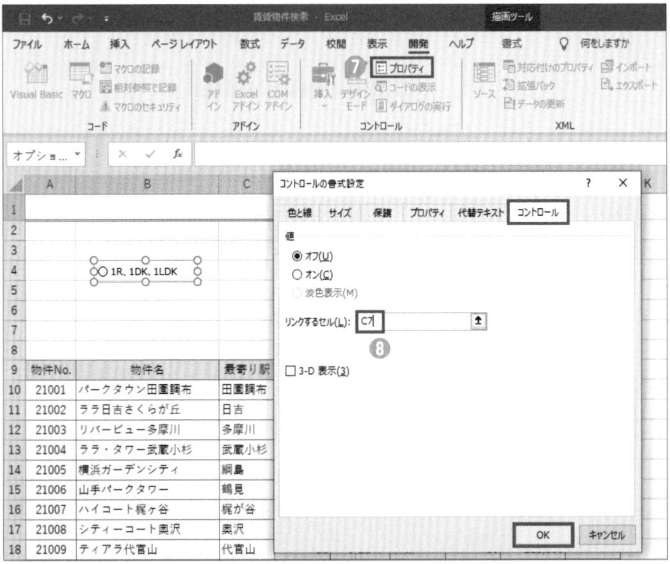

⑨［1R、1DK、1LDK］のオプションボタンが選択された状態で、Ctrl＋Cキーを押し、オプションボタンをコピーする。

⑩ セルB5をクリックし、Ctrl＋Vキーを押して、オプションボタンを貼り付ける。

⑪ 同様にセルB6、およびセルD4、D5、D6、D7にもオプションボタンを貼り付ける。

⑫ Ctrlキーを押しながらセルB5のボタンをクリックして選択し、ボタン名を「2DK、2LDK」に変更する。同様に、セルB6のボタン名を「3DK、3LDK」に変更する。

⑬ D列のボタンは家賃の項目になるので、ボタン名を上から「10万円以下」「15万円以下」「20万円以下」「30万円以下」に変更する。

⑭ オプションボタンをクリックすると、選択したボタンの番号がセルC7に表示されることを確認する。

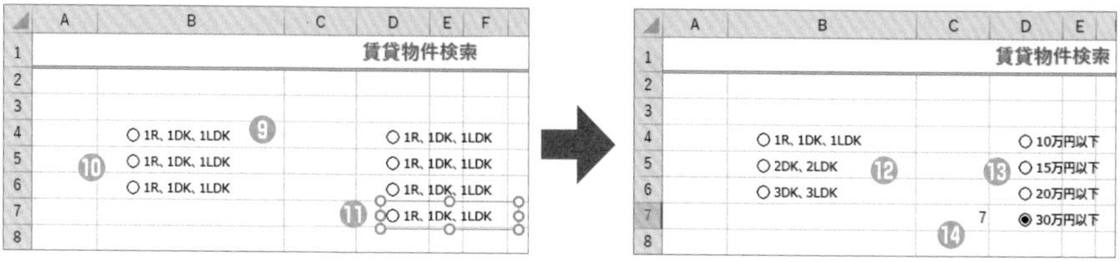

▲オプションボタンは作成した順に番号が割り当てられる。最後（7番目）に作った［30万円以下］のオプションボタンの番号は「7」なので、クリックすると、リンク先のセルC7に「7」が表示される。

⑮ 間取りと家賃は別の条件として指定するため、グループボックスにする。［開発］タブの［挿入］ボタンをクリックし、［グループボックス（フォームコントロール）］をクリックする。

⑯ マウスポインターの形が＋に変わるので、間取りの3つのオプションボタンを囲むようにドラッグする。

⑰ グループ名をドラッグして反転したら「間取り」と入力する。

⑱ 同様に家賃の項目もグループボックスで囲み、「家賃」というグループ名を付ける。

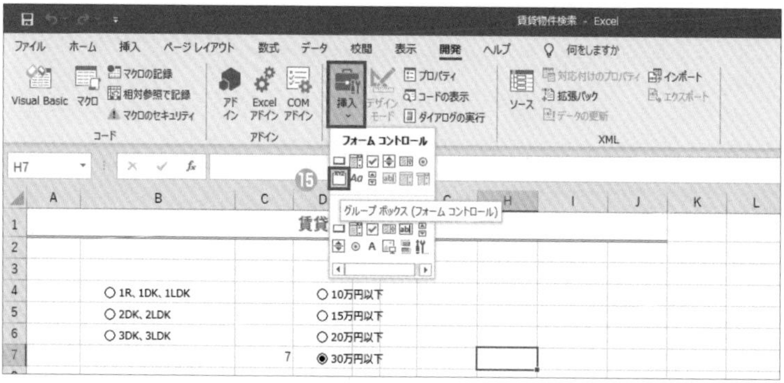

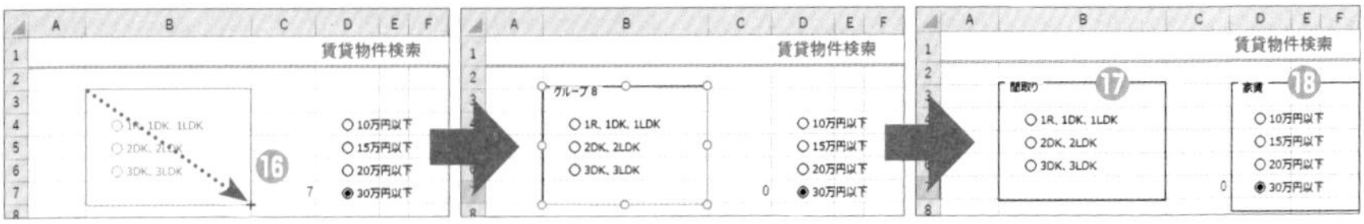

⑲ 家賃の4つのオプションボタンをCtrlキーを押しながらクリックして選択し、[開発]タブの[コントロール]の プロパティ [プロパティ]ボタンをクリックする。

⑳ [コントロールの書式設定]ダイアログの[コントロール]タブの[リンクするセル]ボックスに「G7」と入力し、[OK]をクリックする。

㉑ 間取りのオプションボタンを選択した結果はセルC7に、家賃のオプションボタンを選択した結果はセルG7に表示されることを確認する。

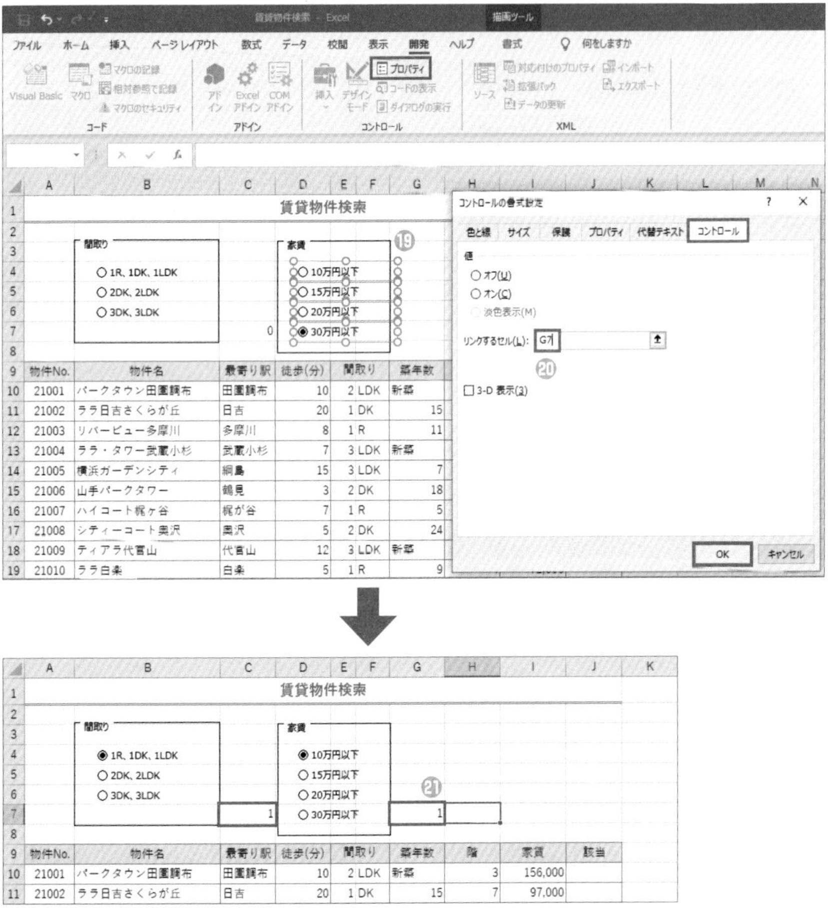

▲グループボックスにしたことによって、家賃のオプションボタンは、作成した順に「1」「2」「3」「4」の番号が割り当てられ、間取りのボタンとは異なるセルにリンクできる。

オプションボタンで選択した家賃を表示させる

オプションボタンで選択した家賃は物件の検索条件として使用するため、10万円以下は「100000」、15万円以下は「150000」、…と数値で表示しておきます。CHOOSE関数を使用して、オプションボタンを選択した結果が「1」のときは「100000」、2のときは「150000」、…と表示します。

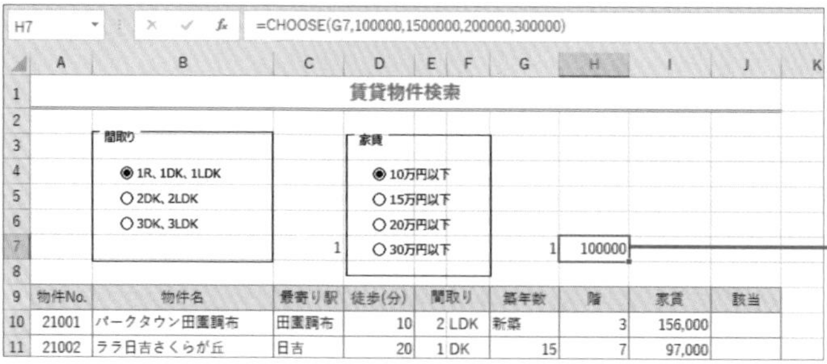

=CHOOSE(G7,100000,150000,200000,300000)

- G7：選択した家賃の番号
- 100000：1のとき「100000」と表示
- 150000：2のとき「150000」と表示
- 200000：3のとき「200000」と表示
- 300000：4のとき「300000」と表示

▲オプションボタンを選択した結果は「1」「2」「3」「4」という番号になる。これをCHOOSE関数で対応する家賃の金額として表示する。この値は物件検索の条件として使用する。

ヒント

IFS関数を使用する

Microsoft 365およびExcel 2019で新たに追加されたIFS関数（60ページ参照）を使用しても、オプションボタンで取得した番号から、家賃を表示することができます。
家賃を表示する数式は「=IFS(G7=1,100000,G7=2,150000,G7=3,200000,G7=4,300000)」となります。

間取り、家賃の該当する物件に「○」を付ける

選択された間取り、家賃の条件の該当する物件に「○」、該当しない物件に「×」を表示します。IF関数を使用して、セルC7の間取り、セルH7の家賃から判定します。

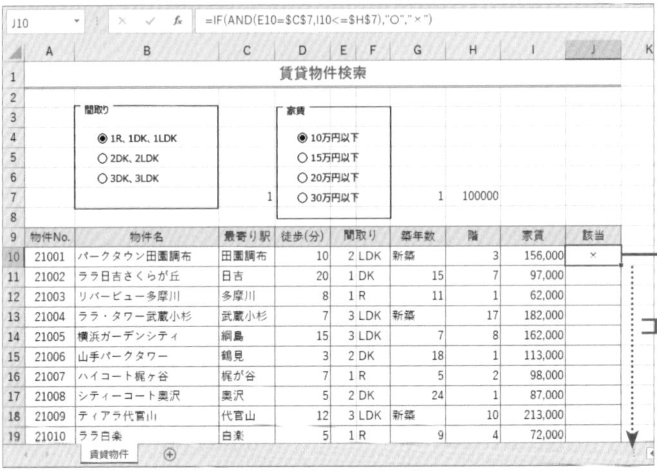

物件No.	物件名	最寄り駅	徒歩(分)	間取り		築年数	階	家賃	該当
21001	パークタウン田園調布	田園調布	10	2	LDK	新築	3	156,000	×
21002	ララ日吉さくらが丘	日吉	20	1	DK	15	7	97,000	
21003	リバービュー多摩川	多摩川	8	1	R	11	1	62,000	
21004	ララ・タワー武蔵小杉	武蔵小杉	7	3	LDK	新築	17	182,000	
21005	横浜ガーデンシティ	綱島	15	3	LDK	7	8	162,000	
21006	山手パークタワー	鶴見	3	2	DK	18	1	113,000	
21007	ハイコート梶ヶ谷	梶が谷	7	1	R	5	2	98,000	
21008	シティーコート奥沢	奥沢	5	2	DK	24	1	87,000	
21009	ティアラ代官山	代官山	12	3	LDK	新築	10	213,000	
21010	ララ白楽	白楽	5	1	R	9	4	72,000	

=IF(AND(E10=$C$7,I10<=$H$7),"○","×")

間取りがセルC7と同じ
家賃がセルH7以下

真の場合
「○」を表示

偽の場合
「×」を表示

▲間取りと家賃の2つの条件のどちらも満たさなければならないので、IF関数の引数「論理式」にAND関数を使用して条件を設定する。間取りは、オプションボタンで選択した結果「1」「2」「3」がそのまま検索する間取りの数値として使用できる。検索する家賃の指定はセルH7の値を使用する。

条件付き書式で該当する物件の書式を変更する

条件付き書式を利用して、該当欄に「○」があったら、その行に色が付くようにします。

❶ 物件一覧の表の範囲（セルA10～J46）を選択する。

❷ ［ホーム］タブの［条件付き書式］ボタンをクリックする。

❸ ［新しいルール］を選択する。

❹ ［新しい書式ルール］ダイアログの［ルールの種類を選択してください］の［数式を使用して、書式設定するセルを決定］をクリックする。

❺ ［次の数式を満たす場合に値を書式設定］に、J列のセルが「○」かどうかを調べる式「=$J10="○"」を入力する。

❻ ［書式］をクリックする。

❼ ［セルの書式設定］ダイアログの［塗りつぶし］タブで、該当者の行に設定したい色を選択する。

❽ [OK] をクリックする。

❾ [新しい書式ルール] ダイアログの [OK] をクリックする。

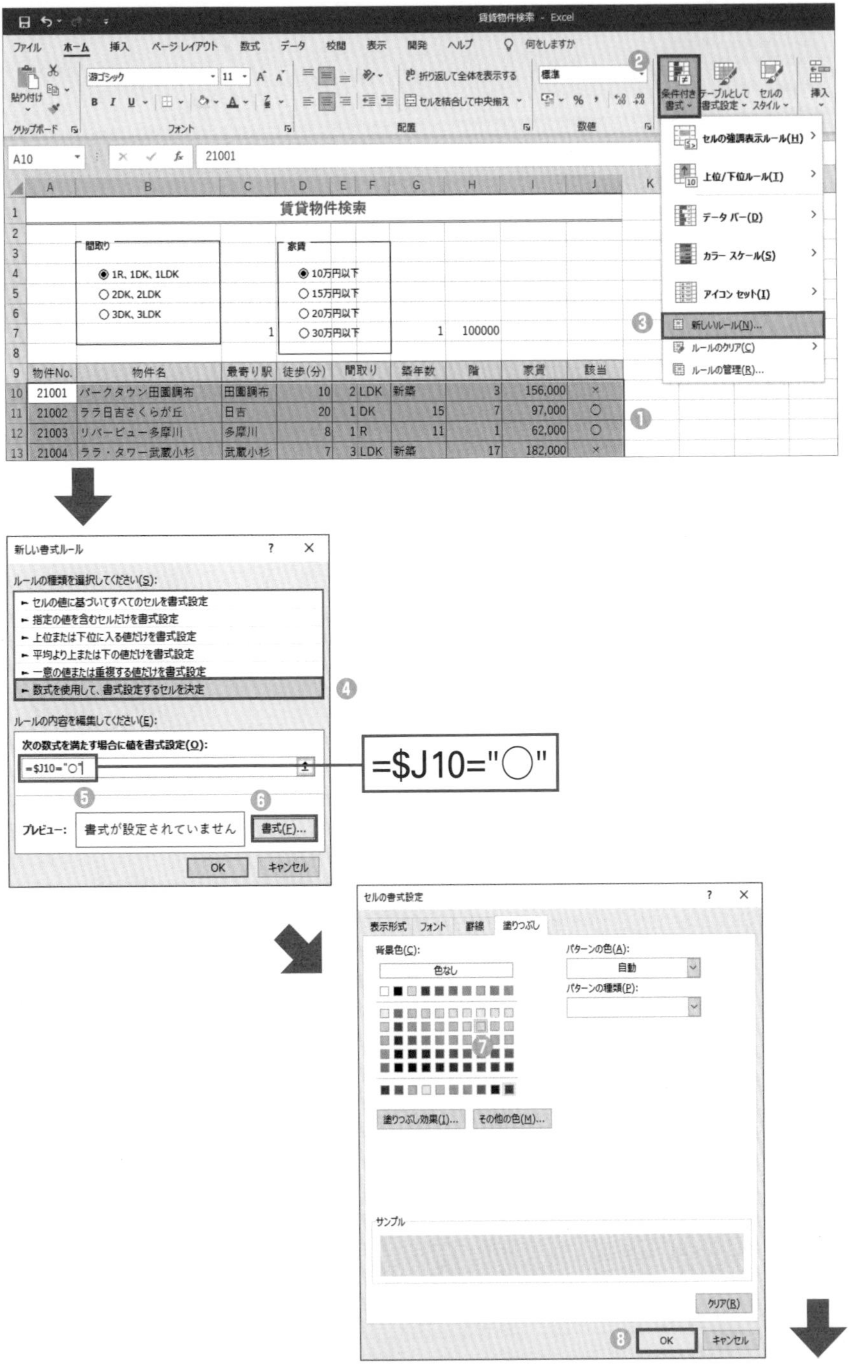

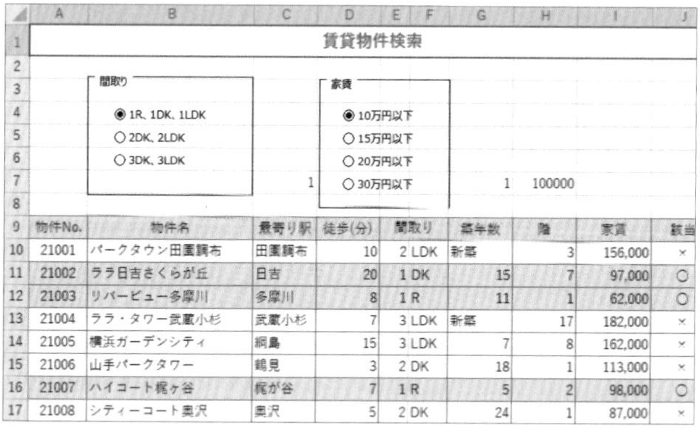

物件No.	物件名	最寄り駅	徒歩(分)	間取り	築年数	階	家賃	該当
21001	パークタウン田園調布	田園調布	10	2 LDK	新築	3	156,000	×
21002	ララ日吉さくらが丘	日吉	20	1 DK	15	7	97,000	○
21003	リバービュー多摩川	多摩川	8	1 R	11	1	62,000	○
21004	ララ・タワー武蔵小杉	武蔵小杉	7	3 LDK	新築	17	182,000	×
21005	横浜ガーデンシティ	綱島	15	3 LDK	7	8	162,000	×
21006	山手パークタワー	鶴見	3	2 DK	18	1	113,000	×
21007	ハイコート梶ヶ谷	梶が谷	7	1 R	5	2	98,000	○
21008	シティーコート奥沢	奥沢	5	2 DK	24	1	87,000	×

▲この例の場合、間取りは「1R、1DK、1LDK」、家賃は「10万円以下」がオプションボタンで選択されているので、賃貸物件一覧のこの条件に該当する物件の行に色が付く。オプションボタンで違う項目を選択すると、それに応じて色が付く行も変わる。

ヒント

オプションボタンのリンクするセルの表示

オプションボタンのリンクするセル（セルC7、G7）に表示された番号やその番号をもとに対応する家賃を表示したセル（セルH7）の数値を削除すると、そこを参照している数式がエラーになります。ワークシートが完成したら、見えないようにフォントの色を白にしておくとよいでしょう。フォントの色を白にするには、[ホーム]タブの [フォントの色] ボタンの▼をクリックし、[テーマの色] の一覧から[白、背景1] を選択します。

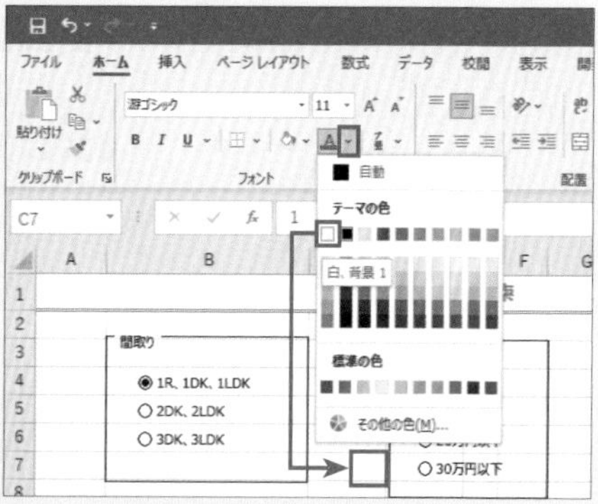

リンクするセルのフォントを白にすると見えなくなる

記号 / 数字

A

C

D

F

H

I

J

L

M

N

O

P

Q

R

S

T

U

V

W

W

Y

あ

か

さ

た

著者紹介

土岐 順子（とき じゅんこ）

専門学校講師を経て、出版社でパソコン関連書籍および雑誌の編集、記者として勤務。現在、株式会社ZUGA（https://www.zuga.jp/）で書籍の企画、執筆、編集を行うほか、パソコン研修の講師も務める。主な著書に「MOS攻略問題集 Excel 365&2019」「同 エキスパート」「Windows 10 セミナーテキスト」「情報利活用 文書作成 Word 2019対応」（日経BP社）、「世界一わかりやすい Excelテキスト Excel 2019/2016/2013対応版」（技術評論社）など。

●本書についての最新情報、訂正、重要なお知らせについては、下記Webページを開き、書名もしくはISBNで検索してください。

https://bookplus.nikkei.com/catalog/

●本書に掲載した内容についてのお問い合わせは、下記Webページのお問い合わせフォームからお送りください。電話およびファクシミリによるご質問には一切応じておりません。なお、本書の範囲を超えるご質問にはお答えできませんので、ご了承ください。ご質問の内容によっては、回答に日数を要する場合があります。

https://nkbp.jp/booksQA

●ソフトウェアの機能や操作方法に関するご質問は、製品パッケージに同梱の資料をご確認のうえ、日本マイクロソフト株式会社またはソフトウェア発売元の製品サポート窓口へお問い合わせください。

即効！ 仕事に役立つ関数ワザ！ Excel 365/2019/2016/2013対応

2021年 9月27日　初版第1刷発行
2024年 4月10日　初版第2刷発行

著　　者　土岐 順子
発 行 者　中川 ヒロミ
編　　集　仙石 誠
発　　行　株式会社日経BP
　　　　　東京都港区虎ノ門4-3-12　〒105-8308
発　　売　株式会社日経BPマーケティング
　　　　　東京都港区虎ノ門4-3-12　〒105-8308
執筆協力　佐藤 薫、土屋 和人
装　　丁　小口 翔平＋三沢 稜（tobufune）
DTP制作　今田 博史（株式会社ZUGA）
印刷・製本　図書印刷株式会社

・本書に記載している会社名および製品名は、各社の商標または登録商標です。なお、本文中に™、®マークは明記しておりません。
・本書の例題または画面で使用している会社名、氏名、他のデータは、一部を除いてすべて架空のものです。
・本書の無断複写・複製（コピー等）は著作権法上の例外を除き、禁じられています。購入者以外の第三者による電子データ化および電子書籍化は、私的使用を含め一切認められておりません。

©2021 Junko Toki

ISBN978-4-296-08007-6　　Printed in Japan